# 건국 한국어 1-2

건국대학교 언어교육원

Konkuk Korean 1–2

By Konkuk University Language Institute
Textbook Committee: Jee Yoon Lee, Sun Min Lee, Risa Lee, Soo Yeon Yoon

Published by Konkuk University Press
Address: 120 Neungdong-ro, Gwangjin-gu, Seoul 05029, Korea
Telephone: 82-2-450-3891~3
Fax: 82-2-457-7202
Website: http://press.konkuk.ac.kr

First edition 2025
Printed in Korea

K O N K U K   K O R E A N

# 건국 한국어 1-2

건국대학교 언어교육원

건국대학교출판부

# 발간사

건국대학교 언어교육원은 1998년 외국인을 위한 한국어 교육 과정을 개설한 이래 체계적인 한국어 교육을 선도하며 우리말의 우수성을 국제적으로 알리기 위해 꾸준히 노력해 왔습니다. 다양한 국적의 학습자들을 교육하며 쌓아온 경험과 자료를 바탕으로 보다 효과적인 한국어 학습을 위한 교재를 자체적으로 개발해 활용해 왔습니다.

최근 AI와 기계번역 기술이 발전하면서 외국어 교육 방식에도 많은 변화가 이루어지고 있지만 직접적인 소통에 대한 근본적인 필요성은 여전히 중요합니다. 따라서 효과적인 제2언어 학습 기법과 더불어 급변하는 한국의 문화 · 사회 · 경제적 변화를 반영한 교재 개발이 필수적이라 판단하였습니다. 이러한 필요에 따라 2022년부터 새 교재 개발을 시작하여 『건국 한국어』를 발간하게 되었습니다.

『건국 한국어』는 읽기, 쓰기, 듣기, 말하기 기능을 고르게 익힐 수 있도록 구성된 통합 교재입니다. 학습자가 일상생활에서 자주 접하는 주제와 상황을 중심으로 다양한 연습과 실제 과제를 포함하여 의사소통 능력을 효과적으로 향상할 수 있도록 하였습니다.

듣기 영역에서는 다양한 상황 속 짧은 대화와 긴 대화를 수록하여 학습자의 듣기 능력을 기를 수 있도록 하였고, 말하기 영역에서는 목표 문법을 활용하여 주제와 관련된 연습을 진행하며 학습자가 스스로 발화할 수 있도록 다양한 과제를 제시하였습니다. 또한 읽기 영역에서는 실생활에서 접할 수 있는 실용문과 다양한 길이의 글을 제공하여 이해력을 높이고, 쓰기 영역에서는 주제별 쓰기 과제를 통해 개요를 구성하고 완성도 높은 글을 작성할 수 있도록 하였습니다.

외국어 학습은 단순한 의사소통 능력뿐만 아니라 상대 문화와 정서를 이해하는 중요한 과정이기도 합니다. 『건국 한국어』가 한국어 학습자들에게 실질적인 도움을 주고 한국 문화 전반을 이해하는 데 유용하게 활용되기를 기대합니다.

본 교재가 완성되기까지 많은 분들의 아낌없는 지원과 노력이 있었습니다. 언어교육원 행정실을 비롯한 모든 선생님들, 본 교재의 집필을 맡아 주신 이지윤, 이선민, 이리사, 윤수연 선생님, 그리고 건국대학교 출판부 여러분께 깊은 감사를 드립니다.

2025년 1월

건국대학교 언어교육원장 **염재웅**

# 일러두기 Introduction

『건국 한국어 1』은 초급 한국어 학습자를 대상으로 한 교재이다. 학습자가 일상생활에서 쉽게 접할 수 있는 주제와 상황을 통해 활발하게 의사소통을 할 수 있도록 다양한 연습과 실제적인 과제로 구성하였다. 또한 문법 지식뿐만 아니라 듣기, 말하기, 읽기, 쓰기 능력을 배양하기 위해 네 가지 기능을 강화하였다.

『건국 한국어 1』은 두 권으로 분리하여 200시간의 집중과정 및 단기 과정 등에서 융통성 있게 활용할 수 있도록 하였다. 『건국 한국어 1–1』은 한글 1~한글 5까지를 포함하여 1~7과까지이며, 『워크북 1–1』도 이와 동일하다. 『건국 한국어 1–2』는 8과부터 15과까지이며, 『워크북 1–2』도 이와 동일하다.

<*Konkuk Korean* 1> is a textbook for beginner-level Korean students. The textbook was structured so that various speaking practices and realistic subjects would enable students to actively communicate in Korean using subjects and situations that they are famillar with in the everyday life. In addition, four functions were enhanced to cultivate not only grammar knowledge but also listening, speaking, reading, and writing skills.

<*Konkuk Korean* 1> consists of two books and can be used flexibly for both a short-term or 200-hour intensive program. <*Konkuk Korean* 1-1> consists of chapters 1 to 7 including Hangeul 1-5, and <*Workbook* 1-1> is the same. <*Konkuk Korean* 1-2> consists of chapters 8 to 15 and <*Workbook* 1-2> is the same.

## 단원 구성 Unit Structure

『건국 한국어 1』과 『워크북 1』은 다음과 같이 구성하였다.

<*Konkuk Korean* 1> and <*Workbook* 1> were organized as follows.

### 『건국 한국어 1』

첫째 날

도입 ➡ 어휘1 ➡ 문법 및 표현1 ➡ 문법 및 표현2 ➡ 듣기1 ➡ 듣기2 ➡ 말하기1 ➡ 말하기2

둘째 날

어휘2 ➡ 문법 및 표현3 ➡ 문법 및 표현4 ➡ 읽기1 ➡ 읽기2 ➡ 쓰기1 ➡ 쓰기2 ➡ 활동 ➡ 문화 ➡ 자기 평가 ➡ 어휘 확인

*『워크북 1』

문법 및 표현1 ➡ 연습1 ➡ 문법 및 표현2 ➡ 연습2 ➡ 문법 및 표현3 ➡ 연습3 ➡ 문법 및 표현4 ➡ 연습4

## 도입

'도입'은 단원 명과 학습 목표 및 해당 단원의 주제와 관련이 있는 장면의 삽화를 제시하였다. 학습자들이 삽화를 통해 해당 주제에 대해 생각해 볼 수 있게 하였다.

The introduction features illustrations connected to the unit's title, learning objectives, and theme, encouraging learners to think about and engage with the topic.

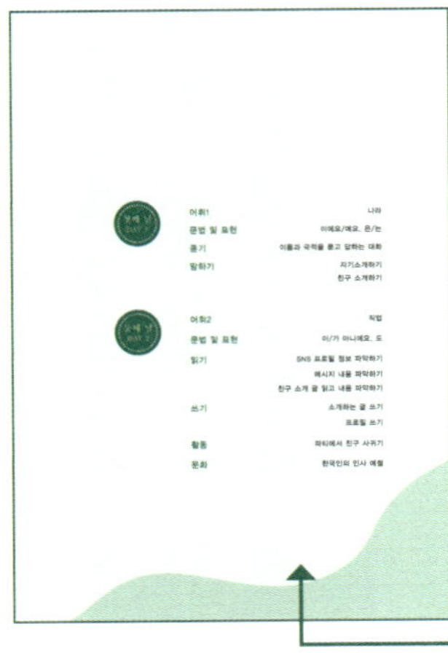

학습자들의 학습에 도움이 되도록 해당 단원에서 배우는 모든 내용을 정리하여 한눈에 보기 쉽게 제시하였다.

The unit provides a clear and concise summary of all the key concepts to help learners study effectively.

---

## 어휘

'어휘'는 해당 단원의 주제와 관련이 있는 어휘를 선정하여 학습자들이 이해하기 쉽게 삽화로 제시하였다. '어휘'는 보통 하나의 범주로 제시되나 2개의 범주로 나뉜 단원도 있다.

To help learners grasp the unit's theme, vocabulary items are paired with illustrations, making it easier for them to understand. Vocabulary is usually grouped into one category, but some units may use 2 categories.

어휘 연습을 추가하여 학습자들이 어휘를 충분히 익히도록 하였다.

To reinforce vocabulary learning, extra practice exercises are included.

## 문법 및 표현1~4

'문법 및 표현1~4'는 해당 단원에서 꼭 배워야 하는 항목으로 선정하였으며 삽화를 활용해 도입을 진행할 수 있도록 하였다.

"Grammar and Expressions 1-4" focuses on items that must be learned in the unit. Illustrations are included to facilitate the introduction.

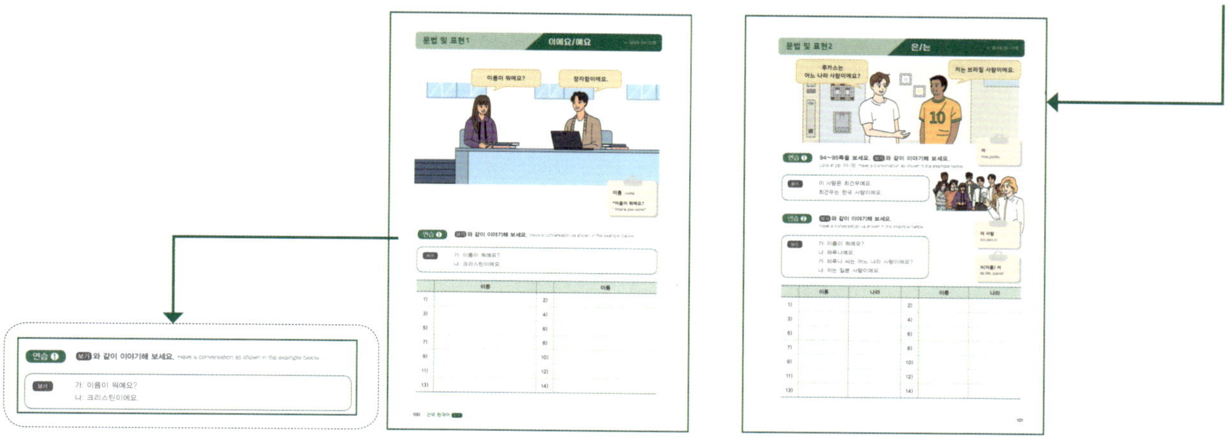

말하기 연습은 1~3개의 항목으로 구성되며, 문법을 사용해서 말할 수 있도록 구성하였다. 또한 의미가 여러 개일 경우에는 각각을 연습할 수 있도록 하였다.

The speaking practice consists of one to three items and is designed to help learners speak using the targeted grammar. Additionally, if there are multiple meanings, each one can be practiced separately.

말하기 연습은 1~3개로 구성되어 있으며, 의미가 여러 개 일 경우 각각을 연습할 수 있도록 구성하였다.

Speaking exercises consist of one to three tasks. For expressions with multiple meanings, the exercises are structured to allow practice of each meaning.

---

## 듣기1~2

'듣기'는 총 2쪽으로 이루어져 있다. 첫 번째 페이지는 짧은 내용의 듣기를 듣고 듣기 내용을 이해했는지를 확인하는 질문과 함께 듣기 내용을 유추해 볼 수 있는 삽화(누구와 누구의 대화인지, 어떤 상황인지를 알 수 있는) 부분이 있다.

"Listening" is composed of two pages. The first page includes a short listening exercise accompanied by questions to check comprehension, along with illustrations that help learners infer the content (who is speaking with whom, and what the situation is).

또한 정확하게 발음할 수 있도록 발음 규칙을 알려주고 발음을 연습할 수 있도록 발음 부분도 있다.

The page also features pronunciation rules and practice for correct pronunciation.

두 번째 페이지는 긴 내용의 듣기를 듣고 듣기 내용을 이해했는지를 확인하는 질문과 함께 듣기 내용을 유추해 볼 수 있는 삽화(누구와 누구의 대화인지, 어떤 상황인지를 알 수 있는) 부분이 있다. 각 삽화는 듣기 도입 부분에서 사용할 수 있다.

The second page includes a long listening exercise accompanied by questions to check comprehension, along with illustrations that help learners infer the content (who is speaking with whom, and what the situation is). The illustrations can be used when introducing the listening exercises.

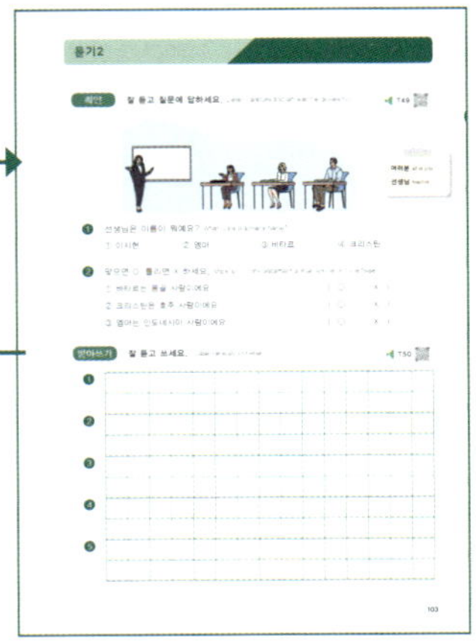

마지막으로 배운 어휘와 문법으로 구성된 문장을 듣고 받아쓰기를 할 수 있는 '받아쓰기' 부분도 있다.

There is also "Dictation" where learners can listen to and write down sentences made up of vocabulary and grammar they've learned.

## 말하기1~2

'말하기'는 총 2쪽으로 이루어져 있다. 첫 번째 페이지는 목표 문법을 사용해 주제와 관련된 말하기를 할 수 있도록 1~2개의 비교적 간단한 과제로 구성하였다. 두 번째 페이지 역시 목표 문법을 사용해 주제와 관련된 말하기 과제 혹은 대화문 만들기 등을 제시하였다.

"Speaking" is composed of two pages. The first page presents one to two relatively simple tasks to encourage learners to speak on the topic, using the target grammar. The second page also presents exercises such as speaking tasks or dialogue creation that learners can accomplish by using target grammar related to the topic.

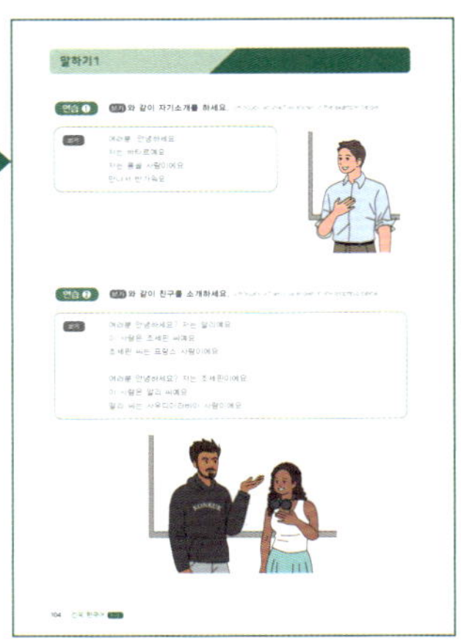

## 읽기1~2

'읽기'는 총 2쪽으로 이루어져 있다. 첫 번째 페이지는 실생활에서 접할 수 있는 간단한 실용문이나 짧은 글과 함께 이를 읽고 내용을 이해했는지를 확인하는 질문으로 구성하였다.

"Reading" is composed of two pages. The first page features simple practical texts or short passages that learners may encounter in everyday life, along with comprehension questions.

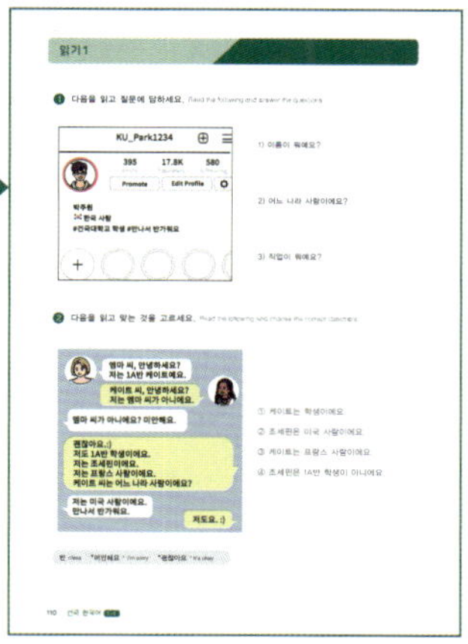

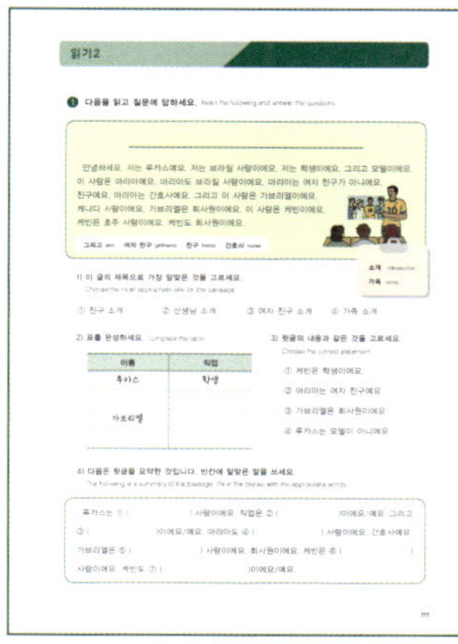

두 번째 페이지는 주제와 관련된 비교적 긴 글을 읽고 내용을 잘 이해했는지를 확인하는 질문으로 구성하였다. 첫 번째 질문은 주제 파악이나 제목 찾기이고, 두 번째와 세 번째 질문은 세부 내용을 파악하는 것이다. 마지막으로 글을 읽고 짧게 요약하는 연습을 제시해 글을 이해하고 재구성하는 능력을 기르도록 하였다.

The second page presents questions that assess a deeper understanding of a relatively long passage related to the topic. The first question asks for the topic or title, and the second and third questions ask for specific details. Lastly, an exercise that asks learners to read and summarize the passage is provided to help them develop the ability to understand andr eorganize information.

## 쓰기1~2

'쓰기'는 총 2쪽으로 이루어져 있다. 첫 번째 페이지는 주제와 관련된 쓰기 과제를 제시하였다. 짝과 인터뷰를 하거나 교재에 제시된 질문에 대한 답을 쓰면서 글의 개요를 구성할 수 있도록 하였다.

"Writing" is composed of two pages. The first page presents a writing task related to the topic. It prompts learners to interview a partner or write answers to questions provided in the textbook, creating an outline for their writing.

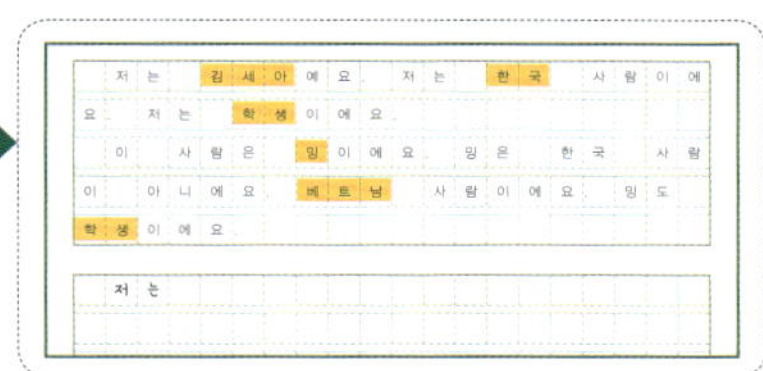

또한 보기 글을 제시하여 쓰기 능력이 부족한 학생들에게 모방쓰기 자료로 활용할 수 있도록 하였다. 학습자들이 자신이 메모한 개요를 보면서 원고지에 글을 쓰도록 하였는데 이를 통해 원고지 쓰기에 익숙해질 수 있도록 하였다.

Also, an example text is featured as a model for learners with weaker writing skills to imitate. Learners can refer to their notes when writing down the outline on the squared manuscript paper; this exercise helps them become familiar with writing on the squared manuscript paper.

두 번째 페이지는 학습자들이 교사에게 받은 피드백을 반영하여 다시 쓰도록 하였다. 그러나 내용이 중복될 경우 다시 쓰기가 아닌 다른 과제가 제시된 과도 있다.

On the second page, learners are asked to rewrite their work, based on the teacher's feedback. In some units, however, when the content overlaps, different tasks are presented instead of a rewrite.

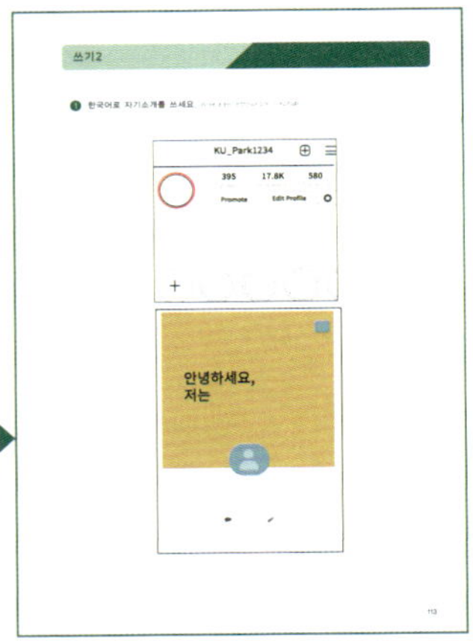


## 활동

'활동'은 해당 단원에서 배운 어휘와 문법 및 표현을 사용해 주제와 관련된 말하기나 쓰기 활동으로 구성하였다.

"Activities" consist of speaking or writing activities related to the topic, using the vocabulary, grammar, and expressions learned in the unit.

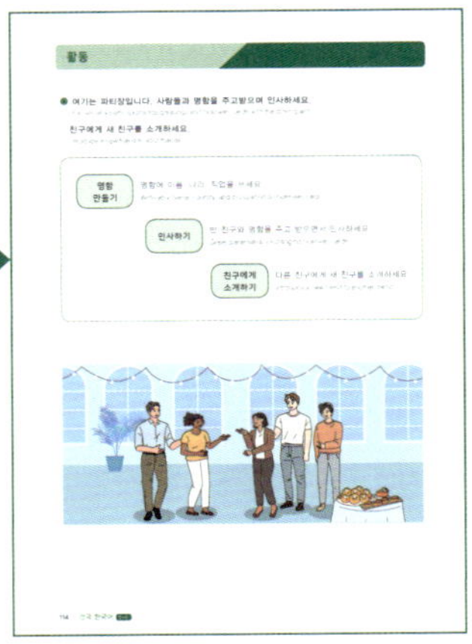


## 문화

'문화'는 주제와 관계가 있는 한국 문화를 소개하여 학습자들의 이해를 도울 수 있도록 하였다.

"Culture" introduces various facets of Korean culture related to the topic to enhance learners' understanding.

## 자기 평가

'자기평가'는 해당 단원을 모두 배운 후에 학습자 스스로 성취 수준을 확인하고 점검할 수 있도록 해당 단원에서 배운 '어휘', '문법 및 표현'에 대한 질문으로 구성하였다. 또한 모범 답안을 제공해 학습자들이 스스로 확인해 볼 수 있도록 하였다.

"Self-evaluation" consists of questions about "Vocabulary" and "Grammar and Expressions" learned in the unit, allowing learners to assess their achievement after completing the unit. Additionally, the model answers are provided to allow learners to check the answers on their own.

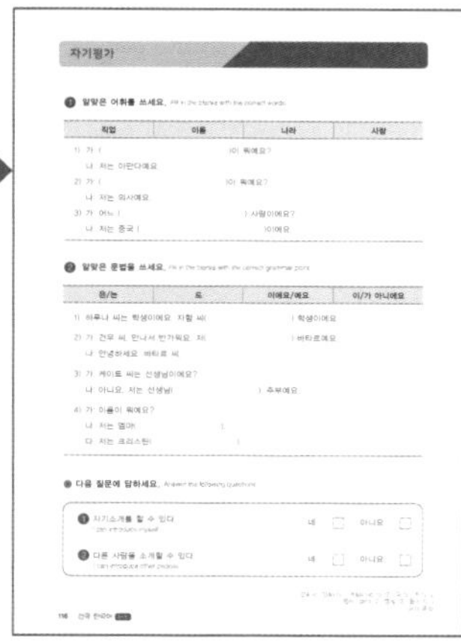


학습자들이 교재에 제시된 학습 목표의 성취 여부를 질문을 통해 스스로 확인할 수 있도록 하였다.

Self-check questions encourage learners to assess whether they've achieved the learning objectives presented in the textbook.

---

## 어휘 확인

'어휘 확인'은 해당 단원에서 제시된 모든 어휘를 영역별로 모아 한눈에 볼 수 있도록 하였다. 이를 통해 어휘 학습에 도움이 되도록 하였다.

"Vocabulary Check" offers a collection of vocabulary presented in the unit by category, presenting a clear overview to assist vocabulary learning.

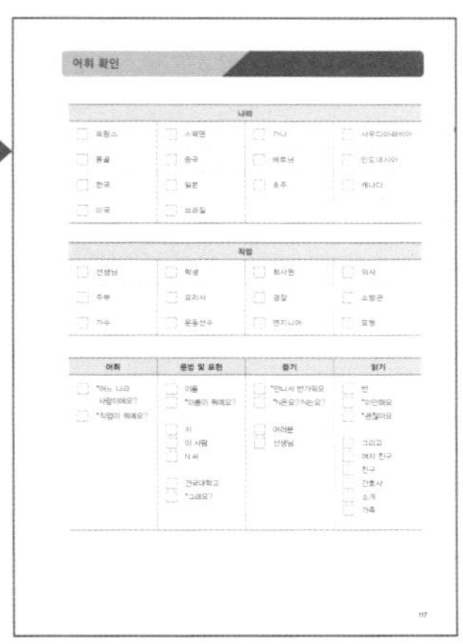

## 교재 구성

| 과 | 주제 | 기능/상황 | 어휘1 | 문법 및 표현 | 듣기 | 발음 | 말하기 |
|---|---|---|---|---|---|---|---|
| 8과 | 주문과 쇼핑 | • 주문하기<br>• 쇼핑하기 | • 한국 돈<br>• 단위 명사 | • 몇<br>• (이)랑 | • 가게에서 과일을 사는 대화<br>• 쇼핑한 물건에 대한 대화 | ㄱ받침 비음화 | • 과일 가게에서 과일 사기<br>• 가게의 메뉴와 가격을 정하고 손님과 대화하기 |
| 9과 | 건강 | • 아픈 증상 말하기<br>• 명령하기/권유하기<br>• 이유 설명하기 | 몸 | • -(으)세요<br>• -(으)면 | • 학교에 결석한 학생과 선생님의 통화<br>• 환자가 병원에서 간호사, 의사와 나누는 대화 | 한자어 경음화 | • 아픈친구의 증상을듣고 조언하기<br>• 제안을거절하는 친구에게 이유를 묻고 조언하기 |
| 10과 | 여행 | • 여행 경험 말하기<br>• 여행 계획 말하기 | • 교통 수단<br>• 서울의 여행지 | • -(으)러 가다/오다<br>• -아/어/해 봤다 | 서울 여행 경험 묻고 답하는 대화 | 받침 ㄴ,ㅁ,ㅇ | • 서울 여행 경험 말하기<br>• 서울에서 하고 싶은 일 제안하기 |
| 11과 | 취미 | • 취미 묻고 답하기<br>• 권하기/조언하기 | 취미 생활[1] | • -아/어/해 보세요<br>• -거나 | • 취미 묻고 답하는 대화<br>• 자신의 취미 발표 | ㄷ비음화 | • 취미 묻고 답하기<br>• 취미 발표하기 |
| 12과 | 날씨와 계절 | • 날씨와 계절 말하기<br>• 격식적인 상황에서 말하기 | 날씨 | • -지요?<br>• -(으)ㄹ 때 | 날씨 묻고 답하는 대화 | 평음, 격음, 경음 | • 날씨를 묻고 어떤 일을 하자고 제안하기<br>• 좋아하는 날씨와 싫어하는 날씨 이야기하기 |
| 13과 | 가족 | • 가족에 대해 말하기<br>• 높임말 사용하기 | • 가족<br>• 높임말[1] | • -(으)시- | • 가족 묻고 답하는 대화<br>• 가족의 선물을 추천하는 대화 | 받침ㅂ 비음화 | • 사진을 보며 가족 소개하기<br>• 가게에서 가족 선물 사는 역할극 |
| 14과 | 초대와 약속 | • 초대하거나 초대에 응하기<br>• 약속에 늦은 이유 말하기<br>• 해야하는 일에 대해 말하기 | 파티 | • -아/어/해 주세요<br>• -(으)ㄹ게요[1] | • 파티 준비를 도와달라고 요청하는 대화<br>• 결혼식 준비를 도와달라고 요청하는 대화 | '못' 발음 | • 파티에서 해야 할 역할 정하기<br>• 집에 초대하기 |
| 15과 | 공공 장소 | • 공공장소에서 지켜야하는 예절<br>• 허락 구하기/허락하기<br>• 명령하기/금지하기 | • 공공 장소<br>• 동사[3] | • -아/어/해도 되다<br>• -(으)면 안 되다 | • 교실에서 허락을 구하고 금지하는 대화 듣기<br>• 공연장 안내 방송 듣기 | 'ㄹ' 비음화 | 공공장소 예절 묻고 답하기 |

| 어휘2 | 문법 및 표현 | 읽기 | 쓰기 | 활동 | 문화 |
|---|---|---|---|---|---|
| • 물건[3]<br>• 형용사[4] | • -(으)ㄴ<br>• 보다 (더) | • 물건의 가격을 비교하는 표 정보 파악하기<br>• 인터넷에서 물건을 사고파는 글 읽고 내용 파악하기<br>• 쇼핑 경험 글 읽고 내용 파악하기 | 한국에서 쇼핑한 경험 쓰기 | 물건 소개하고 팔기 | 한국 돈 |
| • 병원<br>• 어디가 어떻게 아파요? | • -(으)니까<br>• -(으)ㄹ 수 있다/없다 | • 의사와 환자가 나눈 대화 내용 파악하기<br>• 아픈 친구의 메시지를 읽고 내용 파악하기<br>• 아픈 경험 글을 읽고 내용 파악하기 | 아픈 경험 쓰기 | 의사와 환자가 되어 이야기하기 | 병원 찾기 |
| • 한국의 여행지<br>• 얼마나 걸려요? | • -아/어/해서[2]<br>• -(으)ㄹ 거예요[1] | • 여행 계획표 보고 정보 파악하기<br>• 여행지에서 보내온 엽서 내용 파악하기<br>• 여행 계획 글 읽고 내용 파악하기 | 여행 계획 쓰기 | 서울 여행 계획 세우기 | 한국 음식 지도 |
| 취미생활[2] | • ㄷ불규칙<br>• -는 것 | • 모집 안내문 읽고 정보 파악하기<br>• 게시판 글 읽고 정보 파악하기<br>• 취미 소개 글 읽고 내용 파악하기 | 취미 소개하는 글쓰기 | 취미 활동 함께 할 친구 찾기 | 한국 사람의 취미 생활 |
| 사계절 | • -(스)ㅂ니다<br>• -겠[1]- | • SNS 글 읽고 내용 파악하기<br>• 일기예보 기사문 읽고 내용 파악하기<br>• 계절 소개하는 글 읽고 내용 파악하기 | 좋아하는 날씨와 계절 쓰기 | 고향의 날씨 발표하기 | 더운 여름을 잘 보내는 방법 |
| • 나이<br>• 높임말[2] | • -(으)셨-<br>• -(으)실- | • 생일 축하 카드 읽고 내용 파악하기<br>• 메시지 읽고 내용 파악하기<br>• 한국에 온 가족과 여행한 경험 글 읽고 내용 파악하기 | 좋아하는 가족 소개글 쓰기 | 기자와 유명인의 인터뷰 | 가족 호칭 |
| 약속 | • -아/어/해야 되다<br>• 못 | • 초대장 읽고 내용 파악하기<br>• 메시지 읽고 내용 파악하기<br>• 친구를 기다린 경험에 대한 글 읽고 내용 파악하기 | 약속에 늦거나 약속에 늦은 친구를 기다린 경험 쓰기 | 초대장 쓰고 주고받으며 대화하기 | 인사말 |
| • 동사[4]<br>• 받침 ㄹ | • -(으)십시오<br>• ㄹ 탈락 | • 여행 예절 안내 책자 읽고 내용 파악하기<br>• 기숙사 안내문 읽고 내용 파악하기<br>• 학교 생활 안내문 읽고 내용 파악하기 | 지금 살고 있는 곳의 규칙 쓰기 | 공공장소에서 지켜야 할 예절 포스터 만들기 | 공공장소 예절 |

## Texbook Structure

| Unit | Topics | Function/ Situation | Vocabulary 1 | Grammar and Expressions | Listening | Pronunciation | Speaking |
|---|---|---|---|---|---|---|---|
| **Unit 8** | Ordering Items and Shopping | • Ordering items<br>• Shopping | • Korean currency<br>• Unit nouns | • 몇<br>• (이)랑 | • A conversation about buying fruits at a store<br>• A conversation about items you have shopped for | Nasalization of final consonant "ㄱ" | • Buy fruits at a fruit store<br>• Set the menu and prices at a shop and have a conversation with customers |
| **Unit 9** | Health | • Talk about symptoms<br>• Give commands/ suggestions<br>• Explain reasons | The body | • -(으)세요<br>• -(으)면 | • A phone call between a teacher and a student who was absent from school<br>• A conversation between a patient, nurse, and doctor at the hospital | Tensification of Sino-Korean words | • Listen to a sick friend's symptoms and give advice<br>• Ask for reasons and give advice to a friend who refuses a suggestion |
| **Unit 10** | Travel | • Talk about travel experiences<br>• Talk about travel plans | • Means of transportation<br>• Tourist destinations in Seoul | • -(으)러 가다/오다<br>• -아/어/해 봤다 | • A conversation asking and answering questions about Seoul travel experiences | "ㄴ," "ㅁ," "ㅇ" as final consonants | • Talk about Seoul travel experiences<br>• Suggest things you want to do in Seoul |
| **Unit 11** | Hobbies | • Ask and answer questions about hobbies<br>• Recommend/ give advice | Hobbies[1] | • -아/어/해 보세요<br>• -거나 | • A conversation asking and answering questions about hobbies<br>• My hobby presentation | Nasalization of "ㄷ" | • Give advice to a friend who has concerns<br>• Ask and answer questions about hobbies |
| **Unit 12** | Weather and Seasons | • Talk about the weather and seasons<br>• Speak in formal situations | Weather | • -지요?<br>• -(으)ㄹ 때 | • A conversation about the weather | Plain, tense, and aspirated consonants | • Ask about the weather and make suggestions<br>• Talk about your favorite and least favorite weather |
| **Unit 13** | Family | • Talk about family<br>• Use honorific expressions | • Family<br>• Honorific expressions[1] | • -(으)시- | • A conversation about family<br>• A conversation recommending a gift for the family | Nasalization of final consonant "ㅂ" | • Introduce family members while looking at a photo<br>• Role-play on buying a gift for a family member at a store |
| **Unit 14** | Invitations and Promises | • Invite or respond to invitations<br>• Explain reasons for being late<br>• Talk about tasks that need to be done | Party | • -아/어/해 주세요<br>• -(으)ㄹ게요[1] | • A conversation asking for help with party preparations<br>• A conversation asking for help with wedding preparations | Pronunciation of "못" | • Assign roles for a party<br>• Invite someone to your home |
| **Unit 15** | Public Places | • Etiquette in public places<br>• Ask for/give permission<br>• Give commands/ prohibit actions | • Public places<br>• Verbs[3] | • -아/어/해도 되다<br>• -(으)면 안되다 | • Listen to dialogues about asking for permission and prohibiting actions in a classroom<br>• Listen to announcements at a performance hall | Nasalization of "ㄹ" | Ask and answer questions about etiquette in public places |

| Vocabulary 2 | Grammar and Expressions | Reading | Writing | Activities | Culture |
|---|---|---|---|---|---|
| • Objects[3]<br>• Adjectives[4] | • -(으)ㄴ<br>• 보다 (더) | • Understand information from a table comparing the prices of items<br>• Read and understand the passage about buying and selling items online<br>• Read and understand a passage about a shopping experience | Write about shopping experiences in Korea | Describe and sell an item | Korean currency |
| • Hospital<br>• Where does it hurt, and how? | • -(으)니까<br>• -(으)ㄹ 수 있다/없다 | • Understand a conversation between a doctor and a patient<br>• Read and understand a message from a sick friend<br>• Read and understand a written experience about being sick | Write about an experience being sick | Practice conversations as a doctor and patient | Finding a hospital |
| • Tourist destinations in Korea<br>• How long does it take? | • -아/어/해서[2]<br>• -(으)ㄹ 거예요[1] | • Look at a travel itinerary and understand the content<br>• Understand the content of a postcard sent from a travel destination<br>• Read and understand a written travel plan | Write a travel plan | Plan a trip to Seoul | Korean food map |
| Hobbies[2] | • ㄷ불규칙<br>• -는 것 | • Read and understand a recruitment notice<br>• Read and understand posts on a bulletin board<br>• Read and understand passages introducing hobbies | Write a passage introducing your hobbies | Find a friend to share hobby activities with | Korean people's hobbies |
| The four seasons | • -(스)ㅂ니다<br>• -겠[1]- | • Read and understand social media posts<br>• Read and understand articles about weather forecasts<br>• Read and understand passages introducing the seasons | Write about your favorite weather and seasons | Present about the weather in your hometown | How to cope with hot summers |
| • Age<br>• Honorific expressions[2] | • -(으)셨-<br>• -(으)실- | • Read and understand birthday cards<br>• Read and understand messages<br>• Read and understand a family travel experience in Korea | Write an introduction about your favorite family member | Interview as a journalist and a celebrity | Family titles |
| Plans and Promises | • -아/어/해야 되다<br>• 못 | • Read and understand invitations<br>• Read and understand messages<br>• Read and understand an experience about waiting for a late friend | Write an experience about being late to plans or waiting for a late friend | Make invitations and have conversations while handing them out | Greetings |
| • Verbs[4]<br>• Final consonant "ㄹ" | • -(으)십시오<br>• ㄹ 탈락 | • Read and understand a travel etiquette guidebook<br>• Read and understand a dormitory guide<br>• Read and understand a school-life guide | Write the rules of the place you currently live | Create a poster about etiquette in public places | Etiquette in public places |

# 차례

# Contents

# 등장인물 Characters

밍
베트남
언어교육원 학생
엠마
호주
언어교육원 학생,
영어 선생님
바타르
몽골
언어교육원 학생,
회사원
아만다
가나
언어교육원 학생,
건국대학교 대학원생
알리
사우디 아라비아
언어교육원 학생,
교환 학생
하루나
일본
언어교육원 학생
크리스틴
인도네시아
언어교육원 학생
장자함
중국
언어교육원 학생

# 8과 주문과 쇼핑

**학습 목표**

가게에서 주문을 하고 물건을 살 수 있다.
원하는 물건을 설명할 수 있다.

**첫째 날**
DAY 1

| | |
|---|---|
| 어휘1 | 한국 돈, 단위 명사 |
| 문법 및 표현 | 몇, (이)랑 |
| 듣기 | 가게에서 과일을 사는 대화<br>쇼핑한 물건에 대한 대화 |
| 말하기 | 과일 가게에서 과일 사기<br>가게의 메뉴와 가격을 정하고 손님과 대화하기 |

**둘째 날**
DAY 2

| | |
|---|---|
| 어휘2 | 물건[3], 형용사[4] |
| 문법 및 표현 | -(으)ㄴ, 보다 (더) |
| 읽기 | 물건의 가격을 비교하는 표 정보 파악하기<br>인터넷에서 물건을 사고파는 글 읽고 내용 파악하기<br>쇼핑 경험 글 읽고 내용 파악하기 |
| 쓰기 | 한국에서 쇼핑한 경험 쓰기 |
| 활동 | 물건 소개하고 팔기 |
| 문화 | 한국 돈 |

## 어휘1 한국 돈 Korean Currency

십 원(10원)

오십 원(50원)

백 원(100원)

오백 원(500원)

천 원(1,000원)

오천 원(5,000원)

만 원(10,000원)

오만 원(50,000원)

**원** won

**연습 1** **보기** 와 같이 이야기해 보세요. Have a conversation as shown in the example below.

> **보기**
> 가: 얼마예요?
> 나: 구백구십 원이에요.

*** 얼마예요?**
*How much is it?

| 백만 | 십만 | 만 | 천 | 백 | 십 | 일 | | |
|---|---|---|---|---|---|---|---|---|
| 보기 | | | | 9 | 9 | 0 | 990 | 구백구십 원 |
| | | | 1 | 5 | 0 | 0 | 1,500 | 천오백 원 |
| | | 1 | 6 | 8 | 0 | 0 | 16,800 | 만 육천팔백 원 |
| | 7 | 0 | 8 | 0 | 0 | 0 | 708,000 | 칠십만 팔천 원 |
| 2 | 3 | 4 | 0 | 0 | 0 | 0 | 2,340,000 | 이백삼십사만 원 |

## 어휘 1 단위 명사 Unit Nouns

| 명사 | + | 숫자 | + | 개, 명, 권, 장, 병, 캔, 잔, 대, 마리… |
|---|---|---|---|---|
| 고양이 | | 한<br>두<br>세<br>네<br>다섯<br>… | | 마리 |

**연습 2** 보기와 같이 이야기해 보세요. Have a conversation as shown in the example below.

> **보기**
> 가: 책이 한 권에 얼마예요?
> 나: 책이 한 권에 삼만 오천 원이에요.

**N(단위 명사)에**
per N (unit noun)

보기 35,000원

1) 4,900원

2) 2,800원

3) 1,700원

4) 816,000원

5) 1,115,000원

6) 1,450원

7) 1,200원

8) 2,100원

9) 3,000원

**새 단어 New word**
**개** piece(s); unit(s) **명** person(s) **권** book(s) **장** sheet(s) **병** bottle(s) **캔** can(s)
**잔** cup(s); glass(es) **대** unit(s) **마리** animal(s)

## 몇

☞ 워크북 6~7쪽

**연습 ①** 23쪽을 보세요. 무엇이 얼마나 있어요? 보기 와 같이 이야기해 보세요.
Look at p. 23. What do you have, and how many? Have a conversation as shown in the example below.

> 보기
> 가: 사람이 몇 명 있어요?
> 나: 사람이 일곱 명 있어요.

| 책 | 커피 | 맥주 | 노트북 | 사과 |
|---|---|---|---|---|
| 남자 | 여자 | 고양이 | 음료수 | 의자 |

**연습 ②** 보기 와 같이 이야기해 보세요.
Have a conversation as shown in the example below.

> 보기
> 가: 펜을 몇 개 사요?
> 나: 펜을 한 개 사요.

1) 교실에 학생이 몇 명 있어요?
2) 카드가 몇 장 있어요?
3) 필통 안에 뭐가 있어요? 몇 개 있어요?
4) 오늘 물을 몇 병 마셨어요?
5) 올해 책을 몇 권 읽었어요?
6) 교실이 몇 호예요?
7) 전화번호가 몇 번이에요?
8) 몇 층에 살아요?
9) 지금 책 몇 쪽을 배워요?
10) 떡볶이를 몇 인분 먹어요?

## 문법 및 표현2 (이)랑

☞ 워크북 8~9쪽

**연습 ①** **보기**와 같이 쓰고 친구와 이야기해 보세요.

Write and have a conversation with a friend as shown in the example below.

**보기**

가: 무엇을 사고 싶어요?

나: 자동차랑 집을 사고 싶어요. (자동차), (집)

**자동차** car

1) 무슨 한국 음식을 좋아해요? ( ), ( )

2) 지금 누가 보고 싶어요? ( ), ( )

3) 우리 반에서 누가 재미있어요? ( ), ( )

4) 한국에서 어디에 여행을 가고 싶어요? ( ), ( )

5) 어제 무엇을 먹었어요? ( ), ( )

6) 누구랑 살아요? ( ), ( )

**연습 ②** 무엇을 먹고 싶어요? **보기**와 같이 이야기해 보세요.

What do you want to eat? Have a conversation as shown in the example below.

**보기**

가: 저는 라면을 먹고 싶어요. 하루나 씨는요?

나: 저는 떡볶이를 먹고 싶어요.

가: 그럼, 라면 한 그릇이랑 떡볶이 일 인분을 시킬까요?

나: 좋아요.

**그릇** dish

**메뉴** menu

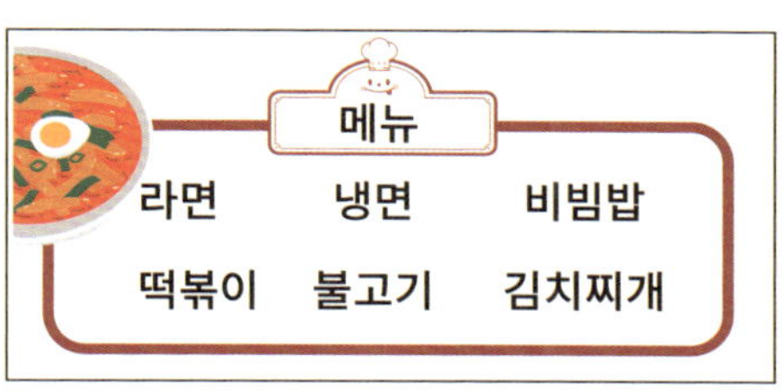

# 듣기1

**확인** **잘 듣고 질문에 답하세요.** Listen carefully and answer the questions. T4

*어서 오세요 *Welcome.
*뭘 드릴까요?
*What would you like?
드리다 to give (honorific)
*주세요 *Please give me…
*여기 있어요. *Here it is.

**1** 과일을 몇 개 샀어요? How many pieces of fruit did you buy?

① 
② 
③ 
④ 

**2** 맞으면 O, 틀리면 X 하세요. Mark an O if the statement is true, and X if it is false.

① 사과는 한 개에 천오백 원이에요. ( O X )

② 오렌지는 조금 시지만 맛있어요. ( O X )

---

**발음** **잘 듣고 따라 하세요.** Listen carefully and repeat. T3

받침 [ ㄱ ] + 'ㅁ'
└ [ ㅇ ]

| | | |
|---|---|---|
| 1 | 육만 원 ⇨ [융마눤] | 바지가 한 개에 **육만 원**이에요. |
| 2 | 백만 원 ⇨ [뱅마눤] | 핸드폰이 한 대에 **백만 원**이에요. |
| 3 | 백 명 ⇨ [뱅명] | 학교에 학생이 **백 명** 있어요. |
| 4 | 박물관 ⇨ [방물관] | 오늘 **박물관**에 갈까요? |

## 듣기2

**확인** **잘 듣고 질문에 답하세요.** Listen carefully and answer the questions. T5

**티셔츠** T-shirt
**세일(을) 하다** to have a sale
**와!** Wow!

**1** 맞으면 O, 틀리면 X 하세요. Mark an O if the statement is true, and X if it is false.

① 남자는 백화점에서 옷을 샀어요. ( O X )

② 남자는 오늘 티셔츠를 세 개 샀어요. ( O X )

**2** 맞는 것을 고르세요. Choose the correct statement.

① 어제는 세일을 하지 않았어요.

② 티셔츠는 한 개에 삼만 원이에요.

③ 여자는 티셔츠가 싸서 많이 샀어요.

④ 남자는 여자 친구의 티셔츠를 샀어요.

---

**받아쓰기** **잘 듣고 쓰세요.** Listen carefully and write. T6

1

2

3

4

5

**연습 1** **보기** 와 같이 이야기하세요.

Have a conversation as shown in the example below.

**보기**

가: 어서 오세요.
나: 딸기가 한 팩에 얼마예요?
가: 만 육천 원이에요.
나: 귤은 얼마예요?
가: 열 개에 사천 원이에요.
나: 그럼 딸기 두 팩이랑 귤 주세요.
가: 귤은 몇 개 드릴까요?
나: 열 개만 주세요.

**팩** pack

가: ..............................

나: ..............................

가: ..............................

나: ..............................

가: ..............................

나: ..............................

가: ..............................

나: ..............................

## 말하기2

**연습 ❶** 메뉴와 가격을 정하고 보기와 같이 친구와 이야기하세요.
Decide on a menu and price, and have a conversation with a friend as shown in the example below.

보기

가: 뭘 먹을까요? 저는 된장찌개를 먹고 싶어요. 조세핀 씨는요?
나: 저는 비빔밥을 먹고 싶어요.
가: 그럼, 된장찌개랑 비빔밥을 시켜요.
나: 우리 음료수도 시킬까요? 사이다 어때요?
가: 좋아요. 여기요!

다: 뭘 드릴까요?
가: 된장찌개하고 비빔밥하고 사이다 주세요.
다: 사이다는 몇 병 드릴까요?
나: 한 병만 주세요. 모두 얼마예요?
다: 모두 이만 천삼백 원입니다.

**N(가격)입니다**
It costs (price)

| 메뉴 | | |
|---|---|---|
| (된장찌개) | (비빔밥) | (사이다) |
|  |  |  |
| 보기 8,000원 | 10,000원 | 3,300원 |
| (        ) | (        ) | (        ) |
| 원 | 원 | 원 |

## 어휘2 물건[3] Objects[3]

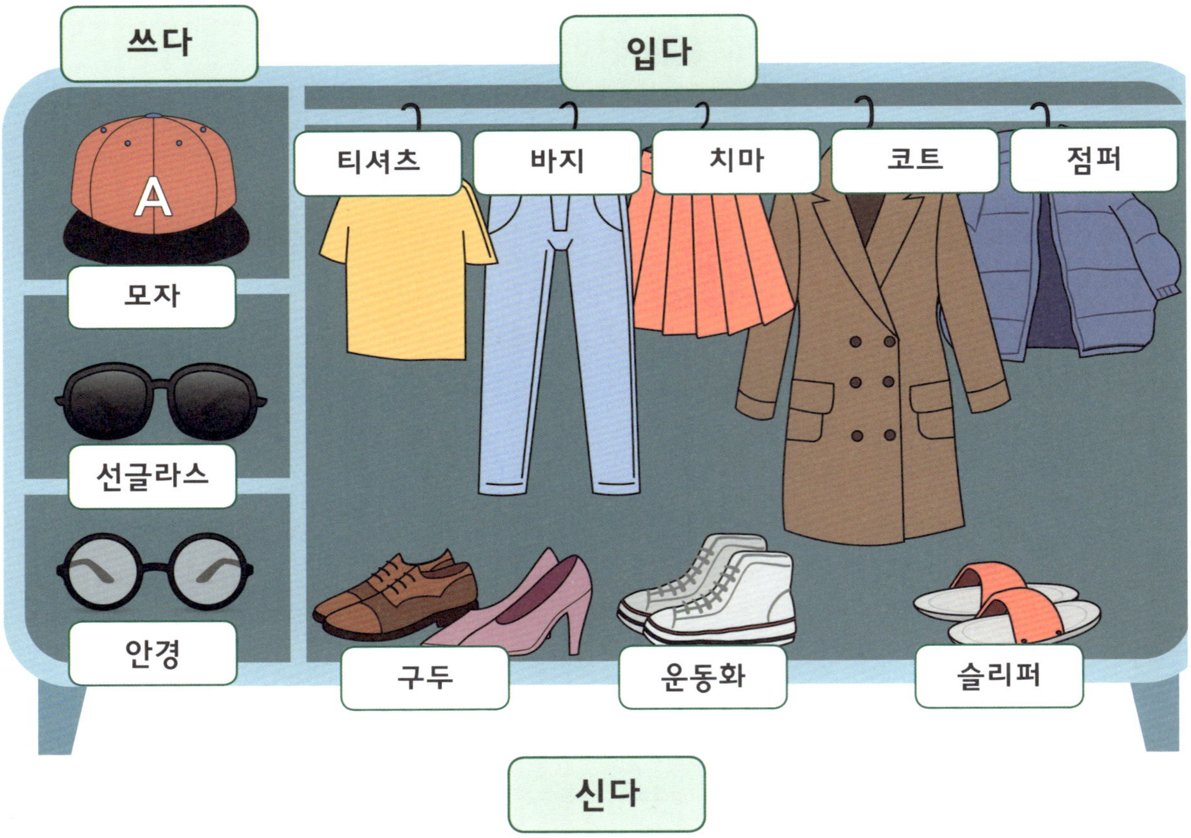


**연습 ①** 보기 와 같이 이야기해 보세요. Have a conversation as shown in the example below.

보기

**새 단어 New word**
**모자** hat; cap **선글라스** sunglasses **안경** glasses **쓰다** wear **티셔츠** T-shirt **바지** pants
**치마** skirt **코트** coat **점퍼** puffer jacket **입다** to wear **구두** dress shoes **운동화** sneakers
**슬리퍼** slippers **신다** to wear

## 어휘 2 형용사[4] Adjectives[4]

**연습 ❷** 보기와 같이 그림을 가리키며 이야기해 보세요.
Point to the picture and have a conversation as shown in the example below.

보기

| 새 단어 New word | 길다 long | 짧다 short | 얇다 thin | 두껍다 thick | 가볍다 light | 무겁다 heavy | 낮다 low | 높다 high |
|---|---|---|---|---|---|---|---|---|

## 문법 및 표현3 -(으)ㄴ

어떤 N
which N; what kind of N

**연습 ①** 무엇을 사고 싶어요? 보기와 같이 이야기해 보세요
What do you want to buy? Have a conversation as shown in the example below.

> **보기** 가: 뭘 사고 싶어요?
> 나: 예쁜 치마를 사고 싶어요. 뭘 사고 싶어요?

| | |
|---|---|
| 보기 예쁘다 | 귀엽다 |
| 작다 | 크다 |
| 높다 | 낮다 |
| 길다 | 짧다 |
| 가볍다 | 두껍다 |
| 싸다 | 비싸다 |

| | |
|---|---|
| 보기 치마 | 신발 |
| 바지 | 티셔츠 |
| 구두 | 운동화 |
| 가방 | 코트 |
| 자동차 | 핸드폰 |

**연습 ②** 보기와 같이 이야기해 보세요. Have a conversation as shown in the example below.

> **보기** 가: 어떤 가방을 사고 싶어요?
> 나: 크고 가벼운 가방을 사고 싶어요.

1) 어떤 옷을 자주 입어요?
2) 어떤 집에서 살고 싶어요?
3) 어떤 음식을 좋아해요?
4) 어떤 날씨를 싫어해요?

**연습 ③** 보기와 같이 이야기해 보세요. Have a conversation as shown in the example below.

> **보기** 가: 지금 사고 싶은 물건이 뭐예요?
> 나: 지금 사고 싶은 물건은 핸드폰이에요.

곳 place

1) 지금 먹고 싶은 음식이 뭐예요?
2) 지금 보고 싶은 사람이 누구예요?
3) 방학에 가고 싶은 곳이 어디예요?
4) 지금 책상 위에 있는 물건이 뭐예요?

## 문법 및 표현4 보다 (더)

☞ 워크북 12~13쪽

**연습 1** **보기** 와 같이 이야기해 보세요. Have a conversation as shown in the example below.

**보기**
가: 뭐가 더 편해요?
나: 슬리퍼가 운동화보다 편해요.  ☑ 슬리퍼  ☐ 운동화

**편하다** comfortable

| | | |
|---|---|---|
| 1) 뭐가 더 좋아요? | ☐ 빵 | ☐ 밥 |
| 2) 어디가 더 싸요? | ☐ 마트 | ☐ 편의점 |
| 3) 우리반에 누가 더 많아요? | ☐ 남자 | ☐ 여자 |
| 4) 어디가 더 조용해요? | ☐ 도서관 | ☐ 집 |
| 5) 뭐가 더 어려워요? | ☐ 한국어 | ☐ 영어 |
| 6) 뭘 더 좋아해요? | ☐ 콜라 | ☐ 사이다 |
| 7) 어디에 더 자주 가요? | ☐ 커피숍 | ☐ 백화점 |
| 8) 어디에서 더 자주 밥을 먹어요? | ☐ 집 | ☐ 식당 |
| 9) 뭘 더 사고 싶어요? | ☐ 코트 | ☐ 점퍼 |
| 10) 방학에 무엇을 더 하고 싶어요? | ☐ 여행 | ☐ 아르바이트 |

## 읽기 1

**1** 다음을 읽고 질문에 답하세요. Read the following and answer the questions.

| | 건국백화점 | 한국백화점 |
|---|---|---|
|  | 769,000원 | 719,000원 |
|  | 79,000원 | 54,000원 |
|  | 100,000원 | 156,000원 |
|  | 98,900원 | 131,000원 |

1) 백화점에서 뭘 팔아요?

2) 제일 비싼 것이 뭐예요? 얼마예요?

3) 제일 싼 것이 뭐예요? 얼마예요?

4) 코트는 어디가 더 싸요?

5) 구두는 어디가 더 싸요?

**팔다** to sell **제일** the best; most

**2** 다음을 읽고 맞는 것을 고르세요. Read the following and choose the correct statement.

1)

수아 **새 원피스 팔아요-5만원**

지난 주말에 건국백화점에서 원피스를 샀어요.
그런데 조금 작아요.
그래서 새 원피스를 팔고 싶어요.
얇고 가벼운 원피스예요.
새 원피스지만 백화점보다 싸요.
백화점에서 80,000원이에요.

① 원피스가 안 작아요.

② 가볍고 얇은 원피스예요.

③ 저는 원피스를 사고 싶어요.

④ 백화점에서 오만 원에 팔아요.

2)

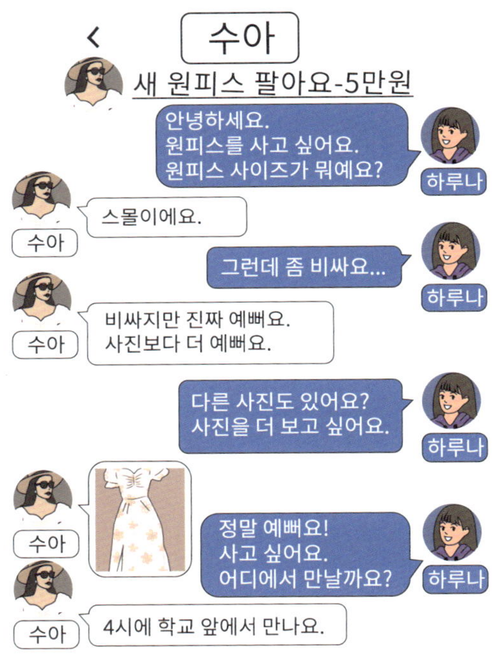


① 수아는 옷 사진이 없어요.

② 원피스는 스몰 사이즈예요.

③ 두 사람은 오늘 세 시에 만나요.

④ 하루나는 다른 원피스를 사고 싶어요.

**새 N** new N **원피스** dress **다르다** any, another, other, different **사이즈** size **스몰(S)** small (S) **진짜** really

## 읽기2

**1** **다음을 읽고 질문에 답하세요.** Read the following and answer the questions.

저는 오늘 모자하고 운동화를 사고 싶어서 건대 근처에 있는 가게에서 구경했어요. 모자는 오만 원이고 운동화는 이십만 원이었어요.
운동화가 조금 비쌌지만 정말 예뻤어요.
"저기 있는 모자랑 이 운동화 290 주세요."
저는 모자를 썼어요. 그 모자가 마음에 들었어요. 운동화도 신었어요. 그렇지만 운동화는 조금 컸어요.
"운동화가 좀 커요. 이거보다 더 작은 거 있어요?"
직원은 저에게 더 작은 사이즈의 운동화를 줬어요. 그 운동화는 크지 않아서 좋았어요. 그래서 저는 운동화하고 모자를 모두 샀어요. 기분이 아주 좋았어요.

**구경(을) 하다** to look around **저기** Over there ***마음에 들다** *to like **좀** a little bit **직원** staff **N(사람)에게** to N (someone) **기분** feeling; mood

1) 윗글은 무엇에 대한 내용이에요? ☑ 하세요.
What is the passage above about? Check the correct option.

☐ 쇼핑 ☐ 가게 ☐ 운동 ☐ 기분

2) 표를 완성하세요. Complete the table.

| 물건 | 모자 | 290 사이즈 운동화 |
|---|---|---|
| 얼마예요? | | |
| 어땠어요? | | 조금 컸어요. |

3) 윗글의 내용과 같은 것을 고르세요. Choose the correct statement.

① 저는 어제 쇼핑했어요.
② 운동화가 조금 비쌌어요.
③ 모자는 안 사고 운동화만 샀어요.
④ 저는 가게에서 운동화를 신지 않았어요.

4) 다음은 윗글을 요약한 것입니다. 빈칸에 알맞은 말을 쓰세요.
The following is a summary of the passage. Fill in the blanks with the appropriate words.

저는 오늘 ① (　　　　　　)하고 운동화를 구경했어요. 모자는 마음에 ② (　　　　　　)-지만 운동화는 조금 ③ (　　　　　　)-았/었/했어요. 그래서 직원이 더 ④ (　　　　　　)-(으)ㄴ 운동화를 줬어요. 그 운동화는 ⑤ (　　　　　　)-아/어/해서 마음에 들었어요. 그래서 저는 모자하고 ⑥ (　　　　　　)을/를 샀어요.

## 쓰기1

**1** 한국에서 무엇을 샀어요? **보기**와 같이 쓰세요.
What did you buy in Korea? Write your answers below.

| | | 보기 |
|---|---|---|
| 처음 | 한국에서 쇼핑을 자주 해요? | X |
| | 언제 했어요? | 지난주 일요일 |
| | 어디에서 쇼핑했어요? | 명동 |
| 중간 | 거기가 어땠어요? | 사람이 많다, 복잡하다 |
| | 어떤 물건이 많았어요? | 싸고 예쁜 물건이 많다 |
| | 무엇을 샀어요? | 화장품, 옷 |
| | 어땠어요? | 백화점보다 싸다, 마음에 들다 |
| 끝 | 다음에는 무엇을 사고 싶어요? | 부모님의 선물 |

**명동** Myeong-dong
**복잡하다** crowded
**화장품** cosmetics

| | | | | | | | | | | | | | | | | | | | |
|---|---|---|---|---|---|---|---|---|---|---|---|---|---|---|---|---|---|---|---|
| | 저 | 는 | | 쇼 | 핑 | 을 | | 자 | 주 | | 하 | 지 | | 않 | 아 | 요 | . | 지 | 난 |
| 주 | | 일 | 요 | 일 | 에 | | 명 | 동 | 에 | 서 | | 쇼 | 핑 | 했 | 어 | 요 | . | 명 | 동 |
| 은 | | 사 | 람 | 이 | | 많 | 고 | | 복 | 잡 | 했 | 어 | 요 | . | 명 | 동 | 에 | | 싸 |
| 고 | | 예 | 쁜 | | 물 | 건 | 이 | | 많 | 았 | 어 | 요 | . | 저 | 는 | | 화 | 장 | 품 |
| 하 | 고 | | 옷 | 을 | | 샀 | 어 | 요 | . | 백 | 화 | 점 | 보 | 다 | | 싸 | 서 | | 마 |
| 음 | 에 | | 들 | 었 | 어 | 요 | . | 다 | 음 | 에 | 는 | | 부 | 모 | 님 | 의 | | 선 | 물 |
| 을 | | 사 | 고 | | 싶 | 어 | 요 | . | | | | | | | | | | | |

| | | 나 |
|---|---|---|
| 처음 | 한국에서 쇼핑을 자주 해요? | |
| | 언제 했어요? | |
| | 어디에서 쇼핑했어요? | |
| 중간 | 거기가 어땠어요? | |
| | 어떤 물건이 많았어요? | |
| | 무엇을 샀어요? | |
| | 어땠어요? | |
| 끝 | 다음에는 무엇을 사고 싶어요? | |

**처음** beginning
**중간** middle
**끝** end

## 쓰기2

| | | | | | | | | | | | | | | | | | | | |
|---|---|---|---|---|---|---|---|---|---|---|---|---|---|---|---|---|---|---|---|
| | 저 | 는 | | | | | | | | | | | | | | | | | |

❷ **다시 쓰세요.** Write your answer again.

## 활동

**1** **보기** 와 같이 물건을 팔아 보세요. Practice selling an item as shown in the example below.

**보기**

가: 안녕하세요? 밍이에요.
나: 안녕하세요? 케이트예요. 밍 씨, 오늘은 뭐가 있어요?
가: 예쁜 안경이랑 귀여운 모자가 있어요. 어때요?
나: 와! 너무 예뻐요. 얼마예요?
가: 십만 원이지만 오늘은 만 원이에요.
나: 정말요? 알리 가게보다 싸요! 몇 개 있어요?
가: 모자는 여덟 개 있고, 안경은 다섯 개 있어요.
나: 여러분 어때요? 질문 있어요? 사고 싶은 사람 있어요?

| | |
|---|---|
| 1) 뭘 팔고 싶어요? | |
| 2) 그 물건이 어때요? 얼마예요? | |

3) 친구하고 교실 앞에서 물건을 소개해 보세요.
Let's introduce a product in front of the classroom with your friend.

4) 다른 친구들은 물건 소개를 듣고 질문을 하세요.
Other friends should listen to the product introduction and ask questions.

5) 사고 싶으면 O, 사고 싶지 않으면 X 푯말을 드세요.
Please hold up an O sign if you want to buy it, and an X sign if you don't.

# 문화 한국 돈 Korean Currency

## 한국의 돈에는 무엇이 그려져 있어요? What is depicted in Korean currency?

십 원 – 다보탑 | 오십 원 – 벼 | 오백 원 – 학

백 원 – 이순신 | 천 원 – 이황

오천 원 – 이이 | 만 원 – 세종대왕 | 오만 원 – 신사임당

한국 동전 10원에는 경주 불국사에 있는 다보탑이 있으며, 50원에는 벼 이삭이 있습니다. 100원에는 조선 시대 명장 충무공 이순신 장군이 있으며, 500원에는 학(두루미)이 있습니다.

한국 지폐 1,000원에는 조선 시대 학자인 퇴계 이황 선생이 있으며, 5,000원에는 조선 시대 학자인 율곡 이이 선생이 있습니다. 10,000원에는 조선의 4대 왕이자 한글을 창제한 세종대왕이 있으며, 50,000원에는 조선 시대 예술가이자 율곡 이이의 어머니인 신사임당이 있습니다.

The 10-won Korean coin shows the Dabotap from Bulguksa Temple in Gyeongju, and the 50-won coin depicts a rice stalk. The 100-won coin features Admiral Yi Sun-sin, a renowned military commander from the Joseon Dynasty, while the 500-won coin depicts a red-crowned crane.
Yi Whang, a scholar also known as Toegye from the Joseon Dynasty, is printed on the 1,000 won Korean banknote. The 5,000 won bill shows Yulgok Yi I, a scholar from the Joseon Dynasty. The 10,000 won bill depicts King Sejong the Great, the fourth king of the Joseon Dynasty and the creator of Hangul. Finally, the 50,000 won bill depicts Shin Saimdang, an artist from the Joseon Dynasty and the mother of Yi I.

## 여러분 나라의 돈에는 무엇이 그려져 있어요? What does your country's currency feature?

## 자기평가

**1 알맞은 어휘를 쓰세요.** Fill in the blanks with the correct words.

| 개 | 권 | 잔 | 병 |
|---|---|---|---|

1) 가: 콜라를 샀어요?
   나: 네, 두 (                              ) 샀어요.
2) 가: 책이 있어요?
   나: 네, 책이 한 (                              ) 있어요.
3) 가: 오늘 커피를 많이 마셨어요?
   나: 네, 세 (                              ) 마셨어요.
4) 가: 뭘 드릴까요?
   나: 펜 한 (                              ) 주세요.

**2 알맞은 문법을 쓰세요.** Fill in the blanks with the correct grammar point.

| 몇 | (이)랑 | -(으)ㄴ | 보다 (더) |
|---|---|---|---|

1) 가: 뭐가 더 쉬워요?
   나: 영어(                              ) 한국어가 쉬워요.
2) 가: 아침에 뭐 먹었어요?
   나: 바나나(                              ) 빵을 먹었어요.
3) 가: 어떤 영화를 보고 싶어요?
   나: 저는 (                              ) 영화를 보고 싶어요.
4) 가: 삼겹살 주세요.
   나: 네, (                              ) 인분 드릴까요?

**다음 질문에 답하세요.** Answer the following questions.

| | | | |
|---|---|---|---|
| 1 가게에서 주문을 하고 물건을 살 수 있다.<br>I can order items and buy them at a store. | 네 ☐ | 아니요 ☐ |
| 2 원하는 물건을 설명할 수 있다.<br>I can describe the items I want. | 네 ☐ | 아니요 ☐ |

모범 답안
1. 1) 병 2) 권 3) 잔 4) 개
2. 1)보다 2) 랑 3) 슬픈/재미있는 4) 몇

## 어휘 확인

| 한국 돈 | | | |
|---|---|---|---|
| 십 원 | 오십 원 | 백 원 | 오백 원 |
| 천 원 | 오천 원 | 만 원 | 오만 원 |

| 단위 명사 | | | |
|---|---|---|---|
| 개 | 명 | 권 | 장 |
| 병 | 캔 | 잔 | 대 |
| 마리 | | | |

| 물건[3] | | | |
|---|---|---|---|
| 모자 | 선글라스 | 안경 | 티셔츠 |
| 바지 | 치마 | 코트 | 점퍼 |
| 구두 | 운동화 | 슬리퍼 | |

| 형용사[4] | | | |
|---|---|---|---|
| 길다 | 짧다 | 얇다 | 두껍다 |
| 가볍다 | 무겁다 | 낮다 | 높다 |

| 어휘 | 문법 | 듣기 | 말하기 |
|---|---|---|---|
| 원 | 자동차 | *어서 오세요 | 팩 |
| *얼마예요? | 그릇 | *뭘 드릴까요? | |
| 명사 | 메뉴 | 드리다 | N(가격)입니다 |
| 고양이 | | *주세요 | |
| N에 (+가격) | 어떤 | *여기 있어요 | |
| | 곳 | | |
| 쓰다 | | 티셔츠 | |
| 입다 | 편하다 | 세일(을) 하다 | |
| 신다 | | 와! | |

| 읽기 | | 쓰기 | 워크북 |
|---|---|---|---|
| 팔다 | 진짜 | 명동 | 층 |
| 제일 | 구경(을) 하다 | 복잡하다 | 호 |
| | 저기 | 화장품 | 쪽 |
| 새 N | *마음에 들다 | | 번 |
| 원피스 | 좀 | 처음 | 인분 |
| 다르다 | 직원 | 중간 | 동물 |
| 사이즈 | N에게 | 끝 | 제주도 |
| 스몰(S) | 기분 | | |

# 9과 **건강**

**학습 목표**

어디가 어떻게 아픈지 말할 수 있다.
다른 사람에게 명령이나 권유를 할 수 있다.
이유를 말할 수 있다.

첫째 날 DAY 1

| | |
|---|---|
| 어휘1 | 몸 |
| 문법 및 표현 | -(으)세요, -(으)면 |
| 듣기 | 학교에 결석한 학생과 선생님의 통화<br>환자가 병원에서 간호사, 의사와 나누는 대화 |
| 말하기 | 아픈 친구의 증상을 듣고 조언하기<br>제안을 거절하는 친구에게 이유를 묻고 조언하기 |

둘째 날 DAY 2

| | |
|---|---|
| 어휘2 | 병원, 어디가 어떻게 아파요? |
| 문법 및 표현 | -(으)니까, -(으)ㄹ 수 있다/없다 |
| 읽기 | 의사와 환자가 나눈 대화 내용 파악하기<br>아픈 친구의 메시지를 읽고 내용 파악하기<br>아픈 경험 글을 읽고 내용 파악하기 |
| 쓰기 | 아픈 경험 쓰기 |
| 활동 | 의사와 환자가 되어 이야기하기 |
| 문화 | 병원 찾기 |

## 어휘 1 몸 The Body

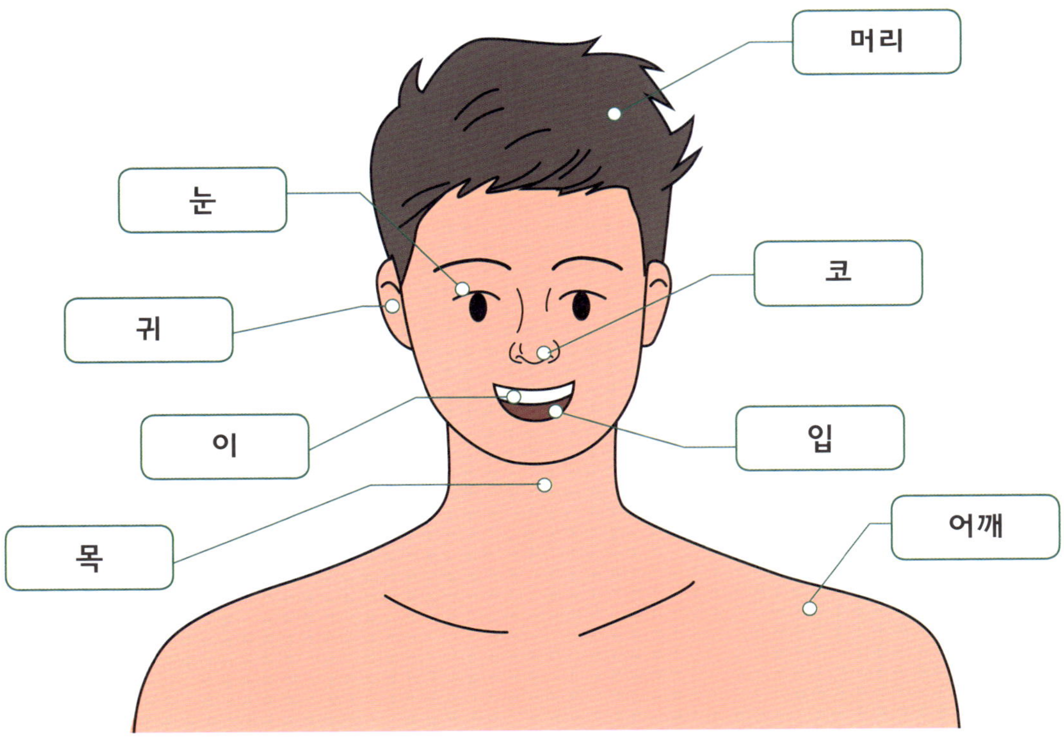


**연습 ①** 보기 와 같이 이야기해 보세요. Have a conversation as shown in the example below.

보기

**새 단어 New word** 머리 head 귀 ear 눈 eye 코 nose 입 mouth 이 tooth 목 neck; throat 어깨 shoulder

## 어휘 1 몸 The Body

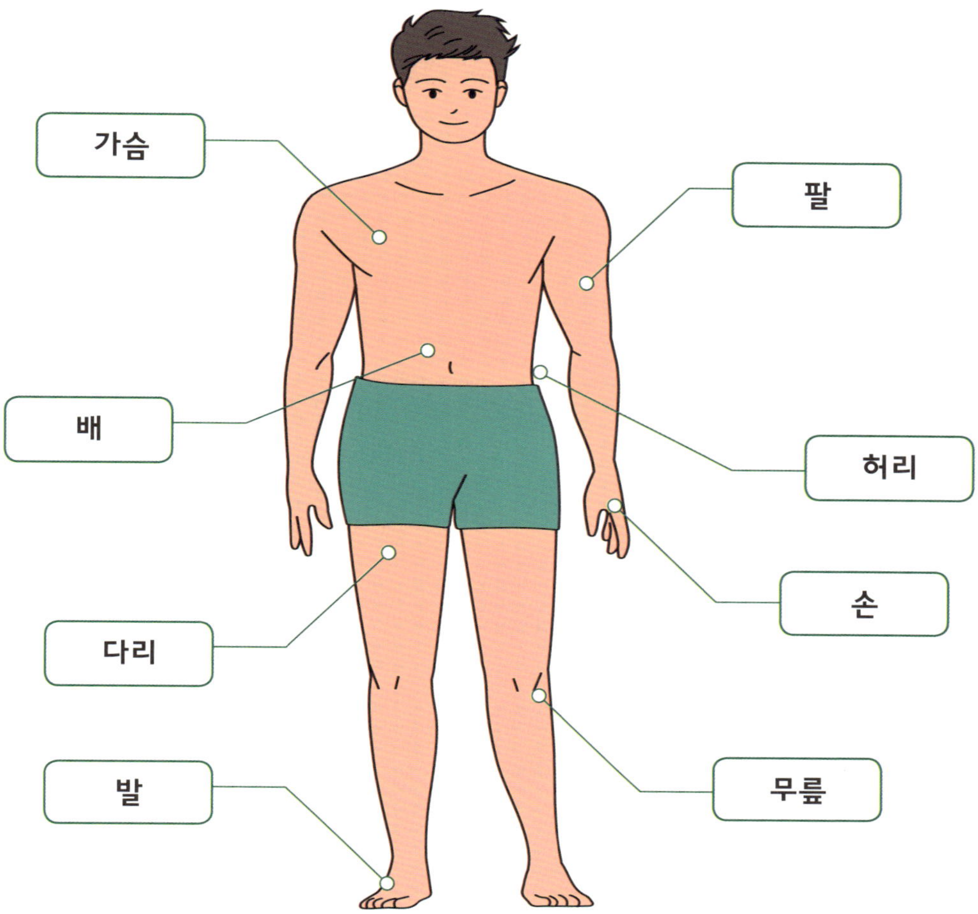


**연습 ②** 보기 와 같이 이야기해 보세요. Have a conversation as shown in the example below.

보기

다치다 to get hurt

새 단어 New word: 가슴 chest 배 stomach 팔 arm 손 hand 허리 waist 다리 leg 무릎 knee 발 foot

## 문법 및 표현1 -(으)세요

☞ 워크북 14~15쪽

그러면 then
따뜻하다 to be warm
드시다 to eat (honorific)

**연습 ①** 선생님이 학생에게 말해요. 보기 와 같이 이야기해 보세요.
A teacher is talking to a student. Have a conversation as shown in the example below.

보기 일찍 오세요. 늦지 마세요.

일찍 early 늦다 late

보기

①

②

③

**연습 ②** 보기 와 같이 이야기해 보세요.
Have a conversation as shown in the example below.

보기
가: 한국어를 잘하고 싶어요.
나: 그러면 한국 친구를 사귀세요.

잘하다 to do well
사귀다 to make friends
돈 money

| | | -(으)세요 | -지 마세요 |
|---|---|---|---|
| 보기 | 한국어를 잘하고 싶어요. | 한국 친구를 사귀세요. | |
| 1) | 다리가 아파요. | | |
| 2) | 배가 아파요. | | |
| 3) | 요즘 돈이 없어요. | | |
| 4) | 떡볶이가 너무 매워요. | | |
| 5) | 날씨가 너무 추워요. | | |
| 6) | 기분이 안 좋아요. | | |
| 7) | 너무 피곤해요. | | |

## 문법 및 표현2　-(으)면

☞ 워크북 16~17쪽

**연습 ①** **친구와 이야기해 보세요.** Have a conversation with your friend.

1) 보통 아프면 어떻게 해요?
2) 무엇을 하면 행복해요?
3) 무엇을 하면 피곤해요?
4) 부모님이 보고 싶으면 어떻게 해요?
5) 수업이 끝나면 뭐 해요?
6) 날씨가 너무 더우면/추우면 뭘 해요?
7) 고향에 가면 뭐 하고 싶어요?
8) 고향 친구가 한국에 오면 뭐 하고 싶어요?
9) 시간도 있고 돈도 많으면 뭐 하고 싶어요?
10) 한국 친구가 있으면 뭐 하고 싶어요?

> ***어떻게 해요?**
> *How do you...?

**연습 ②** **보기와 같이 이야기해 보세요.** Have a conversation as shown in the example below.

| 보기 | 가: 다리가 아파요.<br>나: 다리가 아프면 의자에 앉으세요. |
|---|---|

1) 잠이 안 와요.
2) 맛있는 음식을 먹고 싶어요.
3) 너무 심심해요.
4) 한국어를 잘하고 싶어요.
5) 기분이 좋지 않아요.

> **심심하다**
> bored

## 듣기1

**확인** **잘 듣고 질문에 답하세요.** Listen carefully and answer the questions. T12

**예약(을) 하다** to make a reservation/appointment

**걱정(을) 하다** to worry

**꼭** definitely

***알겠습니다** *Okay.

1. 밍 씨는 어디가 아파요? Where is Ming hurt?

2. 맞는 것을 고르세요. Choose the correct statement.

   ① 밍 씨는 약을 먹었어요 ( O X )

   ② 밍 씨는 어제부터 아팠어요. ( O X )

   ③ 밍 씨는 오늘 학교에 갔어요. ( O X )

**발음** **잘 듣고 따라 하세요.** Listen carefully and repeat. T11

| | | | |
|---|---|---|---|
| 1 | OO + 과(科) | [과] ⇨ [**꽈**] | 안과 [안꽈], 치과 [치꽈], 내과 [내꽈], 이비인후과 [이비인후꽈], 정형외과 [정형웨꽈] |
| 2 | OO + 권(券) | [권] ⇨ [**꿘**] | 여권 [여꿘] |
| 3 | 이가 아파서 **치과**에 갔어요. | | |
| 4 | 배가 아프면 **내과**에 가세요. | | |
| 5 | **여권**이 가방 안에 있어요. | | |

## 듣기2

**확인** 잘 듣고 질문에 답하세요. Listen carefully and answer the questions. T13

**1** 맞는 것을 고르세요. Choose the correct statement.

① 남자는 약을 먹었지만 아파요.
② 남자는 매운 떡볶이를 먹었어요.
③ 남자는 다리가 불편해서 왔어요.
④ 남자는 오늘 병원에 처음 왔어요.

**2** 맞으면 O, 틀리면 X 하세요.
Mark an O if the statement is true, and an X if it is false.

① 남자는 이름하고 전화번호만 썼어요. ( O X )
② 남자는 어제부터 계속 배가 아팠어요. ( O X )

***처음 오셨어요?**
*Is this your first time here?
**처음** first time
**불편하다** uncomfortable
**외국인등록증** Residence Card
***잠깐만 기다리세요**
*Please wait a moment.
**들어오다** to come in
**계속** continuously
**다시** again

---

**받아쓰기** 잘 듣고 쓰세요. Listen carefully and write. T14

1
2
3
4
5

# 말하기1

**연습 ①** 보기 와 같이 이야기하세요.

Have a conversation as shown in the example below.

보기

가: 배가 아파요.

나: 배가 아프면 매운 음식을 먹지 마세요./따뜻한 물을 드세요.

| V–(으)세요 |
| --- |
| 따뜻한 물을 드세요 |
| 약을 드세요. |
| 병원에 가세요. |
| 앉으세요. |
| 쉬세요. |
| 운동하세요. |
| 운동화를 신으세요. |
| ________–(으)세요. |

| V–지 마세요 |
| --- |
| 술을 마시지 마세요. |
| 차가운/매운 음식을 먹지 마세요. |
| 핸드폰/텔레비전을 보지 마세요. |
| 게임하지 마세요. |
| 말하지 마세요. |
| 운동하지 마세요. |
| 높은 구두를 신지 마세요. |
| ________–지 마세요. |

## 말하기2

**연습 ❶** 보기와 같이 이야기하세요.

Have a conversation as shown in the example below.

**보기**

가: 아만다 씨, 우리 같이 산책할까요?
나: 미안해요. 오늘은 아파서 쉬고 싶어요.
가: 어디가 아파요?
나: 다리가 아파요.
가: 다리가 왜 아파요?
나: 어제 등산을 해서요.
가: 그러면 오늘은 쉬세요. 다리가 안 아프면 같이 산책을 해요.
나: 네, 알았어요.

**등산(을) 하다**
to go hiking

***알았어요**
*I understand

보기

1)

2)

3)

# 어휘2 병원 Hospitals

**연습 ①** 보기 와 같이 이야기해 보세요. Have a conversation as shown in the example below.

보기

| 새 단어 New word | |
|---|---|
| | 안과 eye clinic  치과 dental clinic  이비인후과 ear, nose, and throat clinic  내과 internal medicine clinic  정형외과 orthopedic clinic |

## 어휘2 어디가 어떻게 아파요?
Where does it hurt, and how?

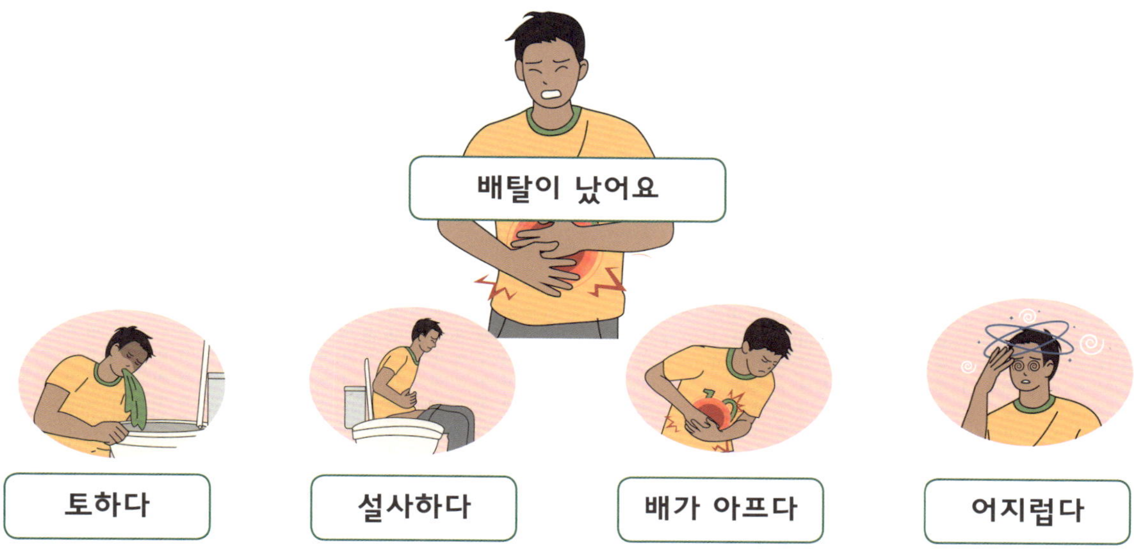


**연습 ❷** 보기와 같이 이야기해 보세요. Have a conversation as shown in the example below.

보기

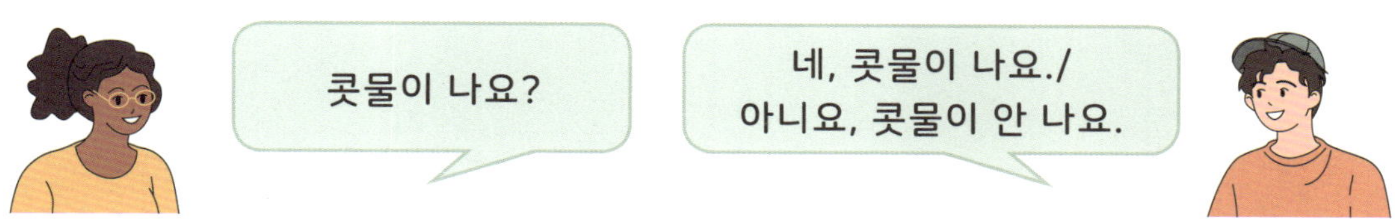


| 새 단어 New word | 감기에 걸리다 to catch a cold　콧물이 나다 to have a runny nose　열이 나다 to have a fever　기침을 하다 to cough　목이 아프다 to have a sore throat　배탈이 나다 to have an upset stomach　토하다 to vomit　설사하다 to have diarrhea　배가 아프다 to have a stomachache　어지럽다 to feel dizzy |
|---|---|

## 문법 및 표현3 -(으)니까

☞ 워크북 18~19쪽

**푹** deeply; well

**연습 1** **보기와 같이 이야기해 보세요.** Have a conversation as shown in the example below.

**보기**

1) 가: 오늘 너무 추워요.
   나: 추우니까 집에서 쉴까요?
   가: 네, 좋아요.

2) 가: 감기에 걸렸어요.
   나: 감기에 걸렸으니까 약을 드세요./
   아이스크림을 먹지 마세요.

1)
1) 오늘 너무 더워요.
2) 오늘 날씨가 정말 좋아요.
3) 내일 시험이 있어요.
4) 수업이 끝났어요.
5) 내일부터 방학이에요.

2)
1) 콧물이 나요.
2) 설사를 해요.
3) 어지러워요.
4) 목이 아파요.
5) 다리를 다쳤어요

**연습 2** **친구와 이야기해 보세요.** Have a conversation with your friend.

1) 왜 병원에 가요?
2) 왜 약을 먹어요?
3) 왜 피곤해요?
4) 왜 방을 청소해요?
5) 왜 친구에게 선물을 줘요?
6) 왜 학교에 안 가요?
7) 한국에서 어디를 여행하고 싶어요? 왜요?
8) 어제 뭐 했어요? 왜요?

## 문법 및 표현4 -(으)ㄹ 수 있다/없다

☞ 워크북 20~21쪽

**연습 ①** **보기**와 같이 이야기해 보세요. Have a conversation as shown in the example below.

> **보기** 가: 오늘 수업이 끝나고 같이 밥을 먹을 수 있어요?
> 나: 네, 같이 먹을 수 있어요./미안해요. 배가 아파서 밥을 먹을 수 없어요.

**보기** 오늘 수업이 끝나고 같이 밥을 먹을 수 있어요?

1) 오늘 저랑 같이 운동할 수 있어요?

2) 오늘 같이 공부할 수 있어요?

3) 내일 생일 파티를 해요. 올 수 있어요?

4) 방학에 같이 여행할 수 있어요?

5) 수업이 끝나고 같이 커피숍에 갈 수 있어요?

**연습 ②** **보기**와 같이 이야기해 보세요. Have a conversation as shown in the example below.

> **보기** 가: 한국에서 혼자 병원에 갈 수 있어요?
> 나: 네, 혼자 갈 수 있어요.

| | | |
|---|---|---|
| **보기** 한국에서 혼자 병원에 가다 | ☑ 네 | ☐ 아니요 |
| 1) 한국 사람하고 이야기하다 | ☐ 네 | ☐ 아니요 |
| 2) 한국에서 혼자 여행하다 | ☐ 네 | ☐ 아니요 |
| 3) 한국 노래를 하다 | ☐ 네 | ☐ 아니요 |
| 4) 요리하다 | ☐ 네 | ☐ 아니요 |
| 5) 자전거를 타다 | ☐ 네 | ☐ 아니요 |
| 6) 한국어 책을 읽다 | ☐ 네 | ☐ 아니요 |
| 7) 매운 음식을 먹다 | ☐ 네 | ☐ 아니요 |
| 8) 운전하다 | ☐ 네 | ☐ 아니요 |

## 읽기 1

**1** 다음을 읽고 질문에 답하세요. Read the following and answer the questions.

**의사 선생님에게 물어보세요 >**

**Q. 요즘 잠을 잘 수 없어요.**

자고 싶지만 잠이 안와요.
아침부터 저녁까지 너무 피곤해요.

A: 푹 자고 싶으면 운동을 하세요.
그리고 오후에 커피를 마시지 마세요.
침대에서 핸드폰을 보지 마세요.
그러면 잠을 푹 잘 수 있어요.

물어보다 to ask　*잠을 자다 *to sleep　환자 patient

1) 환자는 요즘 무엇을 할 수 없어요?

2) 환자는 요즘 어때요?

3) 푹 자고 싶으면 어떻게 해요?

**2** 다음을 읽고 질문에 답하세요 Read the following and answer the questions.

크리스틴: 세아 씨, 제가 몸이 안 좋아서 병원에 가고 싶어요. 저는 한국어를 잘할 수 없으니까 혼자 병원에 갈 수 없어요. 저랑 같이 병원에 갈 수 있어요?

세아: 네, 같이 갈 수 있어요. 어디가 아파요?

크리스틴: 배가 아프고 설사를 해요. 그리고 음식을 먹으면 토하고 너무 어지러워요. 그래서 일어날 수 없어요.

세아: 열도 나요?

크리스틴: 열은 안 나지만 머리가 아파요.

세아: 제가 지금 택시를 탔으니까 기다리세요.

크리스틴: 네, 고마워요.

*몸이 안 좋다 not feeling well　일어나다 to get up　택시 taxi

1) 크리스틴은 어디에 가고 싶어요?

2) 맞는 것을 고르세요.

① 크리스틴은 한국어를 잘해요.
② 크리스틴은 토하고 설사를 해요.
③ 크리스틴은 지금 택시를 탔어요.
④ 크리스틴은 머리가 아프고 열이 나요.

## 읽기2

❶ **다음을 읽고 질문에 답하세요.** Read the following and answer the questions.

지난주부터 날씨가 추웠어요. 그렇지만 저는 고향에서 두꺼운 옷을 가져오지 않았으니까 얇은 옷만 있었어요. 얇은 옷을 많이 입었지만 너무 추웠어요. 어제 오후부터 머리가 아프고 콧물이 났어요. 그리고 열도 많이 났어요. 그래서 오늘 학교에 갈 수 없었어요. 저는 선생님에게 메시지를 보내고 오전에 병원에 갔어요. 의사가 저에게 "열이 많이 나니까 주사를 맞으세요. 그리고 내일도 아프면 다시 병원에 오세요."라고 말했어요.

저는 주사를 맞고 싶지 않았지만 너무 아프니까 주사를 맞았어요. 그리고 약국에서 약도 샀어요. 약사가 "밥을 먹고 약을 드세요. 그리고 물을 많이 마시고 집에서 푹 쉬세요"라고 말했어요. 저는 집에서 혼자 밥을 먹고 약을 먹었어요. 한국에 가족도 없고 친구도 없으니까 슬펐어요.

**가져오다** to bring **메시지** message **보내다** to send ***주사를 맞다** *to get an injection ***"…"(이)라고 말하다** *to say, "…" **약사** pharmacist

1) 윗글은 무엇에 대한 내용이에요? ☑ 하세요. What is the passage above about? Check the correct option.

☐ 감기 ☐ 날씨 ☐ 병원 ☐ 친구

2) 표를 완성하세요. Complete the table.

| 어디가 어떻게 아파요? | 의사가 무엇을 말했어요? | 약사가 무엇을 말했어요? |
|---|---|---|
| 머리가 아파요. | 주사를 맞으세요. | |

3) **윗글의 내용과 같은 것을 고르세요.** Choose the correct statement.

① 저는 얇은 옷이 좋으니까 입었어요.
② 저는 어제 아팠지만 학교에 갔어요.
③ 저는 오늘 오전에 약국에서 약을 샀어요.
④ 저는 주사를 맞고 싶지 않아서 안 맞았어요.

4) 다음은 윗글을 요약한 것입니다. 빈칸에 알맞은 말을 쓰세요.
The following is a summary of the passage. Fill in the blanks with the appropriate words.

지난주에 날씨가 추웠어요. 저는 두꺼운 옷이 없으니까 ① (　　　　)-(으)ㄴ 옷만 입었어요. 그래서 감기에 걸렸어요. 머리가 아프고 ② (　　　　)-고 ③ (　　　　)-았/었/했어요. 저는 학교에 ④ (　　　　)-았/었/했어요. 혼자 병원에 갔어요. 병원에서 주사를 ⑤ (　　　　)-고 약국에서 약을 샀어요. 저는 밥을 먹고 ⑥ (　　　　)-았/었/했어요. 한국에 혼자 있으니까 ⑦ (　　　　)-았/었/했어요.

## 쓰기1

**1** 몸이 아팠어요? 그래서 어떻게 했어요? 보기 와 같이 쓰세요.

Were you sick? So what did you do? Write as shown in the example below.

| | | 보기 |
|---|---|---|
| 처음 | 언제 아팠어요? | 지난주 월요일 |
| | 왜 아팠어요? | 매운 음식을 먹다 (밤 night) |
| 중간 | 어디가 어떻게 아팠어요? | 배가 아프다<br>설사를 하다 |
| | 어떻게 했어요? | 고향 약을 먹다, 병원에 가다, 주사를 맞다 |
| 끝 | 아프니까 어땠어요? | 밥을 먹을 수 없어서 배가 고프다, 부모님이 보고 싶다 |
| 보기 | 저는 지난주 월요일에 배탈이 났어요. 주말에 친구들하고 매운 음식을 많이 먹었어요. 그런데 일요일 밤부터 배가 많이 아프고 설사도 했어요. 고향 약을 먹었지만 배가 아파서 잠을 잘 수 없었어요. 아침까지 계속 화장실에 갔어요.<br>월요일 아침에 병원에 갔어요. 의사가 "계속 화장실에 가면 더 아플 수 있으니까 주사를 맞으세요. 그리고 오늘은 저녁까지 음식을 먹지 마세요."라고 말했어요. 주사를 맞고 집에 왔어요.<br>밥을 먹을 수 없어서 배도 고프고 몸이 아프니까 고향에 있는 부모님이 보고 싶었어요. | |

| | | 나 |
|---|---|---|
| 처음 | 언제 아팠어요? | |
| | 왜 아팠어요? | |
| 중간 | 어디가 어떻게 아팠어요? | |
| | 어떻게 했어요? | |
| 끝 | 아프니까 어땠어요? | |

## 쓰기2

❷ **다시 쓰세요.** Write your answer again.

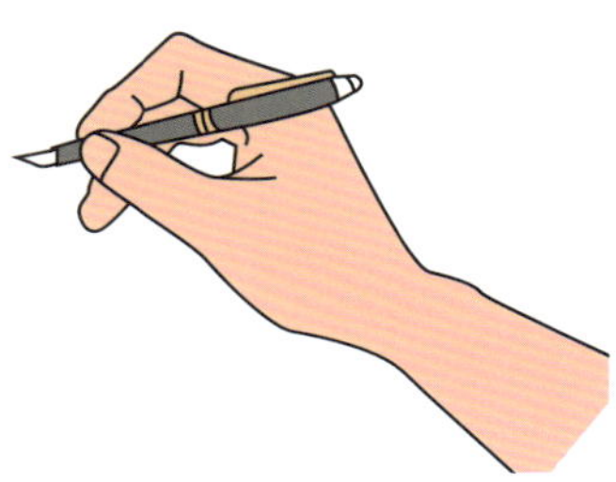

## 활동

**1** **의사와 환자가 되어 이야기하세요.** Have a conversation as a doctor and patient.

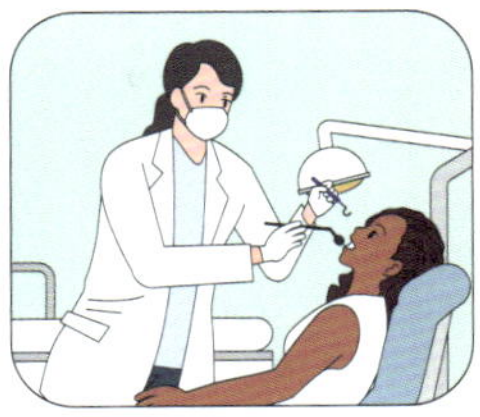

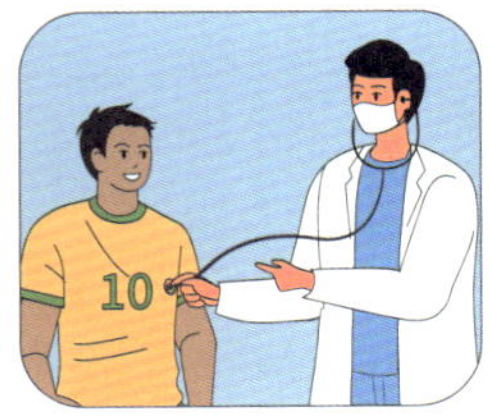
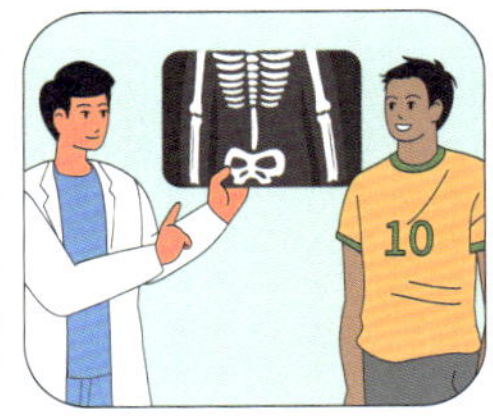

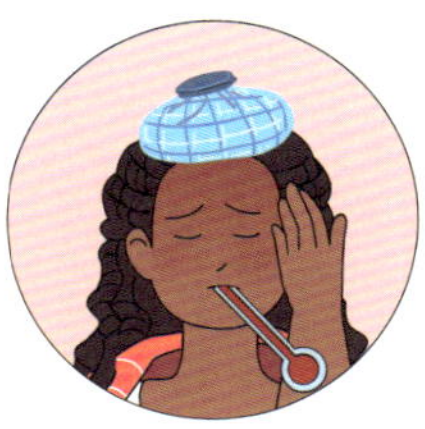

의사: 어떻게 오셨어요?

환자: ______________________________–아/어/해서 왔어요.

의사: 언제부터 아팠어요?

환자: ______________________________부터 아팠어요.

____________________–아/어/해서 ____________________–(으)ㄹ 수 없어요.

그리고 ________________–(으)니까 ____________________–(으)ㄹ 수 없어요.

의사: ____________________–(으)면 ____________________–(으)세요.

그리고 ________________–지 마세요. 그러면 ________________–(으)ㄹ 수 있어요.

## 병원 찾기 Looking for a hospital

**병원이 어디에 있어요? 병원을 어떻게 찾아요?**
Where is the hospital? How do I find the hospital?

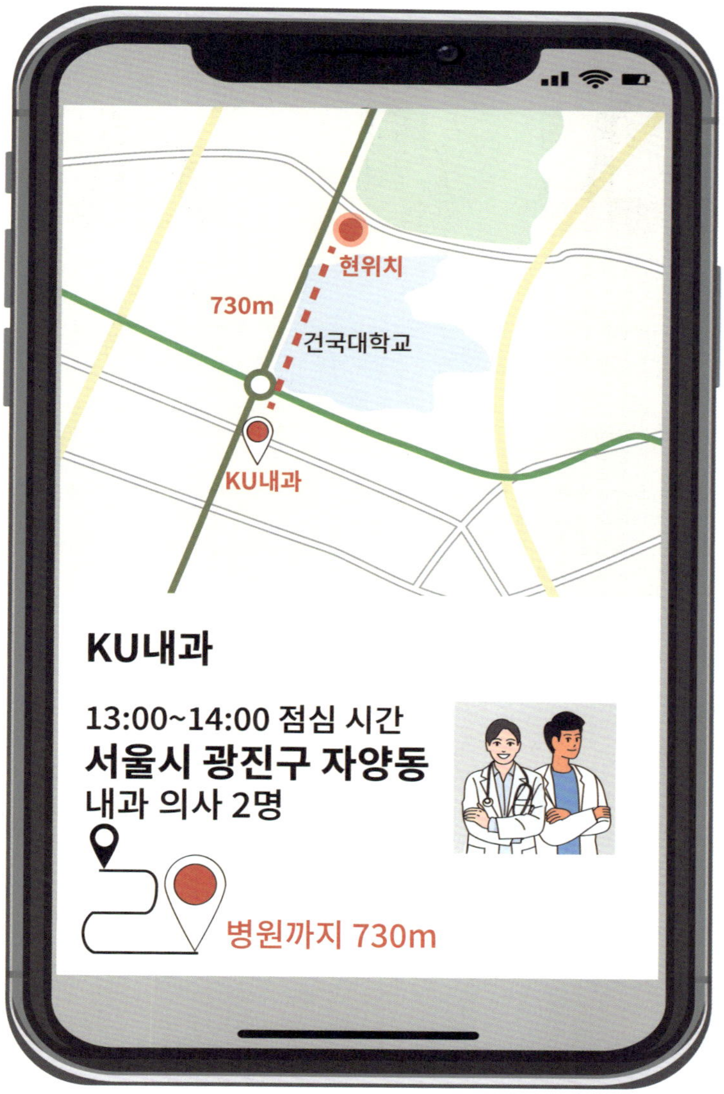


한국에서는 근처에 있는 병원을 쉽게 찾을 수 있습니다. 인터넷 검색창에 진료 받고 싶은 병원(내과, 치과 등)을 검색하면 주변에 있는 병원의 위치와 거리를 확인할 수 있으며 가는 방법도 알 수 있습니다.

In Korea, you can easily find nearby hospitals. If you search online for the desired type of clinic (e.g., internal medicine, dental clinic, etc.), you can find the location, distance, and directions to get there.

# 자기평가

## 1 알맞은 어휘를 쓰세요. Fill in the blanks with the correct words.

| 열이 나다 | 토하다 | 감기에 걸리다 | 콧물이 나다 | 어지럽다 |
|---|---|---|---|---|

보기
감기에 걸렸어요.　1) ________.　2) ________.　3) ________.　4) ________.

## 2 알맞은 문법을 쓰세요. Fill in the blanks with the correct grammar point.

| -(으)세요 | -(으)면 | -(으)니까 | -(으)ㄹ 수 있다/없다 |
|---|---|---|---|

1) 가: 한국어 공부가 끝나고 뭐 하고 싶어요?
   나: 저는 한국어 공부가 (　　　　　　　　) 한국에서 대학교에 다니고 싶어요.
2) 가: 여기는 도서관(　　　　　　　　) 이야기하지 마세요.
   나: 네, 미안해요.
3) 가: 목이 아프고 열도 나요.
   나: 그럼, 오늘은 집에서 푹 (　　　　　　　　).
4) 가: 오늘 저녁에 우리집에서 생일 파티를 해요. (　　　　　　　　)?
   나: 미안해요. 오늘 약속이 있어서 (　　　　　　　　).

## 다음 질문에 답하세요. Answer the following questions.

| | |  | |  | |
|---|---|---|---|---|---|
| 1 | 어디가 어떻게 아픈지 말할 수 있다.<br>I can explain where and how I feel pain. | 네 | ☐ | 아니요 | ☐ |
| 2 | 다른 사람에게 명령이나 권유를 할 수 있다.<br>I can give commands or suggestions to others. | 네 | ☐ | 아니요 | ☐ |
| 3 | 이유를 말할 수 있다.<br>I can explain reasons. | 네 | ☐ | 아니요 | ☐ |

모범 답안
1. 1) 콧물이 나요/났어요 2) 어지러워요/어지러웠어요 3) 열이 나요/났어요 4) 토해요/토했어요
2. 1) 끝나면 2) 이니까 3) 쉬세요 4) 가: 올 수 있어요? 나: 갈 수 없어요

## 어휘 확인

| 몸 | | | | | |
|---|---|---|---|---|---|
| ☐ 머리 | ☐ 귀 | ☐ 눈 | ☐ 코 | ☐ 입 | ☐ 이 |
| ☐ 목 | ☐ 어깨 | ☐ 가슴 | ☐ 배 | ☐ 팔 | ☐ 손 |
| ☐ 허리 | ☐ 다리 | ☐ 무릎 | ☐ 발 | | |

| 병원 | | | | |
|---|---|---|---|---|
| ☐ 안과 | ☐ 치과 | ☐ 이비인후과 | ☐ 내과 | ☐ 정형외과 |

| 어디가 어떻게 아파요? | | | | |
|---|---|---|---|---|
| ☐ 감기에 걸리다 | ☐ 콧물이 나다 | ☐ 열이 나다 | ☐ 기침을 하다 | ☐ 목이 아프다 |
| ☐ 배탈이 나다 | ☐ 토하다 | ☐ 설사하다 | ☐ 배가 아프다 | ☐ 어지럽다 |

| 어휘 | 문법 | 듣기 | 말하기 | 읽기 |
|---|---|---|---|---|
| ☐ 다치다 | ☐ 그러면<br>☐ 따뜻하다<br>☐ 드시다<br><br>☐ 일찍<br>☐ 늦다<br>☐ 잘하다<br>☐ 사귀다<br>☐ 돈<br><br>☐ *어떻게 해요?<br>☐ 심심하다<br><br>☐ 푹 | ☐ 예약(을) 하다<br>☐ 걱정(을) 하다<br>☐ 꼭<br>☐ *알겠습니다<br><br>☐ *처음 오셨어요?<br>☐ 처음<br>☐ 불편하다<br>☐ 외국인등록증<br>☐ *잠깐만 기다리세요<br>☐ 들어오다<br>☐ 계속<br>☐ 다시 | ☐ 등산(을) 하다<br>☐ *알았어요 | ☐ 물어보다<br>☐ *잠을 자다<br>☐ 환자<br><br>☐ *몸이 안 좋다<br>☐ 일어나다<br>☐ 택시<br><br>☐ 가져오다<br>☐ 메시지<br>☐ 보내다<br>☐ *주사를 맞다<br>☐ *"…"(이)라고 말하다<br>☐ 약사 |

| 쓰기 | 워크북 | | | | |
|---|---|---|---|---|---|
| ☐ 밤 | ☐ 듣기 | ☐ 노래 | ☐ 열심히 | ☐ 앉다 | ☐ 시끄럽다 |
| | ☐ 열다 | ☐ 그러니까 | ☐ 운전(을) 하다 | | |

# 10과 여행

**학습 목표**

여행 경험을 말할 수 있다.
여행 계획을 말할 수 있다.

첫째 날
DAY 1

| | |
|---|---|
| 어휘1 | 교통수단, 서울의 여행지 |
| 문법 및 표현 | -(으)러 가다/오다, -아/어/해 봤다 |
| 듣기 | 서울 여행 경험 묻고 답하는 대화 |
| 말하기 | 서울 여행 경험 말하기<br>서울에서 하고 싶은 일 제안하기 |

둘째 날
DAY 2

| | |
|---|---|
| 어휘2 | 한국의 여행지, 얼마나 걸려요? |
| 문법 및 표현 | -아/어/해서[2], -(으)ㄹ 거예요[1] |
| 읽기 | 여행 계획표 보고 정보 파악하기<br>여행지에서 보내온 엽서 내용 파악하기<br>여행 계획 글 읽고 내용 파악하기 |
| 쓰기 | 여행 계획 쓰기 |
| 활동 | 서울 여행 계획 세우기 |
| 문화 | 한국 음식 지도 |

## 어휘1 교통수단 Means of Transportation

*걸어서 가다/오다
*to go/come on foot

**연습 1** 보기와 같이 이야기해 보세요. Have a conversation as shown in the example below.

보기

*어떻게 가요/와요?
*How do you go/come?

*N을/를 타고 가다/오다
*to go/come by N

| 새 단어 New word | |
|---|---|
| | 비행기 airplane 지하철 subway 자동차 car 버스 bus 기차 train 택시 taxi 배 boat<br>오토바이 motorcycle 자전거 bicycle |

# 어휘1 서울의 여행지 Tourist Destinations in Seoul

©한국관광공사 포토코리아-IR스튜디오

©한국관광공사 포토코리아-윤성환

©한국관광공사 포토코리아- 이범수

©한국관광공사 포토코리아-이범수

**연습 ❷** **보기** 와 같이 이야기해 보세요. Have a conversation as shown in the example below.

**보기**

| 새 단어 New word | **경복궁** Gyeongbokgung Palace **명동** Myeong-dong **광장시장** Gwangjang Market<br>**홍대** Hongdae (Hongik University) **한강 공원** Hangang Park **코엑스몰** Coex Mall **강남** Gangnam<br>**동대문 DDP** Dongdaemun Design Plaza (DDP) **서울숲** Seoul Forest **N서울타워** N Seoul Tower |
|---|---|

## 문법 및 표현1 -(으)러 가다/오다

☞ 워크북 22~23쪽

**연습 ①** 보기 와 같이 이야기해 보세요. Have a conversation as shown in the example below.

보기
가: oo 씨, 어디에 가요?
나: 경복궁에 가요.
가: 경복궁에 뭐 하러 가요?
나: 구경하러 가요.

| 보기 경복궁 | 한강 공원 | 홍대 | 동대문DDP |
|---|---|---|---|
| 커피숍 | 백화점 | 편의점 | ________ |

**연습 ②** 친구와 이야기해 보세요. Have a conversation with your friend.

1) 지금 어디에 가고 싶어요? 거기에 뭐 하러 가고 싶어요?

2) 보통 수업이 끝나면 밥을 먹으러 어디에 가요? 왜 거기에 가요?

3) 보통 친구를 만나면 어디에 놀러 가요? 왜요?

4) 서울에서 쇼핑하러 어디에 가요? 왜요?

5) 고향에서 어디에 자주 갔어요? 뭐 하러 갔어요?

6) 한국에 뭐 하러 왔어요?

7) 지난 주말에 어디에 갔어요? 뭐 하러 갔어요?

## 문법 및 표현2 -아/어/해 봤다

☞ 워크북 24~25쪽

**남산** Namsan

**아직** yet; still

**연습 1** 67쪽을 보세요. 보기 와 같이 이야기해 보세요.
Look at p. 67. Have a conversation as shown in the example below.

보기

1) 가: 서울에서 어디에 가 봤어요?
나: 강남에 가 봤어요.
가: 강남에 뭐 하러 갔어요?
나: 옷을 사러 갔어요.

2) 가: 홍대에 가 봤어요?
나: 아니요, 아직 안 가 봤어요.
홍대에 가면 뭘 할 수 있어요?
가: 공연도 볼 수 있고 쇼핑도 할 수 있어요.

**연습 2** 친구와 이야기해 보세요. Have a conversation with your friend.

**한복** hanbok

1) 한복을 입어 봤어요? 언제 어디에서 입어 봤어요? 어땠어요?
2) 한국 음식을 만들어 봤어요? 무슨 음식을 만들어 봤어요? 어땠어요?
3) 한국에서 운전해 봤어요? 어땠어요?
4) 한강 공원에서 배/자전거를 타 봤어요? 어땠어요?
5) 케이팝을 들어 봤어요? 누구의 노래를 들어 봤어요? 어땠어요?
6) 고향에서 한국 드라마를 봤어요? 어땠어요?
7) 고향에서 한국 음식을 먹어 봤어요? 뭘 먹어 봤어요? 어땠어요?
8) 고향에서 아르바이트를 해 봤어요? 어디에서 해 봤어요? 어땠어요?
9) 다른 나라에서 살아 봤어요? 어느 나라에서 살아 봤어요? 어땠어요?

## 듣기1

**확인** **잘 듣고 질문에 답하세요.** Listen carefully and answer the questions. T20

박물관 museum
전통 tradition
빌리다 to borrow; to rent

1. 경복궁에 어떻게 가요? How do I get to Gyeongbokgung Palace?

2. 맞는 것을 고르세요. Choose the correct statement.
   ① 자함은 경복궁에 안 가 봤어요.
   ② 하루나는 한복을 안 입어 봤어요.
   ③ 자함은 혼자 경복궁을 보러 가고 싶어요.
   ④ 하루나는 아직 박물관에 가 보지 않았어요.

**발음** **잘 듣고 따라 하세요.** Listen carefully and repeat. T19

| | | |
|---|---|---|
| 1 | 받침 ㄴ | 돈, 핸드폰, 선생님, 자전거 |
| 2 | 받침 ㅁ | 남산, 사람, 서점, 음식 |
| 3 | 받침 ㅇ | 비행기, 명동, 강남, 공원, 여행, 공항 |
| 4 | **선생님**은 **자전거**를 타러 **공원**에 갔어요. | |
| 5 | **비행기를** 타러 **공항에** 가요. | |
| 6 | 친구가 서울에 **여행을** 하러 왔어요. **명동**이랑 **남산**에 **사람**이 많았어요. | |
| 7 | **서점**에서 책을 사고 **핸드폰** 가게에 갔어요. | |

## 듣기2

**확인** **잘 듣고 질문에 답하세요.** Listen carefully and answer the questions. T21

**경치** view; scenery
**케이블카** cable car
**돈가스** pork cutlet

**1** 맞는 것을 고르세요. Choose the correct statement.

① 크리스틴의 남편은 오늘 한국에 왔어요.
② 크리스틴은 한강 공원이 제일 마음에 들었어요.
③ 크리스틴은 서울타워에 케이블카를 타고 갔어요.
④ 크리스틴의 남편은 광장시장을 제일 좋아했어요.

**2** 맞으면 O, 틀리면 X 하세요. Mark an O if the statement is true, and X if it is false.

① 서울타워에서 서울의 경치를 볼 수 있어요. ( O X )
② 광장시장 근처에 돈가스가 맛있는 식당이 있어요. ( O X )

---

**받아쓰기** **잘 듣고 쓰세요.** Listen carefully and write. T22

1

2

3

4

5

## 말하기1

**연습 ❶** **보기** 와 같이 발표하세요. Present as shown in the example below.

**보기**

여기는 강남이에요. 저는 강남에 가 봤어요. 강남에 쇼핑하러 갔어요.

그리고 여기는 서울숲이에요. 저는 서울숲에도 가 봤어요. 서울숲에 꽃을 보러 갔어요. 거기에서 사진도 찍고 산책도 했어요.

## 말하기2

**연습 ❶** 보기 와 같이 친구에게 제안을 하세요.

Make a suggestion to a friend as shown in the example below.

보기

가: 삼계탕을 먹어 봤어요?
나: 아니요. 아직 안 먹어 봤어요.
가: 그래요? 그럼, 우리 같이 삼계탕을 먹으러 갈까요?
나: 좋아요. 삼계탕을 먹으러 어디에 갈까요?
가: 경복궁 근처에 있는 식당에서 먹을까요?
나: 그래요.

보기

삼계탕, 경복궁 근처 식당

1)

자전거, 한강 공원

2)

케이블카, 남산

3)

비빔밥, 광장시장

## 어휘2 한국의 여행지 Tourist Destinations in Korea

**연습 ①** 보기 와 같이 이야기해 보세요. Have a conversation as shown in the example below.

보기

| 새 단어 New word | |
|---|---|
| | **남이섬** Nami Island **DMZ** DMZ (demilitarized zone) **수원** Suwon **전주** Jeonju **제주도** Jeju Island |
| | **부산** Busan **경주** Gyeongju **안동** Andong **설악산** Seoraksan |

## 어휘2 얼마나 걸려요? How long does it take?

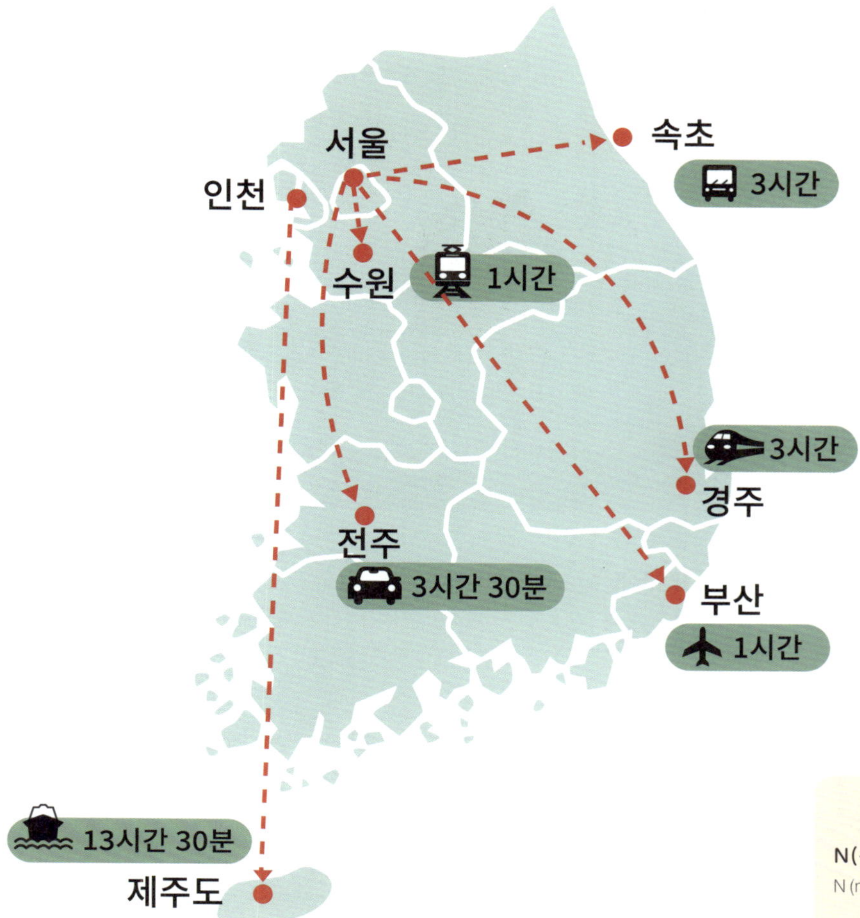


N(숫자²) 시간
N (native Korean number) hour(s)

**연습 2** 보기와 같이 이야기해 보세요. Have a conversation as shown in the example below.

보기

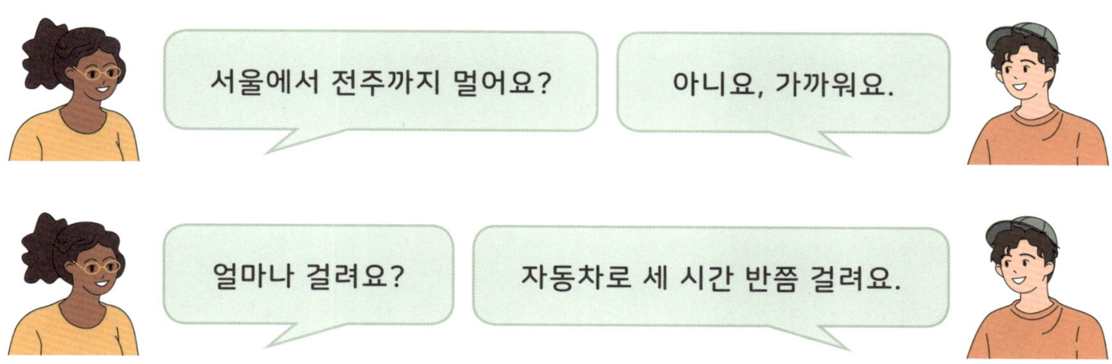


| 새 단어 New word | 속초 Sokcho | 멀다 far | 가깝다 close |
|---|---|---|---|

N(교통수단)(으)로
by N (means of transportation)

N(시간)쯤 about N hours

## 문법 및 표현3 -아/어/해서²

☞ 워크북 26~27쪽

우리 전주에 가서 뭐 할까요?

전주는 비빔밥이 유명하니까 비빔밥을 먹어요.

유명하다 famous

**연습 1** 보기와 같이 이야기해 보세요. Have a conversation as shown in the example below.

보기

가: 어디에 가요?
나: 은행에 가요.
가: 은행에 가서 뭐 해요?
나: 은행에 가서 돈을 바꿔요.

은행 bank
바꾸다 to change

| 보기 은행 | 공원 | 도서관 | 영화관 |
|---|---|---|---|
| 백화점 | 집 | 식당 | 명동 |
| 커피숍 | 마트 | 편의점 | ______ |

**연습 2** 친구와 이야기해 보세요. Have a conversation with your friend.

1) 일어나서 제일 먼저 뭐 해요?

2) 보통 친구를 만나서 뭘 해요?

3) 한국에 와서 여행해 봤어요? 어디에 가 봤어요?

4) 고향에 가서 뭐 하고 싶어요?

5) 친구의 생일에 케이크를 주고 싶어요. 케이크를 만들어서 줘요? 사서 줘요?

6) 보통 식당에 가서 밥을 먹어요? 집에서 요리해서 먹어요?

7) 보통 책을 빌려서 읽어요? 사서 읽어요?

8) 이메일을 써서 친구에게 보내 봤어요?

## 문법 및 표현4 -(으)ㄹ 거예요[1]

☞ 워크북 28~29쪽

**바다** sea
**회** sashimi

**연습 ❶** **친구와 이야기해 보세요.** Have a conversation with your friend.

1) 오늘 수업 후에 뭐 할 거예요?

2) 이따가 어디에 갈 거예요?

3) 오늘 저녁에 뭐 먹을 거예요?

4) 오늘 몇 시에 잘 거예요?

5) 내일 뭐 할 거예요?

6) 이번 주 토요일에 뭐 할 거예요?

7) 언제 고향에 갈 거예요?

8) 방학에 뭐 할 거예요?

9) 내년에 어디에서 살 거예요?

10) 언제까지 한국에 있을 거예요?

**N 후(에)** after N
**이따가** later

## 읽기1

**1** 다음을 읽고 질문에 답하세요. Read the following and answer the questions.

| 일 | 월 | 화 | 수 | 목 | 금 | 토 |
|---|---|---|---|---|---|---|
| 7/18 | 7/19<br>방학 시작 | 7/20<br>백화점에 가다.<br>여행 가방을<br>사다 | 7/21 | 7/22<br>제주도 여행 | 7/23<br>제주도에 가다 | 7/24<br>바다에서<br>수영하다 |
| 7/25<br>저녁<br>삼겹살을 먹다 | 7/26<br>등산을 하다 | 7/27<br>귤을 사다<br>선물을 사다 | 7/28 | 7/29<br>홍대에서<br>알리를 만나다.<br>같이 놀다 | 7/30 | 7/31<br>혼자<br>극장에 가다.<br>영화를 보다 |

**시작** start; begin **수영(을) 하다** to swim, go swimming

1) 방학이 언제예요?

2) 방학을 하면 어디에 여행을 갈 거예요?

3) 여행을 가서 무엇을 할 거예요?

4) 홍대에서 누구를 만나서 뭐 할 거예요?

**2** 다음을 읽고 질문에 답하세요. Read the following and answer the questions.

20 OCT 20XX GYEONGJU

보고 싶은 조세핀 씨

엠마예요. 저는 지금 경주에 있어요.
방학이라서 시간이 많으니까 경주에
있는 한국 친구를 만나러 왔어요.
조세핀 씨는 경주에 와 봤어요?
저는 오늘 경주에 와서 자전거를 타고
도시를 구경했어요.
여기는 정말 아름다워요.
한국의 역사를 알고 싶어서
내일은 박물관에 갈 거예요.
그리고 불국사에 가서 사진도
찍을 거예요.
경주에 유명한 빵이 있어요.
내일 빵을 사러 갈 거예요.
서울에 가면 만나서 같이 먹어요.

그럼 서울에서 만나요! _엠마

1) 누가 누구에게 썼어요?

2) 맞는 것을 고르세요.

① 경주에 자전거를 타고 갈 거예요.
② 오늘 박물관하고 불국사에 갔어요.
③ 조세핀은 엠마하고 같이 경주에 갔어요.
④ 박물관에 가면 한국의 역사를 알 수 있어요.

**도시** city **아름답다** beautiful **역사** history **불국사** Bulguksa Temple

## 읽기2

**1 다음을 읽고 질문에 답하세요.** Read the following and answer the questions.

다음 주부터 방학이에요. 이번 방학에는 가족들이 한국에 저를 만나러 오니까 고향에 가지 않을 거예요. 우리 가족은 서울에 두 번 와 봤어요. 그래서 이번에는 다른 곳에 여행을 가고 싶어요. 우리는 기차를 타고 전주에 갈 거예요. 서울에서 전주까지 1시간 40분쯤 걸려요. 전주에 도착하면 제일 먼저 유명한 한옥마을에 갈 거예요. 한옥마을에서는 한복을 빌려서 입을 수 있어요. 저는 한복을 안 입어 봤어요. 저는 한복을 입고 한옥마을을 구경할 거예요. 산책도 하고 사진도 많이 찍을 거예요. 배가 고프면 시장에 가서 맛있는 비빔밥을 먹을 거예요. 그리고 저녁에는 한옥에서 잘 거예요. 저는 한국에 살지만 아직 한옥에서 안 자 봤어요. 그래서 전주에 가면 가족하고 같이 한옥에서 자고 싶어요.

다음 날에는 전통 술 박물관에 갈 거예요. 전주는 막걸리가 유명해요. 박물관에서 막걸리를 만들어 볼 수 있어요. 가족하고 막걸리를 만들러 갈 거예요. 빨리 여행을 가고 싶어요.

**N 번** N time(s) **도착(을) 하다** to arrive **시장** market **날** day **막걸리** makgeolli

1) 윗글은 무엇에 대한 내용이에요? ☑하세요. What is the passage above about? Check the correct option.

☐ 여행 ☐ 가족 ☐ 전통 ☐ 고향

2) 어디에 갈 거예요? 거기에 가서 뭐 할 거예요? 쓰세요.

Where will you go? What will you do there? Write your answers below.

| 어디에 갈 거예요? | 거기에 가서 뭐 할 거예요? |
|---|---|
| 한옥마을 | 한복을 빌려서 입을 거예요. |
| | |
| | |
| 한옥 | 비빔밥을 먹을 거예요. |
| | |
| | |

3) 윗글의 내용과 같은 것을 고르세요. Choose the correct statement.

① 저는 기차를 타지 않을 거예요.
② 가족들은 한국에 안 와 봤어요.
③ 가족들은 한복을 모두 입어 봤어요.
④ 저는 가족하고 전주에 가서 여행할 거예요.

4) 다음은 윗글을 요약한 것입니다. 빈칸에 알맞은 말을 쓰세요.

The following is a summary of the passage. Fill in the blanks with the appropriate words.

이번 방학에 가족들이 저를 ① ( )-(으)러 한국에 올 거예요. 가족하고 같이 ② ( )을/를 타고 전주에 갈 거예요. 전주에 ③ ( )-아/어/해서 한옥마을에 갈 거예요. 거기에서 한복을 ④ ( )-고 산책도 하고 사진도 ⑤ ( )-(으)ㄹ 거예요. 그리고 한옥에서 ⑥ ( )-(으)ㄹ 거예요. 다음 날에 막걸리를 ⑦ ( )-(으)러 전통 술 박물관에 갈 거예요.

## 쓰기1

**1** 서울에서 어디에 가고 싶어요? **보기** 와 같이 쓰세요.

Where do you want to go in Seoul? Write as shown in the example below.

| | 보기 |
|---|---|
| 언제, 어디에 누구하고 갈 거예요? | 다음 주말, 홍대<br>밍, 알리, 하루나 |
| 무엇을 타고 갈 거예요? | 지하철 |
| 학교에서 거기까지 얼마나 걸려요? | 30분 |
| 거기에 가서 뭐 할 거예요?<br>뭐 하러 갈 거예요? | 쇼핑을 하다<br>맛집에 가서 먹다<br>구경하다, 커피를 마시다<br>공연을 보다 |

**맛집** popular restaurant
**길** street

저는 다음 주말에 홍대에 갈 거예요. 우리 반 친구 밍, 알리, 하루나하고 같이 갈 거예요. 우리는 지하철을 타고 갈 거예요. 학교에서 홍대까지 지하철을 타면 30분쯤 걸려요. 홍대에는 옷가게도 많고 예쁜 옷도 많이 팔아요. 그래서 거기에 옷을 사러 갈 거예요. 우리는 쇼핑을 하고 맛집에 가서 맛있는 음식을 먹을 거예요. 홍대에는 예쁜 커피숍도 많으니까 커피숍을 구경하고 커피도 마실 거예요. 커피를 마시고 길에서 공연을 볼 거예요.

| | 나 |
|---|---|
| 언제, 어디에 누구하고 갈 거예요? | |
| 무엇을 타고 갈 거예요? | |
| 학교에서 거기까지 얼마나 걸려요? | |
| 거기에 가서 뭐 할 거예요?<br>뭐 하러 갈 거예요? | |

## 쓰기2

**2** **다시 쓰세요.** Write your answer again.

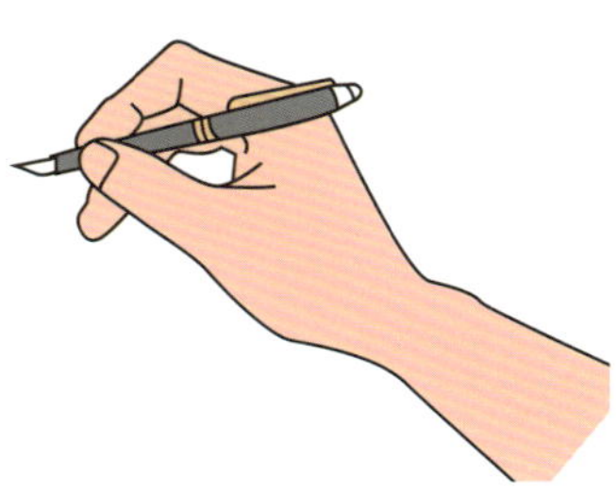

## 활동

**1** 서울 여행을 갈 거예요. 친구들과 같이 여행 계획을 세우세요.

You are going on a trip to Seoul. Plan the trip with your friends.

1)
- 67쪽을 보세요. 어디에 가고 싶어요?
  Look at page 67. Where would you like to go?
- 거기에서 뭐 하고 싶어요?/거기에서 뭘 할 수 있어요? 인터넷에서 찾아보세요.
  What do you want to do there? What can you do there? Look it up on the internet.

2)
- 반 친구들 앞에서 발표하세요.
  Give a presentation in front of your classmates.
- 가고 싶은 곳을 반 친구들하고 모두 같이 고르세요.
  Choose a place you want to go with your classmates.

3)
- 어디에서 몇 시에 만날까요? 이야기하세요.
  Where and at what time shall we meet? Talk about it.

### 친구들하고 같이 서울 여행을 갈 거예요.

| 서울 여행을 갈 거예요. | 밍, 알리, 하루나 | 조세핀, 바타르, 장자함 | |
|---|---|---|---|

**서울 여행을 갈 거예요.**

1. 어디에 가고 싶어요?
2. 가고 싶은 곳의 사진을 올리세요.
3. 거기에 가서 무엇을 할 거예요? 쓰세요.

**친구들하고 이야기해요.**

1. 몇 시에 갈 거예요?
2. 어디에 갈 거예요?
3. 거기까지 어떻게 갈 거예요?
4. 왜 거기에 가고 싶어요?
5. 거기에서 뭘 할 거예요?
6. 뭘 먹을 거예요?

**밍, 알리, 하루나**

오전 10시에 경복궁에 갈 거예요. 지하철을 타고 갈 거예요. 경복궁 역에서 내려요. 경복궁에 가면 한복을 입고 예쁜 사진을 찍을 수 있으니까 가고 싶어요. 그리고 경복궁 근처에 있는 식당에서 전통 음식도 먹을 수 있어요. 거기에서 점심을 먹을 거예요.

## 문화 한국 음식 지도 Korean Food Map

### 무엇을 먹으러 갈까요? What shall we eat?

한국에는 지역마다 유명한 음식이 있습니다. 춘천은 닭갈비, 속초는 오징어 순대, 안동은 안동찜닭, 부산은 돼지국밥, 제주도는 흑돼지 삼겹살, 전주는 비빔밥, 수원은 갈비, 인천은 짜장면이 유명합니다.

In Korea, each region is famous for certain dishes. Chuncheon is famous for dakgalbi, Sokcho for stuffed squid, and Andong for Andong jjimdak. Busan is famous for pork and rice soup, Jeju Island for black pork belly, Jeonju for bibimbap, and Suwon for galbi. Finally, Incheon is famous for jjajangmyeon.

# 자기평가

## ❶ 알맞은 어휘를 쓰세요. Fill in the blanks with the correct words.

| 비행기 | 지하철 | 버스 | 기차 | 자전거 |
|---|---|---|---|---|

|  |  |  |  |  |
|---|---|---|---|---|
| 보기 버스를 타요. | 1) ____________. | 2) ____________. | 3) ____________. | 4) ____________. |

## ❷ 알맞은 문법을 쓰세요. Fill in the blanks with the correct grammar point.

| -(으)러 가다/오다 | -아/어/해 봤다 | -아/어/해서² | -(으)ㄹ 거예요¹ |
|---|---|---|---|

1) 가: 지금 어디에 가요?

   나: 도서관에 책을 (                    ).

2) 가: 매일 집에서 요리해요?

   나: 네, 저는 매일 (                    ) 먹어요.

3) 가: 방학에 고향에 (                    )?

   나: 아니요, 이번 방학에는 고향에 (                    ).

4) 가: 케이트 씨, 한복을 (                    )?

   나: 네, 한국 친구하고 경복궁에 놀러 가서 (                    ).

## 다음 질문에 답하세요. Answer the following questions.

| | | | |
|---|---|---|---|
| ❶ 여행 경험을 말할 수 있다. I can talk about travel experiences. | 네 ☐ | 아니요 ☐ |
| ❷ 여행 계획을 말할 수 있다. I can talk about travel plans. | 네 ☐ | 아니요 ☐ |

모범 답안
1. 1) 자전거를 타요 2) 지하철을 타요 3) 비행기를 타요 4) 기차를 타요
2. 1) 빌리러/읽으러/보러 가요. 2) 요리해서
3) 가: 갈 거예요 나: 안 갈 거예요/가지 않을 거예요
4) 가: 입어 봤어요 나: 입어 봤어요

## 어휘 확인

| 교통수단 | | | | |
|---|---|---|---|---|
| ☐ 비행기 | ☐ 지하철 | ☐ 자동차 | ☐ 버스 | ☐ 기차 |
| ☐ 택시 | ☐ 배 | ☐ 오토바이 | ☐ 자전거 | |

| 서울의 여행지 | | | | |
|---|---|---|---|---|
| ☐ 경복궁 | ☐ 명동 | ☐ 광장시장 | ☐ 홍대 | ☐ 한강 공원 |
| ☐ 코엑스몰 | ☐ 강남 | ☐ 동대문DDP | ☐ 서울숲 | ☐ N서울타워 |

| 한국의 여행지 | | | | |
|---|---|---|---|---|
| ☐ 남이섬 | ☐ DMZ | ☐ 수원 | ☐ 전주 | ☐ 제주도 |
| ☐ 부산 | ☐ 경주 | ☐ 안동 | ☐ 설악산 | |

| 얼마나 걸려요? | | | | |
|---|---|---|---|---|
| ☐ 속초 | ☐ 멀다 | ☐ 가깝다 | | |

| 어휘 | 문법 | 듣기 | 읽기 | 쓰기 |
|---|---|---|---|---|
| ☐ *걸어서 가다/오다<br>☐ *어떻게 가요/와요?<br>☐ *N을/를 타고 가다/오다<br><br>☐ N 시간<br>☐ N(으)로<br>☐ N쯤 | ☐ 남산<br>☐ 아직<br>☐ 한복<br><br>☐ 유명하다<br>☐ 은행<br>☐ 바꾸다<br><br>☐ 바다<br>☐ 회<br>☐ N 후(에)<br>☐ 이따가 | ☐ 박물관<br>☐ 전통<br>☐ 빌리다<br><br>☐ 경치<br>☐ 케이블카<br>☐ 돈가스 | ☐ 시작<br>☐ 수영(을) 하다<br>☐ 도시<br>☐ 아름답다<br>☐ 역사<br>☐ 불국사<br><br>☐ N 번<br>☐ 도착(을) 하다<br>☐ 시장<br>☐ 날<br>☐ 막걸리 | ☐ 맛집<br>☐ 길 |

| 워크북 | | | |
|---|---|---|---|
| ☐ 공연 | ☐ 한옥 | ☐ 세수(를) 하다 | ☐ 빨리 |

# 11과 **취미**

**학습 목표**

취미를 묻고 답할 수 있다.
다른 사람에게 권하거나 조언할 수 있다.

## 첫째 날 DAY 1

| | |
|---|---|
| 어휘1 | 취미 생활[1] |
| 문법 및 표현 | -아/어/해 보세요, -거나 |
| 듣기 | 취미 묻고 답하는 대화<br>자신의 취미 발표 |
| 말하기 | 취미 묻고 답하기<br>취미 발표하기 |

## 둘째 날 DAY 2

| | |
|---|---|
| 어휘2 | 취미 생활[2] |
| 문법 및 표현 | ㄷ 불규칙, -는 것 |
| 읽기 | 모집 안내문 읽고 정보 파악하기<br>게시판 글 읽고 정보 파악하기<br>취미 소개 글 읽고 내용 파악하기 |
| 쓰기 | 취미 소개하는 글쓰기 |
| 활동 | 취미 활동 함께 할 친구 찾기 |
| 문화 | 한국 사람의 취미 생활 |

## 취미 생활[1] Hobbies[1]

축구

농구

야구

수영

서핑

등산

캠핑

여행

________을/를 하다

### 연습 ①

보기 와 같이 이야기해 보세요.

Have a conversation as shown in the example below.

보기

취미가 뭐예요?

축구요./축구예요.

| 새 단어 New word | |
|---|---|
| | 축구 soccer 농구 basketball 야구 baseball 수영 swimming 서핑 surfing 등산 hiking |
| | 캠핑 camping 여행 travel |

## 어휘 1 취미 생활[1] Hobbies[1]

탁구

테니스

배드민턴

볼링

골프

_________을/를 치다

스키

스노보드

스케이트

보드

자전거

_________을/를 타다

**연습 2** 보기 와 같이 이야기해 보세요.
Have a conversation as shown in the example below.

보기

탁구를 칠 수 있어요?

네, 칠 수 있어요./
아니요, 칠 수 없어요.

| 새 단어 New word | 탁구 table tennis　테니스 tennis　배드민턴 badminton　볼링 bowling　골프 golf　치다 to play　스키 ski<br>스노보드 snowboard　스케이트 ice skate　보드 skateboard　자전거 bicycle　타다 to ride |
|---|---|

## 문법 및 표현1 -아/어/해 보세요

☞ 워크북 30~31쪽

**연습 1** 88~89쪽을 보세요. 보기와 같이 이야기해 보세요.
Look at pp. 88~89. Have a conversation as shown in the example below.

**한번** (give it) a try

보기

1) 가: 서핑해 봤어요?
나: 네, 해 봤어요.
가: 어땠어요?
나: 재미있으니까 한번 해 보세요.

2) 가: 서핑해 봤어요?
나: 아니요, 아직 안 해 봤어요.
가: 그럼 한번 해 보세요.
진짜 재미있어요.

**연습 2** 보기와 같이 이야기해 보세요. Have a conversation as shown in the example below.

보기
가: 주말에는 학교에 안 가요. 그래서 심심해요.
나: 심심하면 게임을 해 보세요.

**나쁘다**
bad

보기 주말에는 학교에 안 가요. 그래서 심심해요.
1) 배가 많이 아파요.
2) 밤에 잠이 안 와요.
3) 기분이 안 좋아요.
4) 부모님이 보고 싶어요.
5) 신발이 마음에 들어요.
6) 한국어 듣기를 잘하고 싶어요.
7) 눈이 나빠서 칠판을 볼 수 없어요.

**연습 3** 친구와 이야기해 보세요. Have a conversation with your friend.

1) 예쁘고 싼 옷을 사고 싶어요. 어디에서 사면 좋아요?

2) 맛있는 음식을 먹고 싶어요. 어디에 가서 무엇을 먹으면 좋아요?

3) 서울에서 놀고 싶어요. 어디에 가서 무엇을 하면 좋아요?

4) 방학에 어디에 가서 무엇을 하면 좋아요?

## 문법 및 표현2　-거나

☞ 워크북 32~33쪽

**연습 ❶** **보기와 같이 이야기해 보세요.** Have a conversation as shown in the example below.

**보기**

가: 저는 바다에 가면 수영하거나 서핑하고 싶어요. 케이트 씨는요?

나: 저는 사진을 찍거나 산책하고 싶어요.

1) 한강 공원

2) 홍대

3) 집

4) 고향에서 유명한 장소

**연습 ❷** **친구와 이야기해 보세요.** Have a conversation with your friend.

1) 쉬는 시간에 뭐 해요?
2) 수업이 끝나고 뭐 해요?
3) 시간이 있으면 보통 뭐 해요?
4) 기분이 안 좋으면 뭐 해요?
5) 고향에서는 주말에 뭐 했어요?
6) 이번 방학에 뭐 할 거예요?

**쉬는 시간**
recess time; break time

## 듣기1

**확인** **잘 듣고 질문에 답하세요.** Listen carefully and answer the questions. T28

*잘 지냈어요?
*How have you been?
잘 well
무섭다 scared/scary
연습(을) 하다 to practice

1. 주원은 무슨 운동을 할 수 있어요? What sport can Ju-won play?

2. 맞는 것을 고르세요. Choose the correct statement.
   ① 주원은 이번 주말에 보드를 탈 거예요.
   ② 주원은 보통 조세핀하고 같이 보드를 타요.
   ③ 조세핀은 운동을 좋아해서 보드를 배웠어요.
   ④ 조세핀은 한강 공원에 보드를 타러 자주 가요.

**발음** **잘 듣고 따라 하세요.** Listen carefully and repeat. T27

| 받침 ㄷ, ㅅ, ㅈ, ㅊ, ㅌ, ㅎ, ㅆ ⇨ [ㄷ] | | |
|---|---|---|
| 1 | 받침[ㄷ] + ㄴ, ㅁ<br>↳ [ㄴ] | 걷는 [건는], 듣는 [든는] |
| | | 옛날 [옌날], 콧물 [콘물], 옷만 [온만] |
| | | 맞는 [만는], 몇 명 [면명], 끝나요 [끈나요], 넣는 [넌는] |
| | | 맛있는 [마신는], 재미있는 [재미인는] |
| 2 | 저는 **걷는** 것을 좋아하지만 요즘은 날씨가 추워서 걷고 싶지 않아요. | |
| 3 | 감기에 걸려서 **콧물**이 나고 기침도 해요. | |
| 4 | 두꺼운 옷을 가져오지 않았으니까 얇은 **옷만** 입었어요. | |
| 5 | 우리 반에 학생이 모두 **몇 명** 있어요? | |
| 6 | 시험이 **끝났**으니까 놀러 갈까요? | |
| 7 | 쇼핑도 하고 맛**있는** 음식도 먹고 재미**있는** 영화도 봐요. | |

# 듣기2

**확인** **잘 듣고 질문에 답하세요.** Listen carefully and answer the questions. T29

- *N에서 왔어요 *I am from N
- 사랑(을) 하다 to love
- 축구 선수 soccer player
- *N이/가 되다 *to become N
- 찾다 to find
- N마다 every N
- 운동장 sports field
- 경기 match; game
- 축구장 soccer field

**1** 남자는 한국에서 무엇을 해 보지 않았어요? What has the man not tried doing in Korea?

①

②

③

④

**2** 맞는 것을 고르세요. Choose the correct statement.

① 루카스의 직업은 축구 선수예요.
② 루카스는 축구 게임을 하지 않아요.
③ 루카스는 고향에서 축구장에 가지 않았어요.
④ 루카스는 한국에서도 친구들하고 축구를 해요.

---

**받아쓰기** **잘 듣고 쓰세요.** Listen carefully and write. T30

1

2

3

4

5

## 말하기1

**연습 ①** **보기** 와 같이 이야기하세요.

Have a conversation as shown in the example below.

보기

가: 바타르 씨는 시간이 있으면 뭐 해요?

나: 저는 시간이 있으면 운동장에 가요.

거기에서 농구를 하거나 배드민턴을 쳐요.

가: 배드민턴을 치면 재미있어요?

나: 네, 아주 재미있어요. 그러니까 알리 씨도 한번 쳐 보세요.

1)

2)

## 말하기2

**연습 ❷** **보기** 와 같이 발표하세요.

Give a presentation as shown in the example below.

> **보기**
>
> 저는 시간이 있으면 등산을 하거나 배드민턴을 쳐요.
>
> 집 근처에 산이 있어서 거기에 자주 가요. 그 산에는 나무하고 꽃이 많아서 예쁜 사진을 찍을 수 있어요. 그리고 가끔 작은 동물도 볼 수 있어요. 높은 곳에서 경치를 볼 수 있어서 등산을 하면 기분이 좋아요.
>
> 주말에는 보통 배드민턴을 치러 공원에 가요. 친구하고 같이 배드민턴을 치면 정말 재미있어요.
>
> 여러분도 시간이 있으면 등산을 하거나 배드민턴을 쳐 보세요

## 어휘2 취미 생활² Hobbies²

영화

드라마

동영상

경기

**보다**

공연

빵/쿠키

액세서리

도자기/그릇

옷/가방

**만들다**

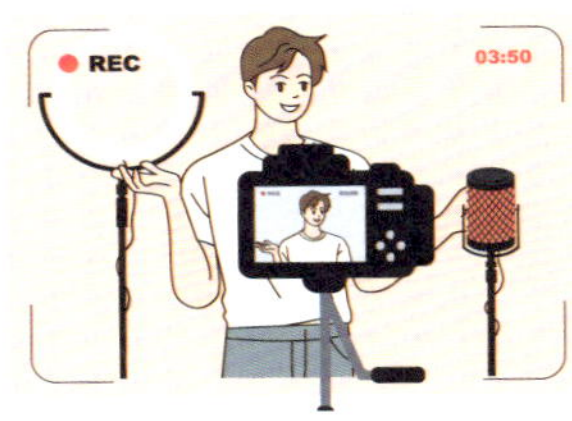


동영상

### 연습 ❶

보기 와 같이 이야기해 보세요.

Have a conversation as shown in the example below.

보기

시간이 있으면 뭐 해요?

영화를 보거나
동영상을 만들어요.

| 새 단어 New word | |
|---|---|
| 동영상 video | 보다 to watch |
| 만들다 to make | 쿠키 cookie |
| 액세서리 accessory | 도자기 pottery |
| 그릇 dish | |

## 어휘2 취미 생활² Hobbies²

피아노

기타

________을/를 치다

박물관

미술관

맛집

________에 가다

그림을 그리다

음악을 듣다

책을 읽다

______을/를 모으다

### 연습 ❷ 보기와 같이 이야기해 보세요.

Have a conversation as shown in the example below.

보기

취미가 뭐예요?

저는 운동화를 모아요.

| 새 단어 New word | |
|---|---|
| 피아노 piano | 기타 guitar |
| 박물관 museum | 미술관 art gallery |
| 맛집 popular restaurant | 모으다 to collect |

## 문법 및 표현3 ㄷ 불규칙

☞ 워크북 34~35쪽

**연습 ❶** 무슨 말을 하는지 맞혀 보세요. Guess what they are saying.

문제 question
답 answer 알다 kn
모르다 *몰라요
don't know

**연습 ❷** 친구와 이야기해 보세요. Have a conversation with your friend.

1) 음악을 들어요? 무슨 음악을 들어요?
2) 학교에 걸어서 와요?
3) 작년 생일에 무슨 선물을 받았어요?
4) 지금 교실 창문을 열고 싶어요? 닫고 싶어요?
5) 사람을 처음 만나면 보통 뭘 물어요?
6) 누구하고 공원에 가서 걷고 싶어요?

## 문법 및 표현4 -는 것

☞ 워크북 36~37쪽

**연습 ①** **친구와 이야기해 보세요.** Have a conversation with your friend.

1) 시간이 있으면 뭐 하는 것을 좋아해요?
2) 여행을 가서 뭐 하는 것을 좋아해요?
3) 한국어 공부를 잘하고 싶으면 매일 무엇을 하는 것이 좋아요?
4) 감기에 걸리고 싶지 않으면 무엇을 하는 것이 좋아요?
5) 한국에서 쇼핑을 하고 싶으면 어디에 가는 것이 좋아요?
6) 혼자 뭐 하는 것을 좋아해요?
7) 뭐 하는 것이 재미있어요?
8) 뭐 하는 것이 무서워요?

**연습 ②** **보기 와 같이 이야기해 보세요.** Have a conversation as shown in the example below.

보기
가: 케이트 씨는 잘하는 것이 뭐예요?
나: 제가 잘하는 것은 요리예요.

못하다 bad at

| 잘하는 것 | 못하는 것 | 할 수 있는 것 | 할 수 없는 것 | 좋아하는 것 | 싫어하는 것 |
|---|---|---|---|---|---|
| 보기 요리<br>•<br>• | •<br>• | •<br>• | •<br>• | •<br>• | •<br>• |

## 읽기 1

**1** 다음을 읽고 질문에 답하세요. Read the following and answer the questions.

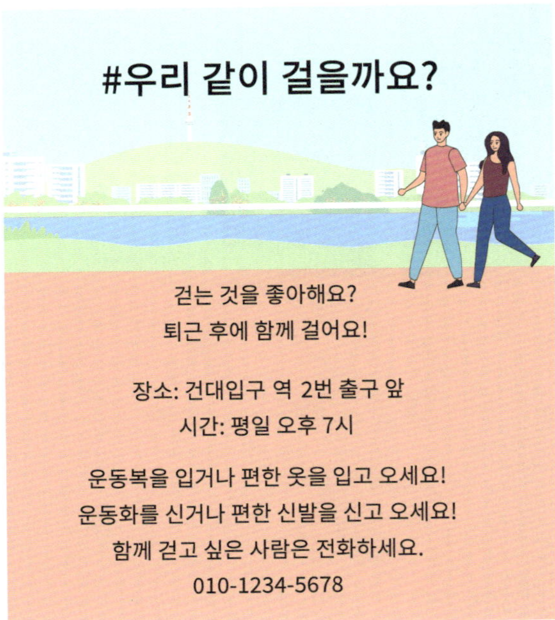


1) 이 사람들은 뭐 하는 것을 좋아해요?

2) 어디에서 만날 거예요?

3) 몇 시에 만날 거예요?

4) 어떤 옷을 입고 가요?

5) 함께 걷고 싶으면 어떻게 해요?

**퇴근** leaving work **함께** together **건대입구 역** Konkuk University Station **출구** exit **운동복** sportswear

**2** 다음을 읽고 질문에 답하세요. Read the following and answer the questions.

**고민이 있으면 여기에 물어보세요!**

**아만다**
저는 외국 사람이에요. 한국에 혼자 사니까 좀 심심해요.
그래서 친구를 사귀고 싶지만 한국어도 잘 못하고
취미도 없으니까 친구를 사귀는 것이 쉽지 않아요.
저는 운동도 잘 못하고 빵을 만드는 것, 춤을 추는 것도
좋아하지 않아요.
저도 재미있는 취미를 만들고 친구도 사귀고 싶어요.

**선생님**
그럼 등산을 하거나 탁구를 쳐 보세요.
한국 사람들은 등산을 하는 것을 좋아해요.
등산 모임도 많이 있어서 친구를 사귈 수 있어요.
등산을 좋아하지 않으면 탁구를 배워 보세요.
어렵지 않으니까 잘할 수 있어요!
다른 사람들하고 같이 운동을 하면 친구도 사귈 수 있어요.

1) 한국 사람들은 뭘 좋아해요?

2) 맞는 것을 고르세요.

① 아만다는 혼자 살지 않아요.
② 아만다는 취미가 많이 있어요.
③ 아만다는 친구를 사귀고 싶어요.
④ 아만다는 탁구를 치는 것을 좋아해요.

**고민** concern **외국 사람** foreign person **모임** club

## 읽기2

**1** **다음을 읽고 질문에 답하세요.** Read the following and answer the questions.

저는 조세핀이에요. 프랑스에서 왔어요. 저는 시간이 있으면 케이팝을 듣거나 춤을 춰요.

저는 고향에서 처음 케이팝을 들었어요. 노래가 너무 좋았어요. 그래서 다른 케이팝도 많이 찾아서 들었어요. 그리고 고향 친구들에게 케이팝 이야기를 많이 했어요. 처음에는 친구들이 케이팝 이야기를 안 좋아했지만 지금은 친구들도 케이팝을 좋아해서 같이 이야기를 해요. 케이팝을 들으면 기분이 좋아요. 그러니까 여러분도 한번 들어 보세요.

저는 춤추는 것도 아주 좋아해요. 한국 가수들은 노래도 잘하고 춤도 잘 춰서 좋아요. 고향에서는 동영상을 보고 혼자 춤을 연습했어요. 그런데 너무 어려워서 춤을 잘 따라 할 수 없었어요. 저는 춤을 배우고 싶어서 한국에 왔어요. 그래서 다음 학기부터 댄스 학원에 가서 춤을 배울 거예요. 나중에 댄스 팀을 만들어서 친구들하고 같이 연습도 하고 공연도 하고 싶어요.

**춤추다** to dance **따라 하다** to follow along **학기** semester **댄스** dance **학원** academy **팀** team

1) 윗글은 무엇에 대한 내용이에요? What is the passage above about?

① 케이팝 소개　　② 취미 소개
③ 고향 소개　　④ 가수 소개

2) 맞으면 O, 틀리면 X 하세요. Mark an O if the statement is true, and X if it is false.

① 저는 한국에 와서 처음 춤을 췄어요. ( O X )
② 저는 다음 학기부터 댄스 학원에 다닐 거예요. ( O X )

3) 윗글의 내용과 같은 것을 고르세요. Choose the correct statement.

① 저는 춤을 배우러 한국에 왔어요.
② 고향 친구들은 케이팝을 듣지 않아요.
③ 저는 한국에 와서 처음 케이팝을 들었어요.
④ 저는 친구들하고 학원에서 춤을 연습했어요.

4) 다음은 윗글을 요약한 것입니다. 빈칸에 알맞은 말을 쓰세요.
The following is a summary of the passage. Fill in the blanks with the appropriate words.

조세핀 씨는 시간이 있으면 케이팝을 ① (　　　)-거나 ② (　　　)을/를 춰요. 고향에서 처음 케이팝을 ③ (　　　)-았/었/했어요. 노래가 너무 좋았어요. 고향 친구들하고 케이팝 이야기를 많이 ④ (　　　)-았/었/했어요. 조세핀 씨는 ⑤ (　　　)-는 것도 좋아해요. 춤을 ⑥ (　　　)-아/어/해서 한국에 왔어요. 다음 학기부터 ⑦ (　　　)에 가서 춤을 출 거예요. 나중에 ⑧ (　　　)을/를 만들고 싶어요.

## 쓰기1

**1** **시간이 있으면 뭘 해요? 보기 와 같이 쓰세요.**

What do you do when you have free time? Write as shown in the example below.

| | | 보기 |
|---|---|---|
| 처음 | 시간이 있으면 뭘 해요? | 영화를 보다 |
| 중간 | 언제부터 그것을 했어요? | 10년 전 |
| | 고향에서는 어디에서 했어요?<br>한국에서는 어디에서 해요? | 고향–영화관, 한국–집 |
| | 누구하고 같이 해요? | 보통 혼자, 가끔 친구하고 |
| | 그것을 하면 어때요? | 기분이 좋다 |
| 끝 | 친구들에게 하고 싶은 말이 있어요? | 심심하면 영화를 보세요. |

**N 전(에)** before N

**팝콘** popcorn

**화면** screen

**보기**

제 취미는 영화를 보는 것이에요. 저는 10년 전부터 영화 보는 것을 좋아했어요. 부모님이 영화를 좋아해서 우리 가족은 자주 같이 극장에 가서 영화를 봤어요.

고향에서는 시간이 있으면 영화관에 가서 영화를 봤어요. 영화관에 가면 맛있는 팝콘도 먹을 수 있고 큰 화면에서 영화를 볼 수 있어서 좋았어요. 그렇지만 한국에서는 영화관에 안 가요. 영화관이 멀어서 영화관에 가고 싶으면 많이 걸어서 가거나 버스를 타고 가요. 그래서 요즘에는 극장에 가지 않고 집에서 영화를 봐요. 보통 혼자 보지만 가끔 혼자 보고 싶지 않으면 친구하고 같이 봐요. 영화를 보면 기분이 좋아요. 그래서 저는 영화 보는 것을 좋아해요. 여러분도 심심하면 영화를 보세요.

| | | 나 |
|---|---|---|
| 처음 | 시간이 있으면 뭘 해요? | |
| 중간 | 언제부터 그것을 했어요? | |
| | 고향에서는 어디에서 했어요?<br>한국에서는 어디에서 해요? | |
| | 누구하고 같이 해요? | |
| | 그것을 하면 어때요? | |
| 끝 | 친구들에게 하고 싶은 말이 있어요? | |

## 쓰기2

**2** **다시 쓰세요.** Write your answer again.

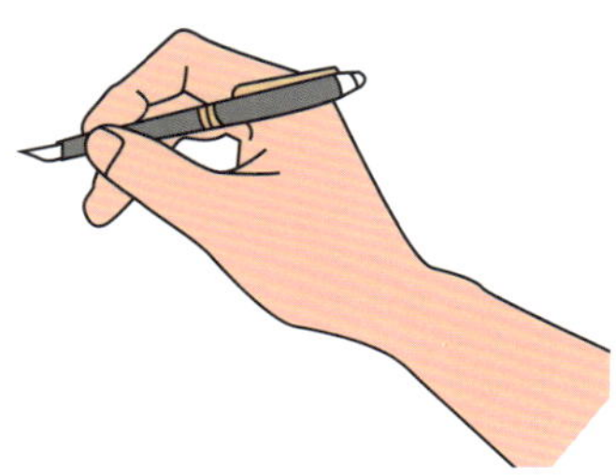

## 활동

**1** 무엇을 친구들과 같이 하고 싶어요? 메모해 보세요.
What do you want to do with your friends? Take notes.

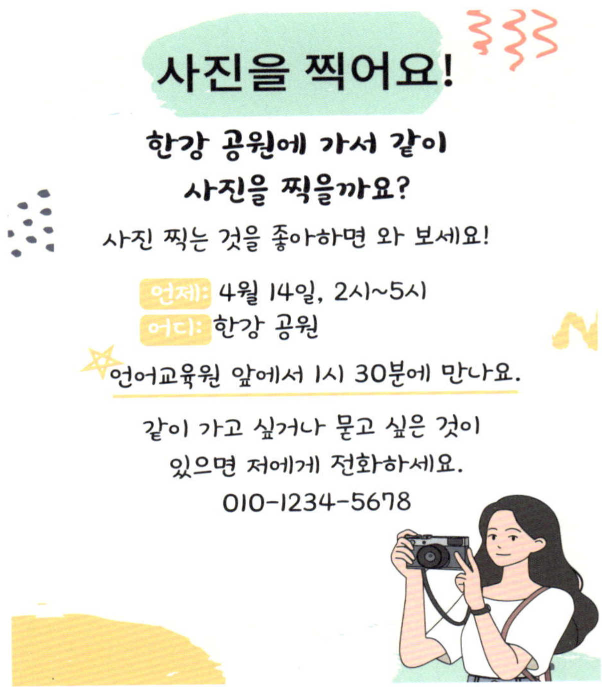


| 무엇을 같이 하고 싶어요? |
| --- |
| 언제 해요? |
| 어디에서 해요? |
| 어디에서 만나서 가요? |

**2** 포스터를 만드세요. Create a poster.

## 문화 한국 사람의 취미 생활

Korean people's hobbies

◉ **한국 사람들은 시간이 있으면 무엇을 해요?** What do Korean people do when they have free time?

### 한국 사람의 취미 생활

❶ 게임

❷ 등산

❸ 헬스

❹ 영화/텔레비전 보는 것

❺ 음악 듣는 것

❻ 책 읽는 것

한국 사람들은 다양한 취미를 즐깁니다. 게임을 하는 사람이 가장 많고 운동을 좋아하는 사람도 많습니다. 등산을 하거나 피트니스 센터에 가서 헬스를 하는 사람도 많습니다. 집에서 취미를 즐기는 사람들도 있습니다. 영화를 보거나 텔레비전을 보는 사람들도 있고 음악을 듣거나 책을 읽는 사람들도 있습니다.

Korean people enjoy a variety of hobbies. Many people enjoy playing video games or exercising. Some go hiking or work out at fitness centers. Others enjoy hobbies at home, such as watching movies or television, listening to music, or reading books.

◉ **여러분은 시간이 있으면 무엇을 해 보고 싶어요?**

What would you like to try when you have free time?

# 자기평가

## ❶ 알맞은 어휘를 쓰세요. Fill in the blanks with the correct words.

| 자전거 | 동영상 | 피아노 | 스케이트 | 배드민턴 |
|---|---|---|---|---|

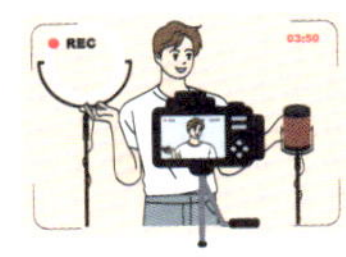


보기
자전거를 타요.  1) ________.  2) ________.  3) ________.  4) ________.

## ❷ 알맞은 어휘를 쓰세요. Fill in the blanks with the correct words.

| 듣다 | 걷다 | 묻다 | 닫다 |
|---|---|---|---|

1) 밖이 시끄러우니까 창문을 (                    )-(으)세요.
2) 기분이 안 좋으면 음악을 (                    )-아/어/해 보세요.
3) 문제가 어려워서 선생님에게 (                    )-아/어/해 봤어요.
4) 저는 (                    )-는 것을 좋아해요. 보통 공원에 가서 걸어요.

## ❸ 알맞은 문법을 쓰세요. Fill in the blanks with the correct grammar point.

| -아/어/해 보세요 | -거나 | -는 것 |
|---|---|---|

1) 가: 테니스가 재미있어요?
   나: 네, 아주 재미있으니까 한번 (                    ).
2) 가: 시간이 있으면 뭘 해요?
   나: 저는 집에서 (                    ) 친구를 만나서 놀아요.
3) 가: 취미가 뭐예요?
   나: 제 취미는 그림을 (                    )이에요.

## ◎ 다음 질문에 답하세요. Answer the following questions.

| | | | |
|---|---|---|---|
| ❶ 취미를 묻고 답할 수 있다.<br>I can ask and answer questions about hobbies. | 네 ☐ | 아니요 ☐ |
| ❷ 다른 사람에게 권하거나 조언할 수 있다.<br>I can give recommendations or advice to others. | 네 ☐ | 아니요 ☐ |

모범 답안
1. 1) 피아노를 쳐요 2) 스케이트를 타요 3) 배드민턴을 쳐요 4) 동영상을 만들어요
2. 1) 닫으세요 2) 들어 3) 물어 4) 걷는
3. 1) 쳐 보세요 2) 영화를 보거나/쉬거나/자거나 3) 그리는 것

## 어휘 확인

| 취미 생활 | | | |
|---|---|---|---|
| ☐ 야구 | ☐ 수영 | ☐ 서핑 | ☐ 캠핑 |
| ☐ 탁구 | ☐ 테니스 | ☐ 배드민턴 | ☐ 볼링 |
| ☐ 골프 | ☐ 치다 | ☐ 스키 | ☐ 스노보드 |
| ☐ 스케이트 | ☐ 보드 | ☐ 동영상 | ☐ 쿠키 |
| ☐ 액세서리 | ☐ 도자기 | ☐ 피아노 | ☐ 기타 |
| ☐ 박물관 | ☐ 미술관 | ☐ 모으다 | |

**문법**

- ☐ 한번
- ☐ 나쁘다
- ☐ 쉬는 시간
- ☐ 문제
- ☐ 답
- ☐ 알다
- ☐ 모르다*몰라요
- ☐ 못하다

**듣기**

- ☐ *잘 지냈어요?
- ☐ 잘
- ☐ 무섭다
- ☐ 연습(을) 하다
- ☐ *N에서 왔어요
- ☐ 사랑(을) 하다
- ☐ 축구 선수
- ☐ *N이/가 되다
- ☐ 찾다
- ☐ N마다
- ☐ 운동장
- ☐ 경기
- ☐ 축구장

**읽기**

- ☐ 퇴근
- ☐ 함께
- ☐ 건대입구 역
- ☐ 출구
- ☐ 운동복
- ☐ 고민
- ☐ 외국 사람
- ☐ 모임

- ☐ 춤추다
- ☐ 따라 하다
- ☐ 학기
- ☐ 댄스
- ☐ 학원
- ☐ 팀

**쓰기**

- ☐ N 전(에)
- ☐ 팝콘
- ☐ 화면

**워크북**

- ☐ 닫다
- ☐ *길을 모르다
- ☐ 천천히
- ☐ 힘들다

# 12과 날씨와 계절

**학습 목표**

날씨와 계절에 대해 말할 수 있다.
격식적인 상황에서 말할 수 있다.

**첫째 날 DAY 1**

| | |
|---|---|
| 어휘1 | 날씨 |
| 문법 및 표현 | –지요?, –(으)ㄹ 때 |
| 듣기 | 날씨 묻고 답하는 대화 |
| 말하기 | 날씨를 묻고 어떤 일을 하자고 제안하기 |
| | 좋아하는 날씨와 싫어하는 날씨 이야기하기 |

**둘째 날 DAY 2**

| | |
|---|---|
| 어휘2 | 사계절 |
| 문법 및 표현 | –(스)ㅂ니다, –겠[1]– |
| 읽기 | SNS 글 읽고 내용 파악하기 |
| | 일기예보 기사문 읽고 내용 파악하기 |
| | 계절 소개하는 글 읽고 내용 파악하기 |
| 쓰기 | 좋아하는 날씨와 계절 쓰기 |
| 활동 | 고향의 날씨 발표하기 |
| 문화 | 더운 여름을 잘 보내는 방법 |

## 날씨 Weather

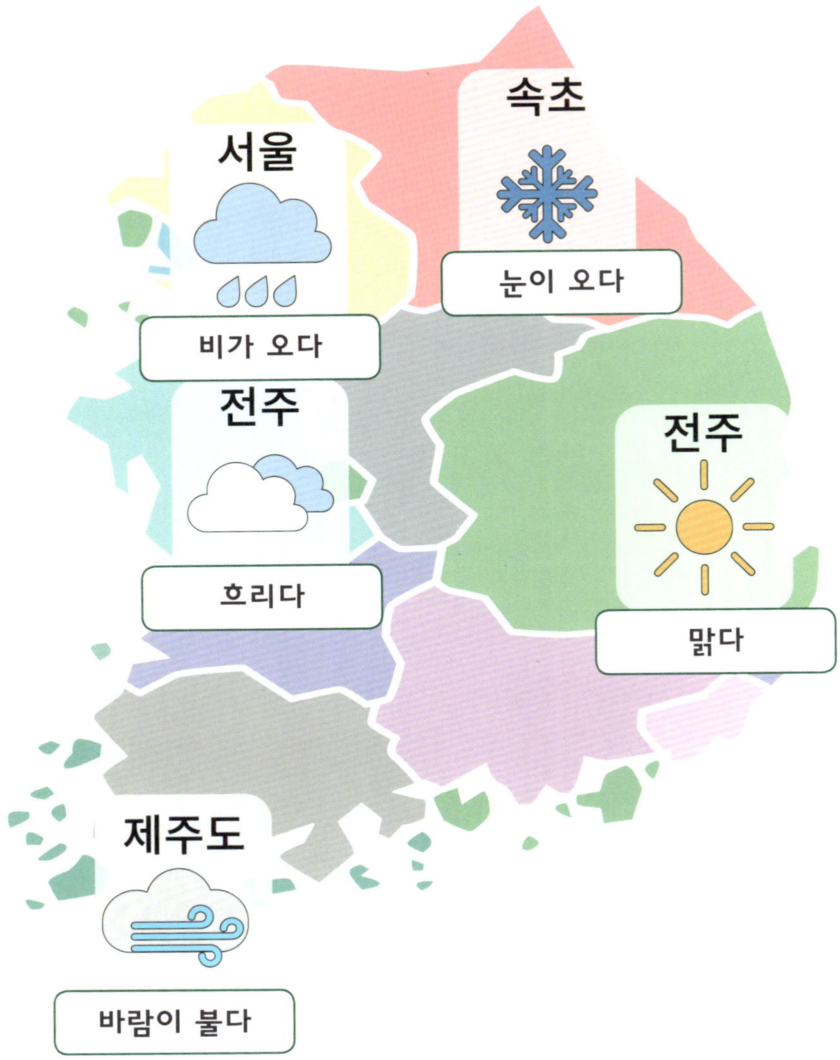


**연습 1** 보기 와 같이 이야기해 보세요.
Have a conversation as shown in the example below.

보기

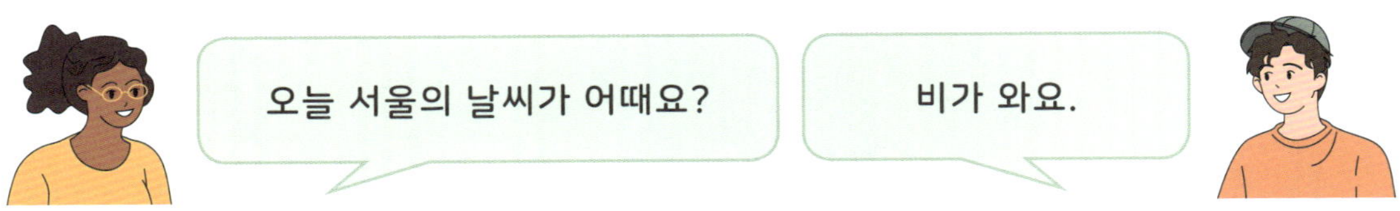


| 새 단어 New word | |
|---|---|
| | **비가 오다** to rain  **눈이 오다** to snow  **흐리다** to be cloudy  **맑다** clear  **바람이 불다** to be windy |

## 어휘 1 날씨 Weather

### 건국대학교

5 ℃ 흐려요

| | | 오전 | 오후 |
|---|---|---|---|
| 오늘 | 비 | 2° | 5° |
| 일 | 구름 | -2° | 7° |
| 월 | 구름 | -12° | -2° |
| 화 | 맑음 | -14° | -7° |
| 수 | 맑음 | -12° | -3° |
| 목 | 눈 | -8° | 0° |
| 금 | 구름 | -5° | 4° |
| 토 | 맑음 | -4° | 6° |
| 일 | 맑음 | -3° | 7° |
| 월 | 맑음 | -1° | 10° |

영상 영하

도 degree

**연습 ❷** 보기 와 같이 이야기해 보세요.

Have a conversation as shown in the example below.

보기

A: 오늘 날씨가 어때요?

B: 비가 와요.

A: 오늘 몇 도예요?

B: 오전에는 영상 2도고 오후에는 영상 5도예요.

| 새 단어 New word | 영상 plus (above zero) | 영하 minus (below zero) |
|---|---|---|

# 문법 및 표현1 -지요?

☞ 워크북 38~39쪽

**연습 1** 친구와 이야기해 보세요. Have a conversation with your friend.

1) 지금 기숙사에 살지요?
2) 피아노를 칠 수 있지요?
3) 학교에 걸어서 오지요?
4) 오늘 월요일이지요?
5) 회사원이 아니지요?
6) 어제 늦게 잤지요?
7) 아침을 안 먹었지요?
8) 부산에 가 보지 않았지요?
9) 방학에 한국에 있을 거지요?
10) 오늘 수업이 끝나고 집에 갈 거지요?

늦게 late

**연습 2** 보기 와 같이 이야기해 보세요. Have a conversation as shown in the example below.

보기
가: 오늘 날씨가 덥지요?
나: 네, 정말 더워요.

유학 studying abroad

| 보기 오늘 날씨 | 한국어 | 한국 음식 |
|---|---|---|
| 건국대학교 | 유학 생활 | 우리 반 친구들 |
| 어제 날씨 | 시험 | 서울 여행 |

**연습 3** 우리 반 친구들에 대해서 아는 것을 확인해 보세요.
Check what you know about your classmates.

보기
하루나 씨
• 춤을 잘 추다

가: 하루나 씨는 춤을 잘 추지요?
나: 네, 저는 춤을 잘 춰요.

| ________ 씨 | ________ 씨 | ________ 씨 |
|---|---|---|
| •<br>• | •<br>• | •<br>• |

## 문법 및 표현2 -(으)ㄹ 때

☞ 워크북 40~41쪽

**연습 ❶** 언제 기분이 좋아요? 언제 기분이 안 좋아요? 쓰고 이야기해 보세요
When do you feel good? When do you feel bad? Write and talk about it.

| 맛있는 거 먹을 때 | |
|---|---|

| 친구가 없을 때 | |
|---|---|

**연습 ❷** 친구와 이야기해 보세요. Have a conversation with your friend.

1) 날씨가 맑을 때 뭐 하고 싶어요?
2) 백화점에서 세일할 때 사고 싶은 게 뭐예요?
3) 여행을 갈 때 꼭 가져가는 것이 있어요?
4) 힘들 때 누구에게 말해요?
5) 고향에 있을 때 시간이 있으면 뭘 했어요?
6) 방학 때 뭐 할 거예요?
7) 언제 돈이 필요해요?
8) 언제 핸드폰을 사용해요?

**가져가다** to take
**필요하다** to need
**사용(을) 하다** to use

## 듣기1

**확인** 잘 듣고 질문에 답하세요. Listen carefully and answer the questions. T36

> **출발(을) 하다** to depart
> **연락(을) 하다** to contact

1 서울은 오늘 날씨가 어때요? How is the weather in Seoul today?

2 맞는 것을 고르세요. Choose the correct statement.

① 제주도는 어제부터 눈이 왔어요.
② 제주도는 지금 바람이 불지 않아요.
③ 여자는 11시 비행기를 탈 수 있어요.
④ 남자는 제주도에서 친구를 만났어요.

**발음** 잘 듣고 따라 하세요. Listen carefully and repeat. T35

| | | |
|---|---|---|
| 1 | ㄱ/ㄲ/ㅋ | 끄다/크다, 가다/까다, 공/콩, 골라/콜라 |
| | | *가까이 와요 가까이 와 *소리가 커요 티브이를 꺼요 |
| 2 | ㄷ/ㄸ/ㅌ | 달/딸/탈, 도끼/토끼, 다르다/따르다, 돈/톤 |
| | | *다 타요 다 타 *다 따요 다 따 |
| 3 | ㅂ/ㅃ/ㅍ | 비/피, 비자/피자, 발/팔, 방/빵, 물/뿔/풀 |
| | | *비 피해요 비 피해 *바빠요 바빠 |
| 4 | ㅅ/ㅆ | 사다/싸다 |
| | | *싸요 싸 사세요 사 |
| 5 | ㅈ/ㅉ/ㅊ | 자다/짜다/차다, 좋아요/추워요, 자동차, 지하철 |
| | | *자지 마세요 차지 마세요 *자장면이 짜요 |

## 듣기2

**확인** **잘 듣고 질문에 답하세요.** Listen carefully and answer the questions. T37

낮 day (time)
넘다 to go over

1. 맞는 것을 고르세요. Choose the correct statement.

   ① 서울은 오늘 바람이 불어요.
   ② 스웨덴은 오늘 영상 24도예요.
   ③ 사우디아라비아는 서울보다 더워요.
   ④ 호주는 오늘 흐리고 바람이 안 불어요.

2. 맞으면 O, 틀리면 X 하세요. Mark an O if the statement is true, and X if it is false.

   ① 프랑스는 낮에는 덥지만 밤에는 안 더워요. ( O X )
   ② 사우디아라비아는 밤에도 더워서 잠을 잘 수 없어요. ( O X )

---

**받아쓰기** **잘 듣고 쓰세요.** Listen carefully and write. T38

1.

2.

3.

4.

5.

## 말하기1

**연습 ①** 보기 와 같이 이야기하세요.
Have a conversation as shown in the example below.

보기

사진을 찍다

가: 오늘 흐리지요?
나: 네, 날씨가 정말 흐려요.
가: 다니엘 씨는 흐릴 때 뭐 하는 걸 좋아해요?
나: 날씨가 흐릴 때 사진을 찍으면 예뻐요.
그래서 저는 흐릴 때 사진 찍는 걸 좋아해요.
가: 저도 사진 찍는 걸 좋아해요.
나: 그럼 우리 같이 사진을 찍으러 갈까요?
가: 네, 좋아요.

1) 

산책하다

2) 

책을 읽다/
영화를 보다

3) 

서핑하다

4) 

눈을 구경하다

가: 
나: 
가: 
나: 
가: 
나: 
가: 
나: 

## 말하기2

**연습 ①** **보기** 와 같이 이야기하세요.

Have a conversation as shown in the example below.

**보기**

가: 밍 씨는 추운 날씨보다 더운 날씨를 더 좋아하지요?
나: 네, 맞아요.
가: 왜 더운 날씨를 더 좋아해요?
나: 날씨가 더울 때 바다에 가서 수영할 수 있어요.
그리고 차가운 아이스크림을 많이 먹을 수 있으니까 좋아해요.
가: 그럼, 추운 날씨는 왜 좋아하지 않아요?
나: 날씨가 추울 때는 감기에 걸릴 수 있어요. 또 밖에서 놀 수 없으니까 싫어요.

| 질문 | 보기 밍 | 나: | 친구 이름: |
|---|---|---|---|
| 어떤 날씨를 더 좋아해요? | 추운 날씨 / 더운 날씨 | 추운 날씨 / 더운 날씨 | 추운 날씨 / 더운 날씨 |
| 왜 좋아해요? | – 바다에 가서 수영할 수 있다.<br>– 차가운 아이스크림을 많이 먹을 수 있다. | | |
| 왜 좋아하지 않아요? | 감기에 걸릴 수 있다.<br>밖에서 놀 수 없다. | | |

## 어휘2 사계절 The four seasons

| | | | |
|---|---|---|---|
|  | 봄 |  | 따뜻하다 |
|  | 여름 | 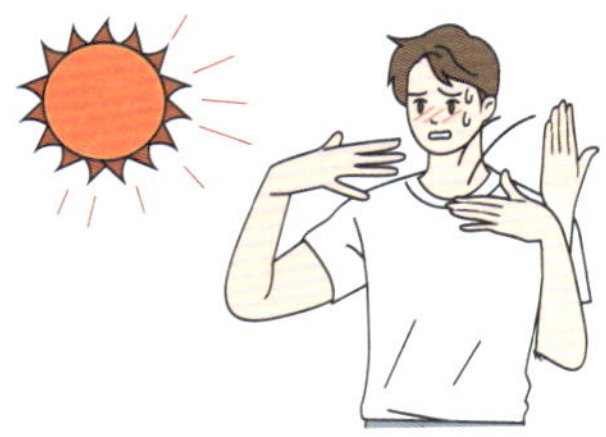 | 덥다 |
|  | 가을 |  | 쌀쌀하다 |
|  | 겨울 |  | 춥다 |

### 연습 ❶ 보기와 같이 이야기해 보세요.

Have a conversation as shown in the example below.

보기

봄에 날씨가 어때요?

따뜻해요.

| 새 단어 New word | |
|---|---|
| | **봄** spring **여름** summer **가을** fall; autumn **겨울** winter **따뜻하다** to be warm **덥다** hot **쌀쌀하다** chilly **춥다** cold |

## 어휘2 사계절 The four seasons

**연습 ②** 보기 와 같이 이야기해 보세요.

Have a conversation as shown in the example below.

보기

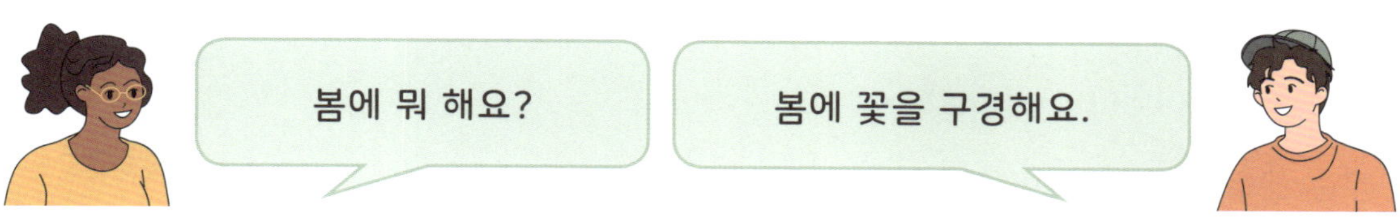


| 새 단어 New word | |
|---|---|
| | 꽃을 구경하다 to see flowers　소풍을 가다 to go on a picnic　물놀이를 하다 to play in the water |
| | 휴가를 가다 to go on vacation　단풍을 구경하다 to see fall foliage　불꽃축제를 구경하다 to go to a fireworks festival |
| | 눈싸움을 하다 to have a snowball fight　눈사람을 만들다 to build a snowman |

## 문법 및 표현3 -(스)ㅂ니다

☞ 워크북 42~43쪽

**연습 1** 보기 와 같이 이야기해 보세요. Have a conversation as shown in the example below.

| 보기 | 가: 이름이 뭐예요?<br>나: 제 이름은 하루나예요. | → | 가: 이름이 무엇입니까?<br>나: 제 이름은 하루나입니다. |
|---|---|---|---|

1) 어느 나라 사람이에요?

2) 교실 안에 뭐가 없어요?

3) 주말에 보통 무엇을 해요?

4) 학교에서 무엇을 하지 않아요?

5) 음악을 자주 들어요?

6) 무슨 음식을 자주 먹어요?

7) 언제까지 한국어를 공부할 거예요?

8) 그제 뭘 했어요?

9) 지금 몇 시예요?

10) 집이 커요? 작아요?

11) 수업 후에 뭐 하고 싶어요?

12) 영어가 한국어보다 어려워요?

13) 무슨 운동을 할 수 있어요?

14) 경복궁에 가 봤어요?

15) 걷는 것을 좋아해요?

## 문법 및 표현4 -겠[1]-

☞ 워크북 44~45쪽

월요일에는 맑고 덥겠습니다
화요일에는 흐리겠고,
수요일에는 비가 오겠습니다.

### 연습 1

보기와 같이 이야기해 보세요.
Have a conversation as shown in the example below.

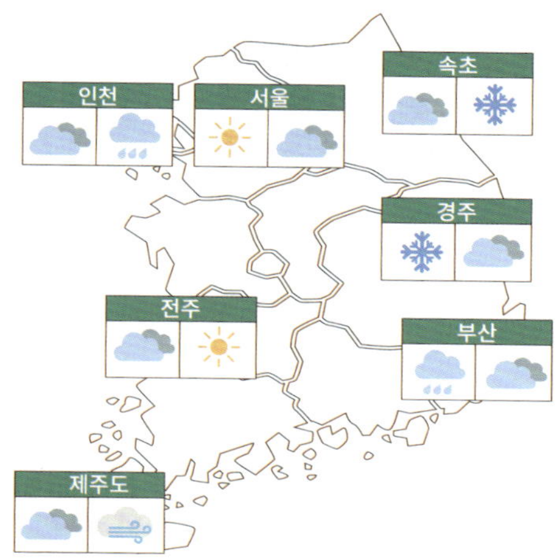


**보기** 내일 인천은 오전에는 흐리겠고 오후에는 비가 오겠습니다.

### 연습 2

그림을 보고 보기와 같이 이야기해 보세요.
Look the picture and have a conversation as shown in the example below.

**보기**

가: 오늘 서울은 영하 14도고 바람도 많이 불어요.
나: 춥겠어요. 옷을 많이 입으세요.

1) 

날씨가 흐려요.

2) 

사우디아라비아는 낮에 영상 43도예요.

3) 

날씨가 추워서 새 옷을 샀어요. 옷이 두껍고 좋아요.

4) 

눈이 많이 와서 눈사람을 만들 수 있어요.

# 읽기 1

**1** 다음을 읽고 질문에 답하세요. Read the following and answer the questions.

**조세핀** ···

#가을 #맑은 하늘 #시원하다 #보드
오늘은 날씨가 맑아서 좋아요.
맑은 하늘 사진이에요. 예쁘지요?
바람도 불어서 덥지 않고 시원하니까
보드 타러 공원에 갈 거예요.

**루카스**
재미있겠어요.
저도 같이 보드를 타고 싶어요.
다음에 보드를 타러 갈 때 저에게 연락하세요.

1) 무슨 사진입니까?

2) 오늘은 날씨가 어떻습니까?

3) 조세핀은 오늘 무엇을 할 겁니까?

4) 루카스는 조세핀하고 같이 무엇을 하고 싶습니까?

하늘 sky

**2** 다음을 읽고 질문에 답하세요. Read the following and answer the questions.

Home > 뉴스 > 오늘의 날씨

[날씨] 서울 아침 0도, 낮 8도

날씨입니다. 오늘은 어제보다 따뜻한 하루였습니다. 그렇지만 내일 아침은 오늘보다 많이 춥겠습니다.
내일 아침에는 서울 0도, 대전 3도, 부산 5도입니다. 낮에도 서울 8도, 대전 10도, 부산 13도여서 오늘보다 춥겠습니다.
서울은 오전과 오후 모두 맑겠지만 바람이 불어서 더 춥겠습니다. 대전은 아침에는 맑겠고 낮에는 흐리겠습니다. 부산은 아침에는 흐리겠고 오후부터 비가 오겠습니다.
지금까지 날씨였습니다.

1) 내일 아침에는 날씨가 어떻습니까?

2) 맞는 것을 고르세요.

① 오늘은 어제보다 쌀쌀했습니다.
② 서울은 내일 오후부터 흐리겠습니다.
③ 대전은 내일 바람이 불어서 춥겠습니다.
④ 부산은 내일 오후부터 비가 오겠습니다.

N와/과 N and

## 읽기2

**1 다음을 읽고 질문에 답하세요.** Read the following and answer the questions.

______________________________

한국에는 봄, 여름, 가을, 겨울 사계절이 있습니다. 봄은 3월부터 5월까지입니다. 봄에는 날씨가 따뜻하고 예쁜 꽃들이 많이 핍니다. 날씨가 좋으면 사람들은 가까운 공원에 소풍을 가거나 꽃을 구경하러 갑니다. 여름은 6월부터 8월까지입니다. 여름에는 날씨가 덥고 비가 자주 옵니다. 날씨가 너무 더울 때 는 휴가를 갑니다. 가족과 같이 산에 가서 놀거나 바다에 가서 즐거운 시간을 보냅니다. 가을은 9월부터 11월까지입니다. 가을에는 날씨가 맑고 바람이 붑니다. 단풍이 예뻐서 단풍을 구경하러 산에 많이 갑니다. 겨울은 12월부터 2월까지입니다. 겨울에는 날씨가 아주 춥고 눈도 많이 옵니다. 눈이 많이 오면 많은 사람들이 스키장에 놀러 갑니다.

그렇지만 요즘은 옛날과 날씨가 조금 다릅니다. 봄과 가을이 아주 짧고 여름과 겨울이 깁니다. 그래서 5월에도 더울 때가 있고, 11월에도 아주 추울 때가 있습니다. 여러분 나라의 날씨는 어떻습니까?

**피다** to bloom ***시간을 보내다** *to spend time **스키장** ski resort **옛날** the old days **한국인** Korean person

1) 이 글의 제목으로 가장 알맞은 것을 고르세요. Choose the most appropriate title for this passage.

① 한국의 사계절 ② 한국의 여행지
③ 한국인의 취미 ④ 한국인의 휴가

**휴가** vacation

2) 표를 완성하세요. Complete the table.

| 계절 | 언제 | 날씨 | 무엇을 합니까? |
|---|---|---|---|
| 봄 | | | |
| | 6월 ~ 8월 | | |
| | | | 단풍을 구경하러 산에 많이 갑니다. |
| | | | |

3) 윗글의 내용과 같은 것을 고르세요. Choose the correct statement.

① 보통 봄에는 비가 많이 옵니다. ② 여름에 예쁜 꽃들이 많이 핍니다.
③ 요즘은 옛날보다 가을이 짧습니다. ④ 겨울에 단풍을 구경하러 산에 갑니다.

4) 다음은 윗글을 요약한 것입니다. 빈칸에 알맞은 말을 쓰세요.
The following is a summary of the passage. Fill in the blanks with the appropriate words.

한국에는 ① (            ), 여름, ② (            ), 겨울이 있습니다. 봄에는 ③ (            )-아/어/해서 꽃을 구경하러 공원에 갑니다. 여름에는 날씨가 덥고 자주 ④ (            )-(스)ㅂ니다. 날씨가 더우니까 ⑤ (            )-(스)ㅂ니다. 가을에는 ⑥ (            )을/를 구경하고 겨울에 ⑦ (            )-(으)면 스키장에 놀러 갑니다.

# 쓰기1

**1** **보기** 와 같이 좋아하는 날씨와 계절에 대해 쓰세요.
Write about your favorite weather and season as shown in the example below.

| | 보기 |
|---|---|
| 어떤 날씨를 좋아합니까? | 덥지 않고 춥지 않은 날씨 |
| 왜 좋아합니까? | 너무 덥거나 추우면 힘들다 |
| 무슨 계절을 좋아합니까? | 가을 |
| 왜 그 계절을 좋아합니까? | 덥지 않고 춥지 않다, 시원하다<br>가을 하늘이 예쁘다<br>단풍이 아름답다<br>축제가 많아서 좋다<br>생일이 있다 |

**나가다** go out

저는 덥지 않고 춥지 않은 날씨를 좋아합니다. 너무 더울 때 밖에 나가면 힘듭니다. 그리고 날씨가 더우면 밥도 먹고 싶지 않습니다. 날씨가 추울 때는 감기에 자주 걸려서 힘듭니다. 그래서 저는 더운 여름과 추운 겨울을 좋아하지 않습니다.

가을은 덥지 않고 춥지 않습니다. 날씨가 시원해서 가을을 좋아합니다. 그리고 가을에는 하늘이 아주 예쁩니다. 예쁜 하늘을 보면 기분이 좋습니다. 또 아름다운 단풍을 볼 수 있어서 가을을 좋아합니다. 예쁜 하늘과 단풍 아래에서 사진을 찍으면 정말 멋있습니다.

또 가을에는 날씨가 좋아서 많은 곳에서 축제를 합니다. 저는 주말마다 축제를 구경하러 다닙니다. 날씨가 좋으니까 구경하러 다니는 것이 힘들지 않고 재미있습니다. 그리고 가을에는 제 생일이 있습니다. 그래서 가을을 제일 좋아합니다.

| | 나 |
|---|---|
| 어떤 날씨를 좋아합니까? | |
| 왜 좋아합니까? | |
| 무슨 계절을 좋아합니까? | |
| 왜 그 계절을 좋아합니까? | |

## 쓰기2

**2** **다시 쓰세요.** Write your answer again.

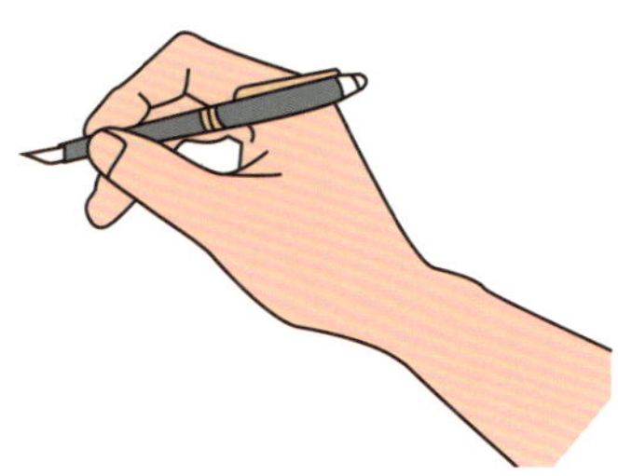

## 활동

**1** 오늘 고향의 날씨가 어떻습니까? 날씨를 알아보고 보기 와 같이 발표하세요.

How is the weather in your hometown today? Find out the weather and give a presentation it as shown in the example below.

> **보기**
> 저는 하루나입니다. 제 고향은 일본 도쿄입니다.
> 오늘 도쿄의 날씨입니다.
> 오늘 도쿄는 오전에는 흐리겠고 오후에는 맑겠습니다.
> 아침에는 영상 24도여서 아침부터 조금 덥겠습니다.
> 낮에는 영상 32도여서 덥겠습니다.

| 이름 | 고향 | 오전 날씨 | 오후 날씨 | 아침 | 낮 |
|---|---|---|---|---|---|
| 하루나 | 일본 도쿄 | 흐리다 | 맑다 | 24도 | 32도 |
| | | | | | |
| | | | | | |

# 문화 더운 여름을 잘 보내는 방법

How to cope with hot summers



## 한국 사람들은 날씨가 더울 때 어떻게 해요? How do Korean people battle the heat?

부채

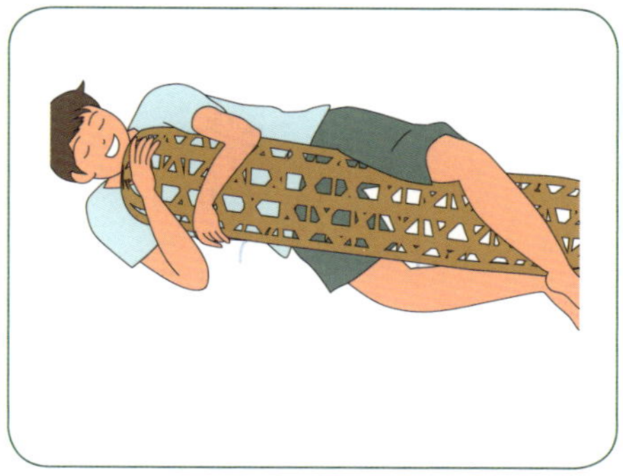

죽부인

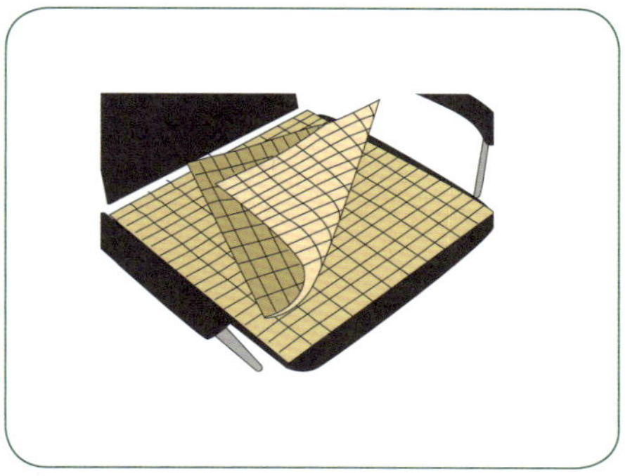

대나무 방석

삼계탕

한국 사람들은 옛날부터 날씨가 더울 때 '부채, 죽부인, 대나무 방석'을 사용했고, '삼계탕'을 먹었습니다. '부채'는 날씨가 더울 때 바람을 만들어서 시원하며 더운 여름에 '죽부인'을 안고 자면 시원합니다. '대나무 방석'은 대나무를 써서 만들기 때문에 여기에 앉으면 덥지 않고 시원합니다. 그리고 날씨가 더워서 힘이 없을 때는 '삼계탕'을 먹으면 좋습니다.

Since the old days, Korean people have used fans, bamboo wives, and bamboo mats. They have also eaten samgyetang in hot weather. A fan creates cool wind to fight off the heat. Sleeping with a bamboo wife keeps the body cool during hot summer nights. Bamboo stays cool, so sitting on bamboo mats keep the heat away when you sit on them. Finally, eating samgyetang helps when you feel exhausted from the hot weather.

## 여러분 나라의 사람들은 날씨가 더울 때 어떻게 해요?

How do people in your country battle the heat?

# 자기평가

## ❶ 알맞은 어휘를 쓰세요. Fill in the blanks with the correct words.

| 흐리다 | 맑다 | 비가 오다 | 눈이 오다 | 바람이 불다 |
|---|---|---|---|---|

보기 비가 와요. 1) ________. 2) ________. 3) ________. 4) ________.

## ❷ 쓰세요. Write your answers below.

| | -(스)ㅂ니다 | -았/었/했습니다 | -(으)ㄹ 겁니다 |
|---|---|---|---|
| 입다 | | | |
| 구경하다 | | | |
| 쌀쌀하다 | | | X |
| 춥다 | | | X |
| 힘들다 | | | X |

## ❸ 알맞은 문법을 쓰세요. Fill in the blanks with the correct grammar point.

| -지요? | -(으)ㄹ 때 | -겠[1]- |
|---|---|---|

1) 가: 내일 날씨가 어떻습니까?
   나: 내일은 비가 오고 바람이 많이 (                ).
2) 가: 한국은 여름에 날씨가 많이 (                )?
   나: 네, 날씨가 정말 더워요.
3) 가: 언제 기분이 제일 좋아요?
   나: 저는 맛있는 음식을 (                ) 기분이 좋아요.

## 다음 질문에 답하세요. Answer the following questions.

❶ 날씨와 계절에 대해 말할 수 있다. 네 ☐ 아니요 ☐
I can talk about the weather and seasons.

❷ 격식적인 상황에서 말할 수 있다. 네 ☐ 아니요 ☐
I can speak in formal situations.

모범 답안
1. 1) 눈이 와요 2) 맑아요 3) 바람이 불어요 4) 흐려요
2.

| | -(스)ㅂ니다 | -았/었/했습니다 | -(으)ㄹ 겁니다 |
|---|---|---|---|
| 입다 | 입습니다 | 입었습니다 | 입을 겁니다 |
| 구경하다 | 구경합니다 | 구경했습니다 | 구경할 겁니다 |
| 쌀쌀하다 | 쌀쌀합니다 | 쌀쌀했습니다 | x |
| 춥다 | 춥습니다 | 추웠습니다 | x |
| 힘들다 | 힘듭니다 | 힘들었습니다 | x |

3. 1) 불겠습니다 2) 덥지요 3) 먹을 때

## 어휘 확인

| 날씨 | | | |
|---|---|---|---|
| □ 비가 오다 | □ 눈이 오다 | □ 흐리다 | □ 맑다 |
| □ 바람이 불다 | □ 영상 | □ 영하 | |

| 사계절 | | | |
|---|---|---|---|
| □ 봄 | □ 여름 | □ 가을 | □ 겨울 |
| □ 따뜻하다 | □ 덥다 | □ 쌀쌀하다 | □ 춥다 |
| □ 꽃을 구경하다 | □ 소풍을 가다 | □ 물놀이를 하다 | □ 휴가를 가다 |
| □ 단풍을 구경하다 | □ 불꽃축제를 구경하다 | □ 눈싸움을 하다 | □ 눈사람을 만들다 |

| 어휘 | 문법 | 듣기 | 읽기 | 쓰기 |
|---|---|---|---|---|
| □ 도 | □ 늦게<br>□ 유학<br><br>□ 가져가다<br>□ 필요하다<br>□ 사용(을) 하다 | □ 출발(을) 하다<br>□ 연락(을) 하다<br><br>□ 낮<br>□ 넘다 | □ 하늘<br><br>□ N와/과<br><br>□ 피다<br>□ *시간을 보내다<br>□ 스키장<br>□ 옛날<br>□ 한국인<br>□ 휴가 | □ 나가다 |

| 워크북 |
|---|
| □ 멋있다<br>□ 웃다<br>□ 시원하다 |

# 13과 **가족**

**학습 목표**

가족에 대해 말할 수 있다.
높임말을 사용할 수 있다.

첫째 날
DAY 1

| | |
|---|---|
| 어휘1 | 가족, 높임말[1] |
| 문법 및 표현 | -(으)시- |
| 듣기 | 가족 묻고 답하는 대화<br>가족의 선물을 추천하는 대화 |
| 말하기 | 사진을 보며 가족 소개하기<br>가게에서 가족 선물 사는 역할극 |

둘째 날
DAY 2

| | |
|---|---|
| 어휘2 | 나이, 높임말[2] |
| 문법 및 표현 | -(으)셨-, -(으)실- |
| 읽기 | 생일 축하 카드 읽고 내용 파악하기<br>메시지 읽고 내용 파악하기<br>한국에 온 가족과 여행한 경험 글 읽고 내용 파악하기 |
| 쓰기 | 좋아하는 가족 소개글 쓰기 |
| 활동 | 기자와 유명인의 인터뷰 |
| 문화 | 가족 호칭 |

## 어휘1 가족 Family

어리다 Young

**새 단어 New word**

**남편** husband **아들** son **딸** daughter **어머니** mother **아버지** father **언니** older sister (for females)
**오빠** older brother (for females) **할아버지** grandfather **할머니** grandmother **여동생** younger sister
**남동생** younger brother **누나** older sister (for males) **형** older brother (for males)

## 어휘 1 높임말[1] Honorifie expressions[1]

| N이/가 ⇨ N께서 | N은/는 ⇨ N께서는 | N에게 ⇨ N께 |
|---|---|---|

**높임 표현**

| | | 높임 표현 | |
|---|---|---|---|
| 있다 | ⇨ | 계시다 | 계세요 |
| 먹다, 마시다 | ⇨ | 드시다 | 드세요 |
| 말하다 | ⇨ | 말씀하시다 | 말씀하세요 |
| 자다 | ⇨ | 주무시다 | 주무세요 |

**연습 ❶** 132쪽을 보세요. 누가 있어요? 말하세요.
Look at p. 132. Who do you see? Talk about it.

**연습 ❷** 보기 와 같이 이야기해 보세요. Have a conversation as shown in the example below.

보기

가: 드세요?
나: 네, 드세요.

①

②

③

**연습 ❸** 보기 와 같이 이야기해 보세요. Have a conversation as shown in the example below.

보기 아버지가 커피를 마셔요. → 아버지께서 커피를 드세요.

단어 word

① 어머니는 일찍 자요.
② 선생님은 천천히 말해요.
③ 할아버지가 지금 집에 안 있어요.
④ 저는 단어를 모를 때 선생님에게 물어봐요.

| 새 단어 New word | **계시다** to exist (honorific) **드시다** eat (honorific) **말씀하시다** speak (honorific) **주무시다** sleep (honorific) |
|---|---|

## 문법 및 표현1 -(으)시-

☞ 워크북 46~47쪽

**연습 ①** **친구와 이야기해 보세요.** Have a conversation with your friend.

1) 선생님께서 지금 뭘 하세요?
2) 부모님께서 지금 주무세요?
3) 선생님께서는 무슨 음료수를 자주 드세요?
4) 부모님께서는 회사원이세요?
5) 할머니와 할아버지께서는 어디에 사세요?

**연습 ②** **친구와 이야기해 보세요.** Have a conversation with your friend.

1) 생일이 언제세요?
2) 집이 어디세요?
3) 요즘 바쁘세요?
4) 뭐 할 때 즐거우세요?
5) 학교에 어떻게 오세요?
6) 무슨 음식을 자주 드세요?
7) 스키를 탈 수 있으세요?
8) 집이 학교에서 머세요? 얼마나 걸리세요?
9) 한국 가수를 아세요? 그 가수의 노래도 할 수 있으세요?
10) 이번 방학에 뭘 하고 싶으세요?

## 문법 및 표현1 -(으)시-

☞ 워크북 48~49쪽

**분**
person (honorific)

**연습 ❶** **친구와 이야기해 보세요.** Have a conversation with your friend.

1) 우리 반 선생님께서는 어떠십니까?
2) 부모님께서 뭘 좋아하십니까?
3) 부모님께서는 무슨 일을 하십니까?
4) 부모님께서는 주말에 뭘 하십니까?

**연습 ❷** **친구와 이야기해 보세요.** Have a conversation with your friend.

1) OO 씨는 한국 분이십니까?
2) 건국대학교 학생이십니까?
3) 학교가 마음에 드십니까?
4) 학교 근처에 사십니까?
5) 한국어를 배울 때 뭐가 제일 어려우십니까?
6) 한국 음식을 좋아하십니까?
7) 무슨 음식을 자주 드십니까?
8) 한국 친구가 있으십니까?
9) 한국에서 뭐 하고 싶으십니까?
10) 오늘 기분이 어떠십니까?

# 듣기1

**확인** **잘 듣고 질문에 답하세요.** Listen carefully and answer the questions. T44

**형제** sibling

❶ 바타르 씨의 가족을 모두 고르세요. Choose all members of Baatar's family.

☐ 할아버지 ☐ 할머니 ☐ 아버지 ☐ 어머니 ☐ 누나 ☐ 남동생 ☐ 여동생

❷ 맞는 것을 고르세요. Choose the correct statement.

① 바타르는 지금 한국에서 혼자 삽니다.
② 바타르의 가족은 모두 몽골에 있습니다.
③ 케이트의 어머니께서는 한국에 계십니다.
④ 케이트의 아이들은 한국어를 할 수 없습니다.

**발음** **잘 듣고 따라 하세요.** Listen carefully and repeat. T43

| **받침 ㅂ, ㅍ, ㅄ ⇨ [ ㅂ ]** | | |
|---|---|---|
| ❶ | 받침[ㅂ] + ㄴ, ㅁ ↳ [ㅁ] | 가십니다 [가심니다], 주무십니다 [주무심니다], 드십니다 [드심니다] |
| | | 입는 것 [임는 것], 없는 것 [엄는 것] |
| | | 김밥만 [김밤만, 김빰만], 엽만 [염만] |
| ❷ | 아버지께서는 회사에 가**십니**다. | |
| ❸ | 할아버지께서 방에서 주무**십니**다. | |
| ❹ | 선생님께서 커피를 드**십니**다. | |
| ❺ | 제가 자주 **입는** 것은 원피스**입니**다. | |
| ❻ | 시간이 없어서 김**밥만** 먹었**습니**다. | |

## 듣기2

**확인** 잘 듣고 질문에 답하세요. Listen carefully and answer the questions. T45

**다녀오다** to go and come back
**선물(을) 하다** to give a gift
**홍삼** red ginseng
***그럼요.** *Of course.

❶ 맞는 것을 고르세요. Choose the correct statement.

① 루카스는 혼자 인사동에 갈 겁니다.
② 세아는 가족의 선물을 사고 싶습니다.
③ 루카스의 어머니께서 한복을 좋아하십니다.
④ 세아의 부모님께서는 홍삼을 좋아하십니다.

❷ 맞으면 O, 틀리면 X 하세요. Mark an O if the statement is true, and X if it is false.

① 루카스는 이번 방학에 고향에 갈 겁니다. ( O X )
② 루카스의 할머니께서는 과자를 좋아하십니다. ( O X )

**받아쓰기** 잘 듣고 쓰세요. Listen carefully and write. T46

❶

❷

❸

❹

❺

## 말하기1

**연습 ❶** 보기 와 같이 가족 소개를 하세요.
Introduce family members as shown in the example below.

착하다 kind

보기

이것은 우리 가족 사진입니다. 이 분은 우리 할아버지십니다. 할아버지께서는 아주 재미있으십니다. 할아버지께서는 등산을 좋아하셔서 주말마다 등산을 다니십니다. 이 분은 우리 할머니십니다. 할머니께서는 친절한 분이십니다. 할머니께서는 많은 운동을 할 수 있으십니다. 이 사람은 우리 오빠입니다. 오빠는 엔지니어입니다. 키가 아주 크고 똑똑합니다. 이 사람은 제 남동생입니다. 남동생은 착하고 귀엽습니다.

1)

2)

3)

4)

## 말하기2

**연습 ❶** 보기 와 같이 대화를 만들고 발표하세요.

Create and present a conversation as shown in the example below.

**점원** sales clerk

보기

점원: 뭘 찾으세요?
손님: 부모님의 선물을 사고 싶어요. 그런데 뭘 사면 좋아요?
점원: 부모님께서 뭘 좋아하세요?
손님: 아버지께서는 책을 좋아하시고 어머니께서는 차 드시는 걸 좋아하세요.
...

가: ..........

나: ..........

가: ..........

나: ..........

가: ..........

나: ..........

가: ..........

나: ..........

## 어휘2 나이 Age

| 10 | 20 | 21 | 22 | 23 | 24 |
|---|---|---|---|---|---|
| 열 | 스물 | 스물하나 | 스물둘 | 스물셋 | 스물넷 |
| | *스무 N | *스물한 N | *스물두 N | *스물세 N | *스물네 N |

| 25 | 26 | 27 | 28 | 29 |
|---|---|---|---|---|
| 스물다섯 | 스물여섯 | 스물일곱 | 스물여덟 | 스물아홉 |

| 30 | 40 | 50 | 60 | 70 | 80 | 90 | 100 |
|---|---|---|---|---|---|---|---|
| 서른 | 마흔 | 쉰 | 예순 | 일흔 | 여든 | 아흔 | 백 |

**연습 ①** 보기와 같이 이야기해 보세요.
Have a conversation as shown in the example below.

보기

몇 살이에요?

열아홉 살이에요.

**연습 ②** 보기와 같이 이야기해 보세요.
Have a conversation as shown in the example below.

N(숫자²) 살 N years old

보기

오빠는 몇 살이에요?

스물일곱 살이에요.

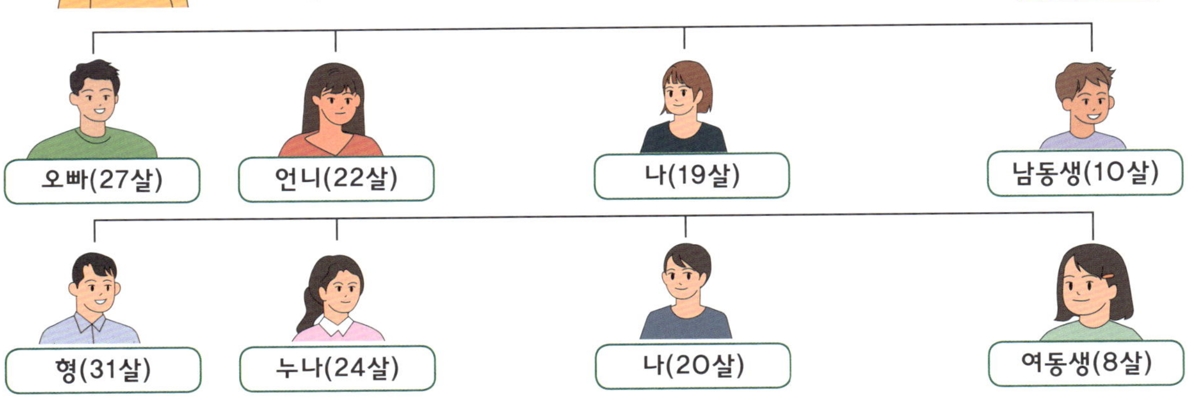


새 단어 New word
스물 twenty 스물하나 twenty-one 스물둘 twenty-two 스물셋 twenty-three 스물넷 twenty-four 스물다섯 twenty-five 스물여섯 twenty-six 스물일곱 twenty-seven 스물아홉 twenty-nine 서른 thirty 마흔 forty 쉰 fifty 예순 sixty 일흔 seventy 여든 eighty 아흔 ninety 백 hundred

## 어휘2 높임말² Honorific expressions²

| | | |
|---|---|---|
| 사람/명 | ⇨ | 분 |
| 이름 | ⇨ | 성함 |
| 나이 | ⇨ | 연세 |
| 집 | ⇨ | 댁 |
| 생일 | ⇨ | 생신 |

| | | |
|---|---|---|
| 이름이 뭐예요? | ⇨ | 이름이 어떻게 되세요? |
| | | 성함이 어떻게 되세요? |
| 몇 살이에요? | ⇨ | 몇 살이세요? |
| | | 나이가 어떻게 되세요? |
| | | 연세가 어떻게 되세요? |
| 전화번호가 뭐예요? | ⇨ | 전화번호가 어떻게 되세요? |

*N이/가 어떻게 되세요?
How is N?

### 연습 3 보기와 같이 이야기해 보세요.

Have a conversation as shown in the example below.

보기

할아버지의 연세가 어떻게 되세요?

일흔 살이세요.

1) 
할아버지(70)

2) 
할머니(69)

3) 
아버지(45)

4) 
어머니(43)

### 연습 4 보기와 같이 이야기해 보세요.

Have a conversation as shown in the example below.

보기

성함이 어떻게 되세요?

저는 이지현이에요.

1)
KU KONKUK UNIVERSITY
이지현
한국어 선생님
건국대학교 언어교육원
Tel. 02)450-3075

2)
KU COMPANY
www.kucompany.co.kr
최건우
Mobile 010 -9876 -5432

| 새 단어 New word | |
|---|---|
| 분 person (honorific) | 성함 name (honorific) | 연세 age (honorific) | 댁 house (honorific) | 생신 birthday (honorific) |

## 문법 및 표현2 -(으)셨-, -(으)실-

☞ 워크북 50~51쪽

헬스 gym, work out

신청(을) 하다 to sign up

**연습 1** 친구와 이야기해 보세요. Have a conversation with your friend.

1) 부모님께서 한국에 와 보셨어요?
2) 부모님께서 OO 씨에게 전화하셨어요? 언제 전화하셨어요?
3) 선생님께서는 오늘 무엇을 입으셨어요?
4) 부모님께서 한국에 오실 거예요? 언제 오실 거예요?

**연습 2** 친구와 이야기해 보세요. Have a conversation with your friend.

1) 어제 몇 시에 주무셨어요?
2) 오늘 몇 시에 일어나셨어요?
3) 오늘 아침을 드셨어요? 뭘 드셨어요?
4) 고향에서는 심심할 때 뭘 하셨어요?
5) 지난 주말에 뭐 하셨어요? 어떠셨어요?
6) 한국에 와서 어디에 가 보셨어요? 거기가 어떠셨어요?
7) 수업이 끝나면 뭐 하실 거예요?
8) 이번 주말에 뭐 하실 거예요?
9) 언제까지 한국에 계실 거예요?
10) 돈과 시간이 많으면 무엇을 하실 거예요?

## 문법 및 표현2 -(으)셨-, -(으)실-

☞ 워크북 52~53쪽

**연습 ❶** **친구와 이야기해 보세요.** Have a conversation with your friend.

1) 선생님께서 쉬는 시간에 뭐 하셨습니까?
2) 선생님께서 몇 시에 교실에 오셨습니까?
3) 부모님께서는 지금 일어나셨습니까?
4) 부모님께서는 휴가 때 어디에 가실 겁니까?

> ***어떠셨습니까?**
> *How was…?

**연습 ❷** **친구와 이야기해 보세요.** Have a conversation with your friend.

1) 어느 나라에서 오셨습니까?
2) 언제 한국에 오셨습니까?
3) 한국에 뭐 하러 오셨습니까?
4) 한국어를 몇 달/몇 년 공부하셨습니까?
 한국어를 공부할 때 뭐가 제일 어려우셨습니까?
5) 고향에서 무슨 일을 하셨습니까?
6) 한국에 와서 일을 해 보셨습니까? 어떠셨습니까?
7) 언제까지 한국에서 사실 겁니까?

> **N(숫자[1]) 년**
> N(Cino-Korean number) year(s)

## 읽기 1

**1** 다음을 읽고 질문에 답하세요. Read the following and answer the questions.

세아 어머니께

어머니, 안녕하세요!
저는 세아의 일본 친구 하루나예요.
생신을 축하드립니다!

혼자 외국에서 사는 것이 처음이라서
많이 힘들었지만
어머니께서 저를 많이 도와주셔서
잘 지낼 수 있었어요.
어머니께서는 정말 친절하신 분이세요.
정말 감사합니다.

1) 누가 누구에게 편지를 썼습니까?

2) 누구의 생일입니까?

3) 하루나는 지금 누구하고 같이 삽니까?

4) 세아의 어머니께서는 어떤 분이십니까?

**축하드리다** to congratulate (honorific) **외국** foreign country **도와주다** to help

**2** 다음을 읽고 질문에 답하세요. Read the following and answer the questions.

주원: 밍 씨, 주말에 같이 운동할까요?

밍: 주원 씨, 미안해요.
주말에 부모님께서 한국에 오실 거예요.
그래서 공항에 갈 거예요.

주원: 그래요? 부모님만 오세요?
다른 가족들은요?

밍: 네, 여동생은 지금 방학이 아니라서
올 수 없어요.

주원: 부모님께서는 한국에 와 보셨어요?

밍: 아니요, 와 보지 않으셨어요.
부모님과 어디에 가면 좋아요?

주원: 부모님께서 연세가 어떻게 되세요?

밍: 아버지께서는 마흔여섯 살이시고
어머니께서는 마흔세 살이세요.

주원: 부모님께서는 뭘 좋아하세요?

밍: 아버지께서는 맛집에 가는 걸 좋아하시고
어머니께서는 쇼핑을 좋아하세요.

주원: 명동에 맛집이랑 백화점이 많으니까
한번 가 보세요.

1) 밍은 부모님과 어디에 가면 좋습니까?

2) 맞는 것을 고르세요.

① 밍은 주말에 주원과 운동할 겁니다.
② 밍의 아버지께서는 올해 43살이십니다.
③ 밍의 부모님께서 한국에 와 보셨습니다.
④ 밍의 어머니께서는 쇼핑을 좋아하십니다.

## 읽기2

**1** **다음을 읽고 질문에 답하세요.** Read the following and answer the questions.

______________________________

지난주에 부모님께서 저를 만나러 한국에 오셨습니다. 한국에는 일주일쯤 계실 겁니다.

저는 학교가 방학이라서 시간이 많으니까 부모님과 함께 전주에 갔습니다. 기차를 타고 싶었지만 표가 없어서 버스를 타고 갔습니다. 버스에 있는 의자가 편하고 커서 부모님께서 좋아하셨습니다.

우리는 먼저 한옥마을에 갔습니다. 어머니께서는 한복을 빌려서 입으셨지만 아버지께서는 날씨가 더워서 입지 않으셨습니다. 부모님께서는 한옥마을을 구경하시고 사진도 많이 찍으셨습니다. 그 다음에 우리 가족은 유명한 시장에 가서 밥을 먹었습니다. 아버지께서는 비빔밥을 시키셨고 어머니께서는 매운 음식을 안 좋아하셔서 떡갈비를 주문하셨습니다. 음식이 맛있어서 부모님께서 많이 드셨습니다. 우리는 밥을 먹고 선물 가게에 가서 구경했습니다. 아버지께서는 한국의 전통 술을 사셨고 어머니께서는 친구분들의 선물을 사셨습니다. 부모님께서는 피곤하셔서 일찍 주무셨습니다.

다음 날에는 전통 술 박물관에 가서 구경도 하고 전통 술을 마셔 봤습니다. 그리고 막걸리도 만들어 봤습니다. 정말 즐거운 여행이었습니다.

**표** ticket **그 다음에** and then **떡갈비** tteokgalbi **주문(을) 하다** to order

1) 이 글의 제목으로 가장 알맞은 것을 고르세요. Choose the most appropriate title for this passage.

① 부모님과 한복 ② 부모님과 한국 음식 ③ 부모님과의 여행

2) 맞으면 O, 틀리면 X 하세요. Mark an O if the statement is true, and X if it is false.

① 부모님께서는 일을 하러 한국에 오셨습니다. ( O X )

② 어머니께서는 매운 음식을 좋아하지 않으십니다. ( O X )

3) 윗글의 내용과 같은 것을 고르세요. Choose the correct statement.

① 버스 표가 없어서 기차를 타고 갔습니다.
② 우리는 밥을 먹고 한옥마을에 갔습니다.
③ 어머니께서는 한복을 입지 않으셨습니다.
④ 아버지께서는 한국의 전통 술을 사셨습니다.

4) 다음은 윗글을 요약한 것입니다. 빈칸에 알맞은 말을 쓰세요.
The following is a summary of the passage. Fill in the blanks with the appropriate words.

지난주에 부모님께서 한국에 ① ( )-았/었/했습니다. 부모님과 같이 ② ( )에 갔습니다. 한옥마을에 가서 사진을 ③ ( )-고 식당에서 비빔밥과 ④ ( )을/를 먹었습니다. 그리고 부모님께서는 선물 가게에서 선물을 ⑤ ( )-았/었/했습니다. 부모님께서는 피곤하셔서 일찍 ⑥ ( ) -았/었/했습니다. 다음 날 전통 술 박물관에 가서 구경하고 막걸리도 만들었습니다.

## 쓰기1

**1** 보기 와 같이 좋아하는 가족을 소개하는 글을 쓰세요.
Write an introduction about your favorite family member as shown in the example below.

| | | 보기 |
|---|---|---|
| 처음 | 소개하고 싶은 가족이 누구십니까? | 할아버지와 할머니 |
| | 그 분은 지금 어디에 계십니까? | 할아버지–작년에 돌아가시다<br>할머니–고향에 계시다 |
| 중간 | 그 분은 어떤 분이십니까? | 할아버지–운동을 잘하다, 재미있다<br>할머니–요리를 잘하다, 친절하다 |
| | 그 분과 무엇을 자주 하셨습니까? | 할아버지–배드민턴을 치다<br>할머니–산책하다 |
| 끝 | 그 분과 시간을 보낼 때 어떠셨습니까? | 할아버지–즐겁다<br>할머니–행복하다 |
| 보기 | 저는 할아버지와 할머니를 가장 좋아합니다. 제가 어릴 때 부모님께서 많이 바쁘셔서 저는 할아버지, 할머니와 시간을 많이 보냈습니다. 할아버지께서는 작년에 돌아가셨고, 할머니께서는 고향에 계십니다.<br>할아버지께서는 운동을 잘하시고 재미있는 분이셨습니다. 저는 할아버지께 배드민턴 치는 것을 배웠습니다. 어릴 때 저는 자주 할아버지와 배드민턴을 쳤습니다. 저는 할아버지와 운동하는 것이 정말 즐거웠습니다.<br>할머니께서는 요리를 매우 잘하시고 친절하신 분이십니다. 할머니 댁에 가면 항상 맛있는 음식을 만들어서 주셨습니다. 그리고 할머니께서는 책 읽는 것과 산책하는 것을 좋아하십니다. 저는 고향에 있을 때 할머니와 자주 산책을 했습니다. 산책할 때 힘들면 할머니께서는 저에게 맛있는 초콜릿을 주셨습니다. 초콜릿도 먹고 할머니와 이야기도 했습니다. 정말 행복했습니다. | |

**매우** very
**항상** always

| | | 나 |
|---|---|---|
| 처음 | 소개하고 싶은 가족이 누구십니까? | |
| | 그 분은 지금 어디에 계십니까? | |
| 중간 | 그 분은 어떤 분이십니까? | |
| | 그 분과 무엇을 자주 하셨습니까? | |
| 끝 | 그 분과 시간을 보낼 때 어떠셨습니까? | |

## 쓰기2

**2** **다시 쓰세요.** Write your answer again.

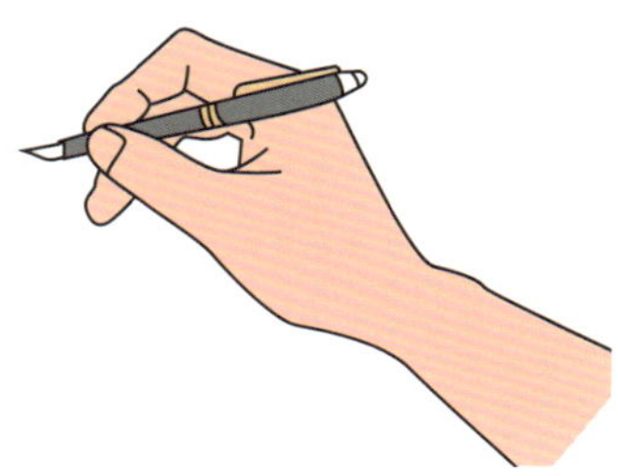

## 활동

**1** 기자와 유명한 사람(가수, 배우, 운동선수)이 되어 인터뷰를 하세요.
Conduct an interview as a journalist and celebrity (singer, actor, athlete).

보기 쉴 때 뭐 하십니까?

1) ____________________

2) ____________________

3) ____________________

4) ____________________

5) ____________________

6) ____________________

7) ____________________

## 문화 가족 호칭 Family titles

● 이모와 고모를 아십니까? Do you know your maternal aunt and paternal aunt?

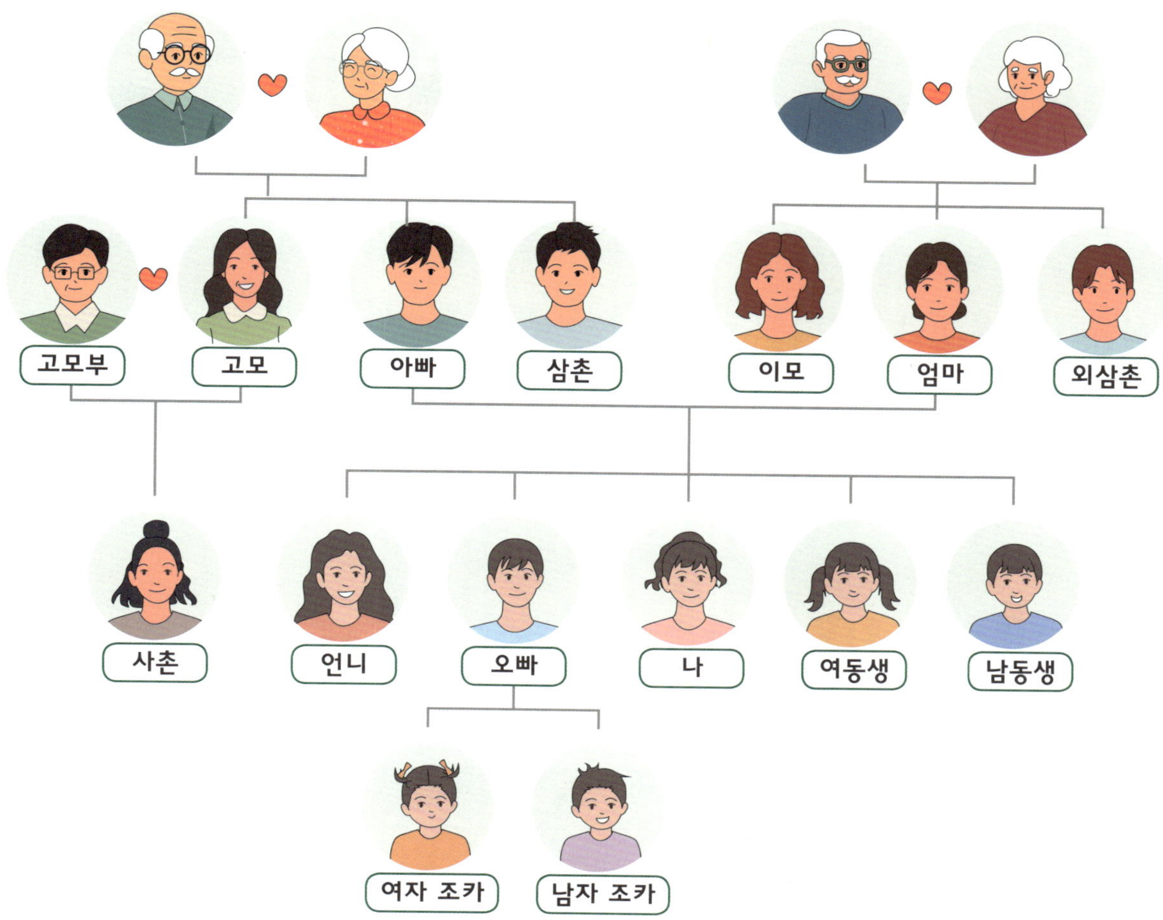


한국에는 가족을 부르는 호칭이 많이 있습니다. 어머니의 여자 형제는 '이모'라고 부르고, 남자 형제는 '외삼촌'이라고 부릅니다. 아버지의 여자 형제는 '고모'라고 부르고 남자 형제는 '삼촌'이라고 부릅니다. 이모, 외삼촌, 고모, 삼촌의 자녀들은 나와 사촌 관계입니다. 또한 자신의 형제의 아이들을 '조카'라고 부릅니다.

In Korea, there are many titles to address family members. Your mother's sisters are called '이모', and her brothers '외삼촌'. Your father's sisters are called '고모', and his brothers '삼촌'. The children of your aunts and uncles are your '사촌', and the children of your siblings are your '조카'.

● 여러분 나라는 어떻습니까? How do you address family members in your country?

# 자기평가

**❶ 알맞은 어휘를 쓰세요.** Fill in the blanks with the correct words.

| 나 | 여동생 | 누나 | 형 |
|---|---|---|---|
|  |  |  |  |
| ___나___ (19살) | 1) ________(27살) | 2) ________(22살) | 3) ________(8살) |

**❷ 알맞은 단어를 골라 쓰세요.** Choose and write the correct words.

| 드시다 | 주무시다 | 계시다 | 말씀하시다 |
|---|---|---|---|

1) 아버지께서는 보통 밤 11시에 (                    )-(으)세요.
2) 부모님께서는 지금 프랑스에 (                    )-(으)세요.
3) 선생님께서 학생들에게 (                    )-(으)셨어요.
3) 할머니께서는 아침마다 물을 한 잔 (                    )-(으)십니다.

**❸ 보기 와 같이 바꿔서 쓰세요.** Rewrite the sentence as shown in the example below.

| 보기 선생님이 커피를 마셔요. | → | 선생님께서 커피를 드세요. |
|---|---|---|
| 1) 아버지는 경찰이에요. | → | |
| 2) 어머니는 선생님이 아닙니다. | → | |
| 3) 할아버지가 멋있어요. | → | |
| 4) 제가 부모님에게 선물을 줬어요. | → | |
| 5) 할머니가 음악을 들었습니다. | → | |
| 6) 손님, 여기에서 먹을 거예요? | → | |
| 7) 부모님이 내일 전화할 겁니다. | → | |

**다음 질문에 답하세요.** Answer the following questions.

| | | | |
|---|---|---|---|
| ❶ 가족에 대해 말할 수 있다.<br>I can talk about family. | 네 ☐ | 아니요 ☐ |
| ❷ 높임말을 사용할 수 있다.<br>I can use honorific expressions. | 네 ☐ | 아니요 ☐ |

모범 답안
1. 1) 형 2) 누나 3) 여동생 2. 1) 주무시 2) 계시 3) 말씀하셨어요 4) 드십니다
3. 1) 아버지께서는 경찰이세요. 2) 어머니께서는 선생님이 아니십니다. 3) 할아버지께서 멋있으세요.
4) 제가 부모님께 선물을 드렸어요. 5) 할머니께서 음악을 들으셨습니다. 6) 손님, 여기에서 드실 거예요?
7) 부모님께서 내일 전화하실 겁니다.

## 어휘 확인

| 가족 | | | |
|---|---|---|---|
| ☐ 남편 | ☐ 아들 | ☐ 딸 | ☐ 어머니 |
| ☐ 아버지 | ☐ 언니 | ☐ 오빠 | ☐ 할아버지 |
| ☐ 할머니 | ☐ 여동생 | ☐ 남동생 | ☐ 누나 |
| ☐ 형 | | | |

| 높임말 | | | |
|---|---|---|---|
| ☐ 께서 | ☐ 께서는 | ☐ 께 | ☐ 계시다 |
| ☐ 말씀하시다 | ☐ 주무시다 | ☐ 성함 | ☐ 연세 |
| ☐ 댁 | ☐ 생신 | | |

| 나이 | | | |
|---|---|---|---|
| ☐ 서른 | ☐ 마흔 | ☐ 쉰 | ☐ 예순 |
| ☐ 일흔 | ☐ 여든 | ☐ 아흔 | |

| 어휘 | 문법 | 듣기 | 말하기 | 읽기 |
|---|---|---|---|---|
| ☐ 어리다<br>☐ 단어<br><br>☐ N 살<br>☐ *N이/가 어떻게 되세요? | ☐ 분<br>☐ 헬스<br>☐ 신청(을) 하다<br><br>☐ 어떠셨습니까?<br>☐ N 년 | ☐ 형제<br><br>☐ 다녀오다<br>☐ 선물(을) 하다<br>☐ 홍삼<br>☐ *그럼요. | ☐ 착하다<br>☐ 점원 | ☐ 축하드리다<br>☐ 외국<br>☐ 도와주다<br><br>☐ 표<br>☐ 그 다음에<br>☐ 떡갈비<br>☐ 주문(을) 하다 |

| 쓰기 | 워크북 |
|---|---|
| ☐ 매우<br>☐ 항상 | ☐ 어떠세요?<br>☐ *무슨 일을 하세요?<br>☐ 어떠십니까?<br>☐ 돌아가시다<br>☐ N 달 |

# 14과 초대와 약속

**학습 목표**

다른 사람을 초대하거나 초대에 응할 수 있다.
약속에 늦은 이유를 말할 수 있다.
해야 하는 일에 대해 말할 수 있다.

첫째 날 DAY 1

| | |
|---|---|
| 어휘1 | 파티 |
| 문법 및 표현 | -아/어/해 주세요, -(으)ㄹ게요[1] |
| 듣기 | 파티 준비를 도와달라고 요청하는 대화<br>결혼식 준비를 도와달라고 요청하는 대화 |
| 말하기 | 파티에서 해야 할 역할 정하기<br>집에 초대하기 |

둘째 날 DAY 2

| | |
|---|---|
| 어휘2 | 약속 |
| 문법 및 표현 | -아/어/해야 되다, 못 |
| 읽기 | 초대장 읽고 내용 파악하기<br>메시지 읽고 내용 파악하기<br>친구를 기다린 경험에 대한 글 읽고 내용 파악하기 |
| 쓰기 | 약속에 늦거나 약속에 늦은 친구를 기다린 경험 쓰기 |
| 활동 | 초대장 쓰고 주고받으며 대화하기 |
| 문화 | 인사말 |

새 단어 New word

연락(을) 하다 to contact 연락을 받다 to be contacted 초대(를) 하다 to invite 초대를 받다 to be invited
약속(을) 하다 to make plans (an appointment); to promise 파티를 준비하다 to prepare for a party
선물을 준비하다 to prepare a gift

## 파티 Party

**연습 ❶** 보기 와 같이 이야기해 보세요.

Have a conversation as shown in the example below.

보기

어제 무엇을 하셨습니까?

연락을 했습니다.

| 새 단어 New word | 축하(를) 하다 to congratulate 선물을 주다 to give a gift 선물을 받다 to receive a gift |
|---|---|

## 문법 및 표현1 -아/어/해 주세요

☞ 워크북 54~55쪽

포장(을) 하다 wrap

### 연습 ① 보기와 같이 이야기해 보세요.

Have a conversation as shown in the example below.

보기
가: 이 핸드폰을 보고 싶어요. 이거 좀 보여 주세요.
나: 네, 여기 있습니다.

1) 

2) 

3) 

4) 

### 연습 ② 어떤 부탁을 해요? 보기와 같이 이야기해 보세요.

What kind of favor are you asking for? Have a conversation as shown in the example below.

| 가게/식당에서 | 친구에게 | 선생님께 | 부모님께 |
|---|---|---|---|
| 보기 계산 좀 해 주세요. | • | 보기 저 좀 도와주세요. | • |
| • | • | • | • |
| • | • | • | • |

## 문법 및 표현2 -(으)ㄹ게요[1]

☞ 워크북 56~57쪽

놓다 to put

**연습 ①** 보기 와 같이 이야기해 보세요. Have a conversation as shown in the example below.

| 보기 | 밍, 볼펜 | 가: 밍 씨, 펜 좀 빌려 주세요.<br>나: 네, 빌려 줄게요. |
|---|---|---|

| 이름 | -아/어/해 주세요 | 이름 | -아/어/해 주세요 |
|---|---|---|---|
| | | | |
| | | | |
| | | | |
| | | | |
| | | | |

**연습 ②** 어떤 약속을 할 거예요? 보기 와 같이 이야기해 보세요.
What promises will you make? Have a conversation as shown in the example below.

| 친구에게 | 선생님께/부모님께 |
|---|---|
| 보기 미안해요. 다음부터 늦지 않을게요. | 보기 자주 연락할게요. |
| • | • |
| • | • |

## 듣기1

**확인** **잘 듣고 질문에 답하세요.** Listen carefully and answer the questions. T52

**1** 왜 파티를 합니까? Why are they having a party?

**2** 맞는 것을 고르세요. Choose the correct statement.

① 일요일에 파티를 할 겁니다.
② 이번 주에 이번 학기가 끝납니다.
③ 하루나는 케이크를 사서 가져올 겁니다.
④ 엠마는 반 친구들에게 연락을 했습니다.

**준비(를) 하다** get ready
**들다** carry

---

**발음** **잘 듣고 따라 하세요.** Listen carefully and repeat. T51

| | | | |
|---|---|---|---|
| 1 | 못 + [몯] | 모음 | 못 와요 [몯와요→모돠요] |
| 2 | | ㄱ, ㄷ, ㅂ, ㅅ, ㅈ | 못 가요 [몯가요→몯까요]<br>못 닫아요 [몯닫아요→몯따다요]<br>못 봐요 [몯봐요→몯뽜요]<br>못 쉬어요 [몯쉬어요→몯쒸어요]<br>못 자요 [몯자요→몯짜요] |
| 3 | | ㅎ | 못해요 [몯해요→모태요] |
| 4 | | ㄴ, ㅁ | 못 나가요 [몯나가요→몬나가요]<br>못 먹어요 [몯먹어요→몬머거요] |
| 5 | 그제 아파서 학교에 **못 왔**어요. | | |
| 6 | 이번 방학에는 고향에 **못 가**요. | | |
| 7 | 저는 무서워서 공포 영화를 **못 봐**요. | | |
| 8 | 저는 수영을 **못해**요. | | |
| 9 | 요즘 비가 많이 와서 밖에 **못 나**가요. | | |
| 10 | 저는 매운 음식을 **못 먹**어요. | | |

## 듣기2

**확인** **잘 듣고 질문에 답하세요.** Listen carefully and answer the questions. T53

**결혼(을) 하다** to get married
**결혼식** wedding
**마지막** last; final
**부탁(을) 하다** to ask a favor

**1** **맞으면 O, 틀리면 X 하세요.** Mark an O if the statement is true, and X if it is false.

① 다니엘은 결혼식 준비가 끝났습니다. ( O X )
② 다니엘은 다음 달에 결혼을 할 겁니다. ( O X )

**2** 맞는 것을 고르세요. Choose the correct statement.

① 선생님은 결혼식에 가지 않을 겁니다.
② 하루나는 결혼식 때 사진을 찍어 줄 겁니다.
③ 다니엘의 고향 친구들은 결혼식에 올 겁니다.
④ 엠마는 수업이 있어서 결혼식에 갈 수 없습니다.

---

**받아쓰기** **잘 듣고 쓰세요.** Listen carefully and write. T54

**1**

**2**

**3**

**4**

**5**

## 말하기1

**연습 ①** **보기** 와 같이 이야기하세요. Have a conversation as shown in the example below.

**보기**

가: 여러분, 우리 시험이 끝나고 같이 파티를 할까요?
나: 네, 좋아요. 제가 케이크를 만들게요. 하루나 씨가 음료수를 준비해 주세요.
다: 네, 제가 음료수를 사서 가져올게요. 바타르 씨가…

| 할 일 | | 이름 | 할 일 | 이름 |
|---|---|---|---|---|
| 보기 | ☑ 케이크를 만들다 | 케이트 | ☐ | |
| | ☑ 음료수를 준비하다 | 하루나 | ☐ | |
| ☐ | | | ☐ | |
| ☐ | | | ☐ | |

가: ______________________

나: ______________________

가: ______________________

나: ______________________

가: ______________________

나: ______________________

가: ______________________

나: ______________________

## 말하기2

**연습 ❶** 보기 와 같이 이야기하세요.

Have a conversation as shown in the example below.

주소 address

*광진구 능동로 120

*120, Neungdong-ro, Gwangjin-gu

지도 map

확인(을) 하다

to check; to confirm

보기

가: 우리 집에 놀러 오세요.

나: 네, 놀러 갈게요.

가: 금요일 저녁에 올 수 있어요?

나: 네. 우리 뭐 할까요?

가: 같이 축구 경기도 보고 맥주도 마셔요. 제가 맥주를 준비할게요.

나: 그럼 저는 과자를 가져갈게요. 주소 좀 가르쳐 주세요.

가: 광진구 능동로 120이에요. 지도를 보내 줄게요.
메시지를 확인해 주세요.

나: 네, 출발할 때 연락할게요.

| | 보기 | |
|---|---|---|
| 언제 | 금요일 저녁 | |
| 무엇을 | 축구 경기, 보다<br>맥주, 마시다 | |
| 어디에서 | 광진구 능동로 120 | |

가: 

나: 

가: 

나: 

가: 

나: 

가: 

나: 

약속이 없다

약속이 있다

약속 장소

약속 시간

출발(을) 하다

**연습 ❶** 보기 와 같이 이야기해 보세요.

Have a conversation as shown in the example below.

보기

약속이 있습니까?

네, 있습니다.

약속 시간이 몇 시입니까?

열두 시입니다.

| 새 단어 New word | |
|---|---|
| | **약속이 없다** to have no plans (appointment) **약속이 있다** to have plans (an appointment) |
| | **약속 장소** appointment location **약속 시간** appointment time **출발(을) 하다** to depart |

## 어휘2 약속 Promises

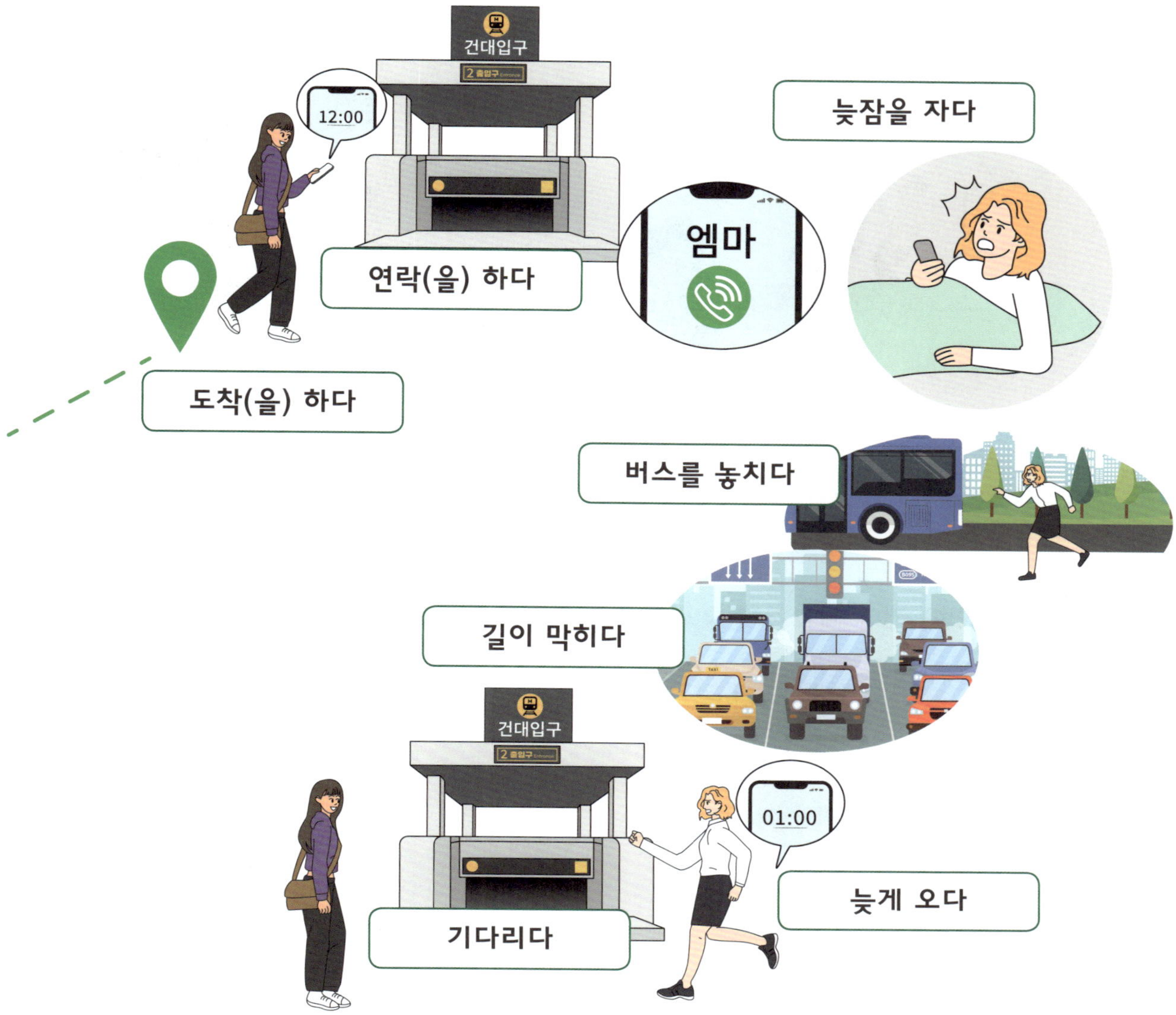


**연습 2** 보기와 같이 이야기해 보세요.

Have a conversation as shown in the example below.

보기

왜 늦었습니까?

늦잠을 자서 늦었습니다.

| 새 단어 New word | 도착(을) 하다 to arrive | 연락(을) 하다 to contact | 늦잠을 자다 to oversleep | 버스를 놓치다 to miss the bus |
|---|---|---|---|---|
| | 길이 막히다 traffic jam | 늦게 오다 to arrive late | | |

## 문법 및 표현3 -아/어/해야 되다

☞ 워크북 58~59쪽

**연습 ①** 무엇을 해야 돼요? 보기 와 같이 이야기해 보세요.
What do you have to do? Have a conversation as shown in the example below.

| 친구를 집에 초대할 거예요. | 친구에게 초대를 받았어요. |
|---|---|
| 보기 친구에게 주소를 말해 줘야 돼요.<br>•<br>•<br>• | 보기 선물을 준비해야 돼요.<br>•<br>•<br>• |

**연습 ②** 뭘 해야 돼요? 보기 와 같이 이야기해 보세요.
What do you have to do? Have a conversation as shown in the example below.

| 방학에 고향에 갈 거예요. | 몸이 아파요. | 다음 주가 시험이에요. | 가수가 되고 싶어요. |
|---|---|---|---|
| 보기 비행기 표를 사야 돼요.<br>•<br>• | •<br>•<br>• | •<br>•<br>• | •<br>•<br>• |

## 문법 및 표현4 못

☞ 워크북 60~61쪽

**연습 1** 보기 와 같이 이야기해 보세요. Have a conversation as shown in the example below.

> 보기
> 가: 한국에 있으면 뭘 못 해요?
> 나: 한국에 있으면 고향 친구를 못 만나요.

| 한국에 있다 | 너무 바쁘다 | 돈이 없다 | 감기에 걸리다 |
|---|---|---|---|
| 보기 고향 친구를 못 만나요. | • | • | • |
| • | • | • | • |
| • | • | • | • |

**연습 2** 보기 와 같이 이야기해 보세요. Have a conversation as shown in the example below.

> 보기 저는 노래는 잘하지만 춤은 못 춰요.

•

•

•

## 읽기 1

**1** 다음을 읽고 질문에 답하세요. Read the following and answer the questions.

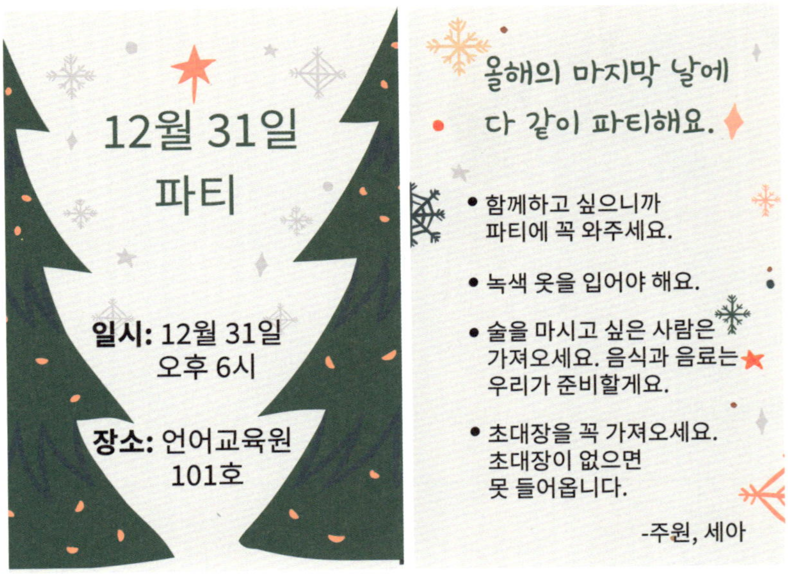


1) 언제 파티를 합니까?

2) 파티에 갈 때 뭘 입어야 합니까?

3) 파티에 갈 때 뭘 준비해야 합니까?

4) 파티에 갈 때 뭘 가져가야 합니까?

**일시** date and time　**함께하다** to do something together　**녹색** green　**초대장** invitation

**2** 다음을 읽고 질문에 답하세요. Read the following and answer the questions.

1) 누가 약속 장소에 늦게 옵니까?

2) 맞는 것을 고르세요.

① 크리스틴은 택시를 탔습니다.
② 다니엘은 버스를 못 탔습니다.
③ 엠마는 돈을 찾으러 은행에 갔습니다.
④ 자함 씨는 약속 장소에 도착했습니다.

*돈을 찾다 *to withdraw money

## 읽기2

**1 다음을 읽고 질문에 답하세요.** Read the following and answer the questions.

우리 반 친구들은 오늘 엠마 씨의 집에서 파티를 할 겁니다. 저는 엠마 씨와 알리 씨를 만나서 마트에 가야 하니까 아침 일찍 엠마 씨의 집에 갔습니다. 엠마 씨와 저는 알리 씨를 기다렸습니다. 그런데 알리 씨는 약속 시간에 오지 않았습니다. 알리 씨에게 전화를 했지만 받지 않았습니다. 우리는 시간이 많지 않으니까 먼저 마트에 갔습니다. 저는 알리 씨에게 "저와 엠마 씨는 먼저 마트에 가서 물건을 살게요. 메시지를 확인하면 연락해 주세요."라고 메시지를 보냈습니다.

알리 씨는 우리가 물건을 다 샀을 때 마트에 도착했습니다. 알리 씨는 "빨리 연락 못 해서 미안해요. 아침에 핸드폰을 집에 놓고 와서 집에 다녀왔어요. 그리고 버스를 놓쳐서 늦었어요."라고 말했습니다. 저는 알리 씨가 많이 늦어서 기분이 좋지 않았지만 파티를 해야 하니까 말하지 않았습니다. 우리는 같이 물건을 들고 엠마 씨의 집에 가서 파티를 준비했습니다.

1) 알리 씨는 약속 시간에 왜 늦었습니까? Why was Ali late?

2) 맞으면 O, 틀리면 X 하세요. Mark an O if the statement is true, and X if it is false.

① 저는 엠마 씨와 같이 알리 씨의 집에 갔습니다. ( O X )

② 오늘은 반 친구들과 학교에서 파티를 할 겁니다. ( O X )

3) 윗글의 내용과 같은 것을 고르세요. Choose the correct statement.

① 저는 혼자 물건을 들어야 했습니다.

② 알리는 늦어서 마트에 올 수 없었습니다.

③ 엠마는 혼자 마트에 가서 물건을 샀습니다.

④ 저는 알리에게 전화도 하고 메시지도 보냈습니다.

4) 다음은 윗글을 요약한 것입니다. 빈칸에 알맞은 말을 쓰세요.
The following is a summary of the passage. Fill in the blanks with the appropriate words.

오늘은 반 친구들과 엠마 씨의 집에서 ① ( )-(으)ㄹ 겁니다. 저는 아침 일찍 엠마 씨의 집에 가서 알리 씨를 ② ( )-았/었/했습니다. 그런데 알리 씨가 오지 않아서 ③ ( )도 하고 ④ ( )도 보냈습니다. 엠마 씨와 제가 물건을 다 샀을 때 알리 씨가 마트에 ⑤ ( )-았/었/했습니다. 저는 알리 씨가 늦어서 기분이 좋지 않았지만 파티를 ⑥ ( )-(으)니까 말하지 않았습니다.

## 쓰기1

**1** **약속 시간에 늦거나 친구가 약속 시간에 늦어서 기다려 봤습니까? 보기 와 같이 쓰세요**

Have you ever been late to plans or waited for a friend who was late? Write as shown in the example below.

| | 보기 |
|---|---|
| 언제, 누구와 무슨 약속이 있었습니까? | 지난 토요일, 친구와 자전거를 타다 |
| 약속 장소는 어디였습니까?<br>약속 시간은 언제였습니까? | 한강 공원,<br>아침 8시 |
| 누가 약속에 늦었습니까?<br>왜 늦었습니까? | 나<br>오전 2시까지 일하다, 시계 소리를 못 듣다 |
| 그때 어땠습니까? | 친구에게 미안하다 |
| 그래서 어떻게 했습니까? | 친구에게 밥과 커피를 사다 |



**소리** sound

**고맙다** thankful

저는 지난 토요일에 약속 시간에 늦었습니다. 저와 친구는 자전거 타는 것을 좋아해서 우리는 자주 같이 한강에 가서 자전거를 탑니다. 지난 토요일에도 친구와 자전거를 타고 싶어서 약속을 했습니다. 저는 친구에게 "오후에는 사람도 많고 날씨도 더우니까 우리 아침 8시에 만나요."라고 말했습니다.

그런데 발표 준비를 해야 해서 2시까지 잠을 못 자고 일을 했습니다. 늦게까지 일해서 많이 피곤했습니다. 시계 소리를 못 듣고 아침 9시까지 잤습니다. 시계를 보고 친구에게 전화했습니다. 친구는 제가 오지 않아서 걱정하고 저에게 전화도 많이 했습니다. 저는 친구에게 많이 미안했습니다. "정말 미안해요. 늦잠을 잤어요. 지금 갈게요. 조금만 기다려 주세요."라고 말하고 빨리 약속 장소에 갔습니다. 우리는 9시 30분에 만났습니다. 저는 친구에게 "늦어서 미안해요. 다음부터 약속시간에 늦지 않을게요."라고 말했습니다.

우리는 자전거도 타고 밥도 먹고 커피도 마셨습니다. 약속 시간에 늦어서 미안하니까 밥과 커피는 모두 제가 샀습니다. 친구에게 미안하고 고마운 하루였습니다.

| | 나 |
|---|---|
| 언제, 누구와 무슨 약속이 있었습니까? | |
| 약속 장소는 어디였습니까?<br>약속 시간은 언제였습니까? | |
| 누가 약속에 늦었습니까?<br>왜 늦었습니까? | |
| 그때 어땠습니까? | |
| 그래서 어떻게 했습니까? | |

## 쓰기2

❷ **다시 쓰세요.** Write your answer again.

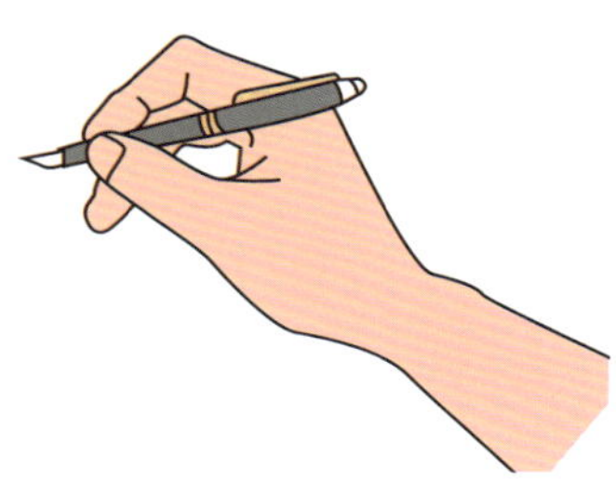

# 활동

**1** **파티 초대장을 만들고 친구를 초대해 보세요.**

Make a party invitation and invite a friend.

**보기**

가: 바타르 씨, 크리스마스에 뭐 해요?
나: 아직 약속이 없어요. 왜요?
가: 우리 집에서 크리스마스 파티를 할 거예요. 바타르 씨도 꼭 오세요.
나: 네, 갈게요. 그런데 언제 해요?
가: 십이월 이십사일에 해요.
나: 몇 시까지 가야 돼요?
가: 저녁 여섯 시까지 오세요.
나: 미안해요. 일이 여섯 시에 끝나니까 여섯 시까지 못 가요.
가: 그럼, 출발할 때 연락해 주세요. 기다릴게요.

| | |
|---|---|
| 날짜와 시간 | ______월 ______일 ______요일 ______시 |
| 장소 | |
| 무슨 파티? | ☐ 생일 파티<br>☐ 크리스마스 파티<br>☐ 시험이 끝났어요! 즐거운 파티<br>☐ 학기가 끝났어요! 재미있는 파티<br>☐ (                    ) |

가: ____________________

나: ____________________

가: ____________________

나: ____________________

가: ____________________

나: ____________________

가: ____________________

나: ____________________

## 인사말 Greetings

**이럴 때는 이렇게 말하면 좋아요.** In situations like this, it's good to say it this way.

친구의 생일에는 친구에게 "생일 축하해요."라고 축하 인사를 하고, 어른에게는 "생신 축하드려요."라고 축하 인사를 합니다. 초대를 받고 방문했을 때는 "초대해 주셔서 감사합니다."라고 감사 인사를 합니다. 주인은 방문객에게는 "어서 오세요."라고 인사를 합니다. 또한 결혼을 하는 사람에게는 "결혼 축하드려요."라고 인사합니다. 결혼식에 온 손님에게 "와 주셔서 감사합니다."라고 인사합니다.

To wish your friends a happy birthday, say, "생일 축하해요." For an elderly person's birthday, say, "생신 축하드려요." When you are invited to visit someone's place, thank them for inviting you by saying, "초대해 주셔서 감사합니다," when you arrive. The host greets their guest with "어서 오세요." To congratulate someone on getting married, you can say, "결혼 축하드려요." To the guest at the wedding, say, "와 주셔서 감사합니다."

# 자기평가

**1** **알맞은 어휘를 쓰세요.** Fill in the blanks with the correct words.

| 도착하다 | 초대하다 | 늦잠을 자다 | 길이 막히다 | 약속하다 |
|---|---|---|---|---|
|  |  |  |  |  |
| 보기 도착했어요. | 1) ________. | 2) ________. | 3) ________. | 4) ________. |

**2** **알맞은 문법을 쓰세요.** Fill in the blanks with the correct grammar point.

| -아/어/해 주세요 | -(으)ㄹ게요[1] | -아/어/해야 되다 | 못 |
|---|---|---|---|

1) 가: 선생님, 언제까지 발표를 (                    )?
   나: 다음 주까지 써서 주세요.
2) 가: 내일은 지각하지 마세요.
   나: 네, 선생님. 죄송합니다. 내일은 (                    ).
3) 가: 어제 왜 학교에 안 왔어요?
   나: 머리가 너무 아파서 (                    ).
4) 가: 손님, 여기에서 드실 거예요?
   나: 아니요, 집에서 먹을 거예요. (                    ).

**다음 질문에 답하세요.** Answer the following questions.

| | | | | | |
|---|---|---|---|---|---|
| 1 | 다른 사람을 초대하거나 초대에 응할 수 있다.<br>I can give invitations to others or respond to invitations. | 네 | ☐ | 아니요 | ☐ |
| 2 | 약속에 늦은 이유를 말할 수 있다.<br>I can explain the reasons for being late. | 네 | ☐ | 아니요 | ☐ |
| 3 | 해야 하는 일에 대해 말할 수 있다.<br>I can talk about things I need to do. | 네 | ☐ | 아니요 | ☐ |

모범 답안
1. 1) 길이 막혔어요 2) 초대했어요 3) 늦잠을 잤어요 4) 약속했어요
2. 1) 써야 돼요 2) 지각하지 않을게요/지각 안 할게요 3) 못 왔어요 4) 포장해 주세요

## 어휘 확인

| 파티 | | | |
|---|---|---|---|
| □ 연락을 받다 | □ 초대(를) 하다 | □ 초대를 받다 | □ 약속(을) 하다 |
| □ 파티를 준비하다 | □ 선물을 준비하다 | □ 축하(를) 하다 | □ 선물을 주다 |
| □ 선물을 받다 | | | |

| 약속 | | | |
|---|---|---|---|
| □ 약속이 없다 | □ 약속이 있다 | □ 약속 장소 | □ 약속 시간 |
| □ 늦잠을 자다 | □ 버스를 놓치다 | □ 길이 막히다 | □ 늦게 오다 |

| 문법 | 듣기 | 말하기 | 읽기 | 쓰기 |
|---|---|---|---|---|
| □ 포장(을) 하다<br>□ 놓다 | □ 준비(를) 하다<br>□ 들다<br>□ 결혼(을) 하다<br>□ 결혼식<br>□ 마지막<br>□ 부탁(을) 하다 | □ 주소<br>□ *광진구 능동로 120<br>□ 지도<br>□ 확인(을) 하다 | □ 일시<br>□ 함께하다<br>□ 녹색<br>□ 초대장<br>□ *돈을 찾다 | □ 소리<br>□ 고맙다 |

| 워크북 |
|---|
| □ 여권<br>□ 보이다<br>□ 끄다<br>□ *조용히 하다<br>□ 켜다<br>□ 계산(을) 하다<br>□ *전화가 오다<br>□ *전화를 받다<br>□ 지각(을) 하다<br>□ 식사(를) 하다 |

# 15과 공공장소

학습 목표

공공장소에서 지켜야 하는 예절에 대해 말할 수 있다.
허락을 구하거나 허락할 수 있다.
명령하거나 금지할 수 있다.

첫째 날
DAY 1

| | |
|---|---|
| 어휘1 | 공공장소, 동사3 |
| 문법 및 표현 | –아/어/해도 되다, –(으)면 안 되다 |
| 듣기 | 교실에서 허락을 구하고 금지하는 대화 듣기<br>공연장 안내 방송 듣기 |
| 말하기 | 공공장소 예절 묻고 답하기 |

둘째 날
DAY 2

| | |
|---|---|
| 어휘2 | 동사4, 받침ㄹ |
| 문법 및 표현 | –(으)십시오, ㄹ 탈락 |
| 읽기 | 여행 예절 안내 책자 읽고 내용 파악하기<br>기숙사 안내문 읽고 내용 파악하기<br>학교 생활 안내문 읽고 내용 파악하기 |
| 쓰기 | 지금 살고 있는 곳의 규칙 쓰기 |
| 활동 | 공공장소에서 지켜야 할 예절 포스터 만들기 |
| 문화 | 공공장소 예절 |

## 어휘1 공공장소 Public Places

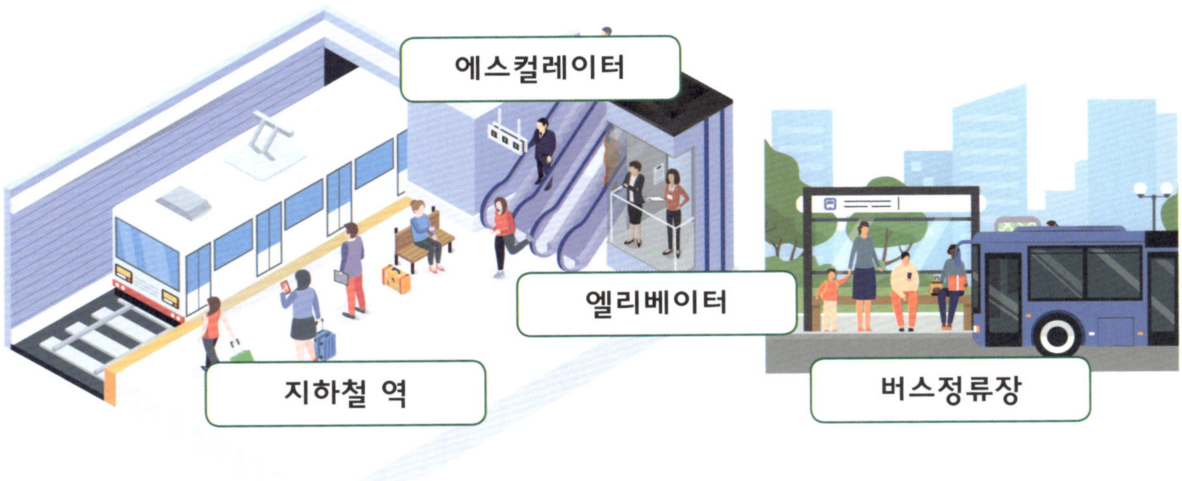


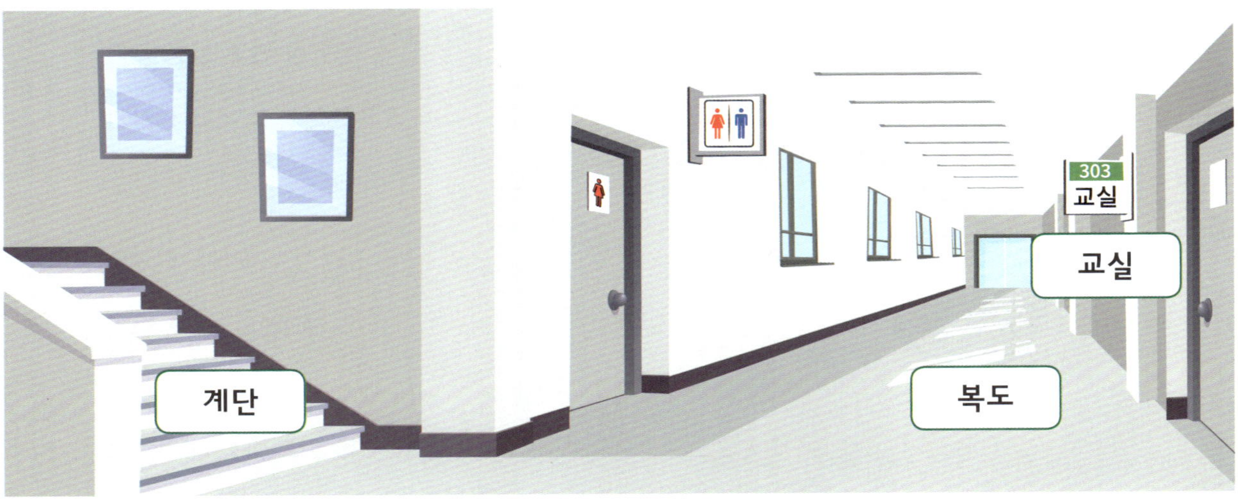

| 새 단어 New word | |
|---|---|
| | 에스컬레이터 escalator 엘리베이터 elevator 지하철역 subway station 버스정류장 bus stop 계단 stairs |
| | 화장실 restroom 복도 Hallway 교실 classroom 공연장 theater 박물관 museum 미술관 art gallery |

## 어휘 1 동사³ Verbs³

**연습 ①** 보기 와 같이 그림을 가리키며 말해 보세요.

Point to the picture and say the sentences as shown in the example below.

보기

| 새 단어 New word | 담배를 피우다 to smoke cigarettes　쓰레기를 버리다 to litter　싸우다 to fight　줄을 서다 to stand in line<br>침을 뱉다 to spit　떠들다 noisy　신발을 벗다 to take off one's shoes　만지다 to touch　뛰다 to run<br>일어나다 to stand up |
|---|---|

# 문법 및 표현1 -아/어/해도 되다

☞ 워크북 62~63쪽

## 연습 ❶ 보기와 같이 이야기해 보세요.

Have a conversation as shown in the example below.

충전(을) 하다 to charge
들어가다 to enter

보기

가: 핸드폰을 충전해도 돼요?
나: 네, 충전하셔도 돼요.

1) 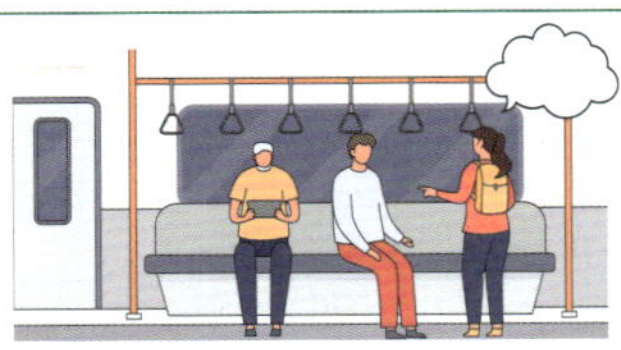
앉다

2) 
마시다

3) 
들어가다

## 연습 ❷ 친구와 이야기해 보세요. Have a conversation with your friend.

| | |
|---|---|
| 친구에게 | 1) 친구의 사진을 찍고 싶어요. |
| | 2) 친구 집에 놀러 가고 싶어요. |
| | 3) 친구가 재미있는 동영상을 봐서 같이 보고 싶어요. |
| 선생님께 | 4) 수업 시간에 화장실에 가고 싶어요. |
| | 5) 교실이 더워요. 에어컨을 켜고 싶어요. |
| | 6) 발표를 안 하고 싶어요. |
| 부모님께 | 7) 방학에 아르바이트를 하고 싶어요. |
| | 8) 방학에 고향에 안 가고 싶어요. |

## 연습 ❸ 보기와 같이 이야기해 보세요. Have a conversation as shown in the example below.

보기

가: 앉아 봐도 돼요?
나: 한번 앉아 보세요. 어떠세요?
가: 편해요.

1) 

2) 

3) 

4) 

## 문법 및 표현2 -(으)면 안 되다

☞ 워크북 64~65쪽

**연습 1** **176쪽을 보세요. 어디에서 무엇을 하면 안 돼요? 보기와 같이 이야기해 보세요.**
Look at p. 176. What should you not do in certain places? Have a conversation as shown in the example below.

보기

가: 에스컬레이터에서 무엇을 하면 안 돼요?
나: 에스컬레이터에서 뛰면 안 돼요.

**연습 2** **친구와 이야기해 보세요.** Have a conversation with your friend.

1) 아플 때 뭘 하면 안 돼요?
2) 운전할 때 뭘 하면 안 돼요?
3) 시험 볼 때 뭘 하면 안 돼요?
4) OO 씨 방에서 뭘 하면 안 돼요?
5) 18살이에요. OO 씨 나라에서 뭘 하면 안 돼요?

**연습 3** **보기와 같이 이야기해 보세요.** Ask a favor as shown in the example below.

보기 닫다

가: OO 씨, 추우니까 창문 좀 닫아 주면 안 돼요?
나: 네, 닫아 줄게요.

1)

켜다

2)

빌리다

3)

사다

4)

읽다

## 듣기1

**확인** **잘 듣고 질문에 답하세요.** Listen carefully and answer the questions. T60

*죄송합니다
*I'm sorry.

1. 맞으면 O, 틀리면 X 하세요. Mark an O if the statement is true, and X if it is false.

① 밍은 책을 안 가져왔습니다. ( O X )
② 오늘은 15과를 공부할 겁니다. ( O X )

2. 맞는 것을 고르세요. Choose the correct statement.

① 하루나는 밍 옆에 앉아도 됩니다.
② 밍은 쉬는 시간에 사진을 찍었습니다.
③ 수업 시간에 화장실에 가면 안 됩니다.
④ 수업 시간에 사진을 찍을 수 있습니다.

**발음** **잘 듣고 따라 하세요.** Listen carefully and repeat. T59

| | | |
|---|---|---|
| 1 | 받침 ㅁ, ㅇ + ㄹ<br>ㄴ [ㄴ] | 음료수 [음뇨수], 음력 [음녁]<br>정류장 [정뉴장], 종로 [종노], 강릉 [강능] |
| 2 | 저는 물보다 **음료수**를 더 많이 마셔요. | |
| 3 | **음력** 1월 1일은 설날이에요. | |
| 4 | 버스**정류장**에서 담배를 피우지 마세요. | |
| 5 | 경복궁은 **종로**에 있어요. | |
| 6 | 바다를 보러 **강릉**에 가고 싶어요. | |

## 듣기2

**확인** 잘 듣고 질문에 답하세요. Listen carefully and answer the questions. T61

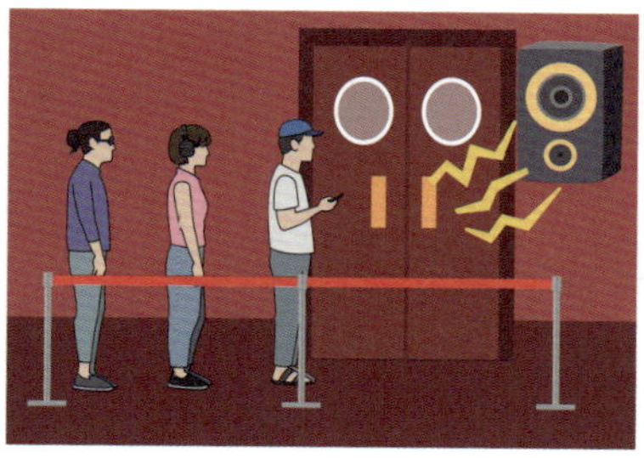

| | |
|---|---|
| **안내** notice; guide | **시작(을) 하다** to start |
| ***말씀 드리다** *to speak | **가지다** to bring |
| **잠시** a while | **자리** Seat |
| **배우** actor | |

**1** 맞으면 O, 틀리면 X 하세요. Mark an O if the statement is true, and X if it is false.

① 공연장 안에서 음식을 먹어도 됩니다. ( O X )

② 공연장 안에서 음료수를 마셔도 됩니다. ( O X )

**2** 맞는 것을 고르세요. Choose the correct statement.

① 공연을 볼 때 사진을 찍어도 됩니다.

② 공연을 볼 때 자리에서 일어나면 안 됩니다.

③ 공연장 안에 음식을 가지고 들어가도 됩니다.

④ 공연이 끝나고 배우들과 같이 사진을 못 찍습니다.

---

**받아쓰기** 잘 듣고 쓰세요. Listen carefully and write. T62

1

2

3

4

5

## 말하기1

**연습 ①** 보기 와 같이 친구와 대화를 만드세요.
Create a conversation with a friend as shown in the example below.

보기

가: 저기요, 여기에서 담배를 피우시면 안 돼요.
나: 죄송합니다. 그럼 저기에서는 피워도 돼요?
가: 네, 저기에서는 피워도 돼요.
나: 네, 알겠습니다.

보기

1)

2)

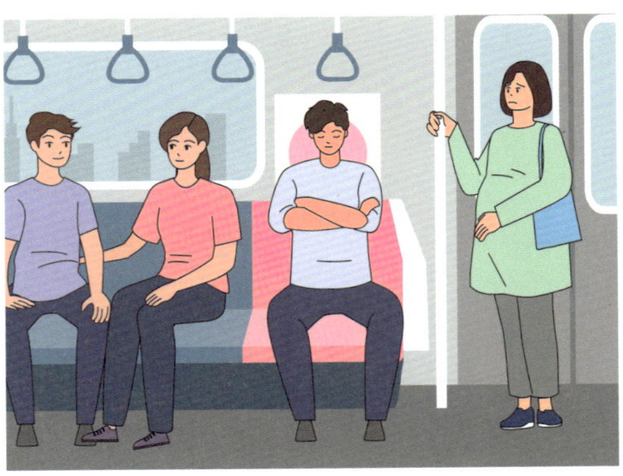

3)

## 말하기2

**연습 ①** 보기 와 같이 이야기하세요.

Have a conversation as shown in the example below.

보기

가: 교실에서 자도 돼요?
나: 네, 쉬는 시간에 자도 돼요. 그렇지만 수업 시간에는 자면 안 돼요.
가: 복도에서 뛰어도 돼요?
나: 아니요, 복도에서 뛰면 안 돼요.
...

가: ........................................

나: ........................................

가: ........................................

나: ........................................

가: ........................................

나: ........................................

가: ........................................

나: ........................................

## 어휘2 동사[4] Verbs[4]

들어가다

들어오다

나가다

나오다

올라가다

올라오다

내려가다

내려오다

당기다

밀다

### 연습 ❶ 보기 와 같이 이야기해 보세요.

Have a conversation as shown in the example below.

보기

밀어도 돼요?

네, 밀어도 돼요./
아니요, 밀면 안 돼요.

| 새 단어 New word | |
|---|---|
| | 들어가다 to enter　들어오다 to come in　나가다 to go out　나오다 to come out　올라가다 to go up |
| | 올라오다 to come up　내려가다 to go down　내려오다 to come down　당기다 to pull　밀다 to push |

## 어휘2 받침ㄹ 단어와 표현

Words and expressions with the final consonant "ㄹ"

| | | | |
|---|---|---|---|
|  |  |  |  |
| 살다 | 울다 | 알다 | 만들다 |
|  |  |  |  |
| 팔다 | 열다 | 밀다 | 떠들다 |
|  |  |  |  |
| 길다 | 멀다 | 달다 | 힘들다 |
|  |  |  |  |
| 마음에 들다 | 바람이 불다 | 전화를 걸다 | 코를 풀다 |

**연습 ②** 보기 와 같이 이야기해 보세요.

Have a conversation as shown in the example below.

보기

바람이 불어요?

네, 바람이 불어요.

| 새 단어 New word | |
|---|---|
| | **울다** to cry **전화를 걸다** to make a phone call **코를 풀다** to blow one's nose |

## 문법 및 표현3 -(으)십시오

☞ 워크북 66~67쪽

**연습 ①** 보기 와 같이 이야기해 보세요. Have a conversation as shown in the example below.

> 보기
> 가: 어디에서 담배를 피워야 합니까? (밖)
> 나: 밖에서 피우십시오.

1) 쓰레기를 어디에 버려야 합니까? (쓰레기통)
2) 어디에 이름을 써야 합니까? (여기)
3) 얼마나 기다려야 합니까? (잠시)
4) 명동에 어떻게 가야 합니까? (지하철)
5) 어디에 앉아야 합니까? (자리)

**연습 ②** 보기 와 같이 이야기해 보세요. Have a conversation as shown in the example below.

> 보기
> 가: 사진을 찍어도 됩니까?
> 나: 사진을 찍으면 안 됩니다. 사진을 찍지 마십시오.

1) 
2) 
3) 
4) 
5) 
6) 
7) 
8) 

## 문법 및 표현4 ㄹ 탈락

☞ 워크북 68~69쪽

**연습 ❶** 무슨 말을 하는지 맞혀 보십시오. Guess what they are saying.

1) 문을 ________-(으)ㄹ 수 없어요.

________-(으)세요.

2) 지금 선생님께 전화를 ________-아/어/해도 돼요?

아니요, 늦었으니까 ________-(으)면 안 돼요.

3) 창문을 ________-(으)니까 시원해요.

**연습 ❷** 친구와 이야기해 보십시오. Have a conversation with your friend.

1) 오늘 바람이 붑니까?

2) 학교 근처에 살면 왜 좋습니까?

3) 슬픈 영화를 보면 우십니까?

4) 학교 근처에 있는 맛집을 아세요?

5) 한국 생활이 힘들지요? 힘들 때 어떻게 해요?

6) 단 걸 좋아하세요? 뭘 좋아하세요?

7) 눈사람을 만들어 봤어요? 어땠어요?

8) 집에서 학교까지 멀어요? 얼마나 걸려요?

9) 편의점에서 팔지 않는 것이 뭐예요?

10) 한국에서 어디에 놀러 가고 싶어요?

11) 학교가 마음에 드세요? 뭐가 제일 마음에 드세요?

12) 긴 바지가 좋아요? 짧은 바지가 좋아요?

# 읽기 1

**1** 다음을 읽고 질문에 답하십시오. Read the following and answer the questions.

## 모두가 즐거운 여행

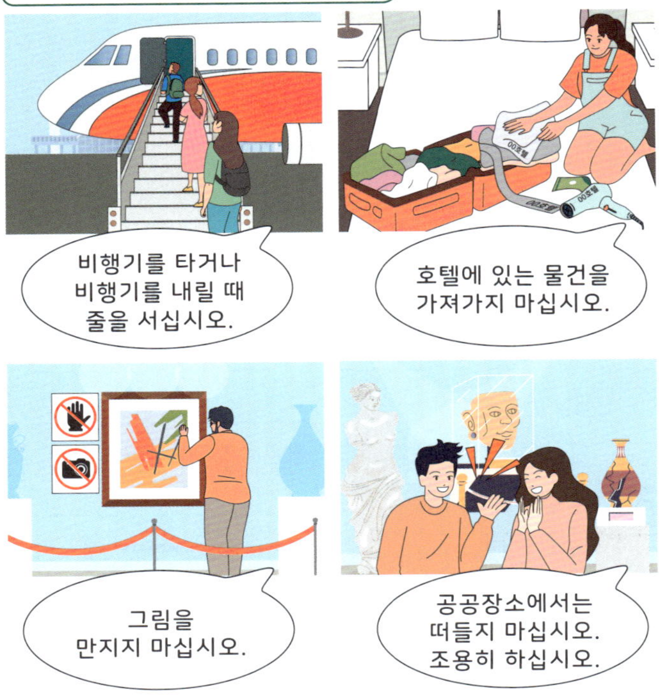


1) 비행기를 타거나 비행기에서 내릴 때 어떻게 해야 합니까?

2) 호텔의 물건을 집에 가져가도 됩니까?

3) 공공장소에서 어떻게 해야 합니까?

4) 미술관에서 무엇을 하면 안 됩니까?

**내리다** to get off (transportation) **호텔** hotel

**2** 다음을 읽고 질문에 답하십시오. Read the following and answer the questions.

### 기숙사 생활 안내

1. 기숙사는 매일 오전 5시에 문을 열고 다음 날 오전 1시에 문을 닫습니다. 늦게 들어오지 마십시오.
2. 기숙사 카드는 항상 가지고 다니십시오. 기숙사에 들어가거나 식당에서 식사할 때 필요합니다.
3. 다른 기숙사에 들어가지 마십시오.
4. 기숙사 방에서 요리하면 안 됩니다. 또 술을 마시거나 담배를 피울 수 없습니다.

1) 기숙사 카드는 언제 필요합니까?

2) 맞는 것을 고르십시오.

① 다른 기숙사에 들어가도 됩니다.
② 기숙사에서는 술을 마셔도 됩니다.
③ 기숙사에서는 요리를 못 합니다.
④ 기숙사에 밤 열두 시까지 들어가야 합니다.

## 읽기2

**1** 다음을 읽고 질문에 답하십시오. Read the following and answer the questions.

### 학교 생활 안내

1. 수업 시간에 지각하면 안 됩니다. 3번 지각하는 것은 1번 결석하는 것과 같습니다. 11번 이상 결석하면 2급에 못 갑니다.
2. 교실에서 친구와 이야기할 때에는 한국어만 사용하십시오.
3. 수업 시간에 핸드폰을 사용하면 안 됩니다.
4. 교실에서 음식을 먹지 마십시오. 음료수는 마셔도 됩니다.
5. 교실에 쓰레기를 버리지 마십시오. 쓰레기는 쓰레기통에 버리십시오.
6. 언어교육원 건물 안에서 담배를 피우지 마십시오.
7. 화장실에 침을 뱉지 마십시오.
8. 복도에서 뛰거나 떠들지 마십시오.

**결석(을) 하다** to be absent　**같다** same　**N 이상** more than N　**건물** building

1) 이곳은 어디입니까? Where is this place?

2) 맞으면 O, 틀리면 X 하십시오. Mark an O if the statement is true, and X if it is false.

① 교실에서 한국어만 사용해야 합니다. ( O　X )

② 언어교육원 안에서는 담배를 피울 수 없습니다. ( O　X )

3) 윗글의 내용과 같은 것을 고르십시오. Choose the correct statement.

① 교실에서 음식을 먹어도 됩니다.　② 네 번 지각은 결석 한 번과 같습니다.

③ 열 번 결석하면 2급에 갈 수 없습니다.　④ 수업 시간에 핸드폰을 사용할 수 없습니다.

4) 다음은 윗글을 요약한 것입니다. 빈칸에 알맞은 말을 쓰십시오.
The following is a summary of the passage. Fill in the blanks with the appropriate words.

수업 시간에 ① (　　　　　　)-하면 안 됩니다. 그리고 결석을 많이 하면 2급에 ② (　　　　　　)-(으)ㄹ 수 없습니다. 또 교실에서 친구와 이야기할 때에는 한국어만 ③ (　　　　　　)-아/어/해야 합니다. 그리고 교실에서 음식을 ④ (　　　　　　) -(으)면 안 되지만 음료수는 ⑤ (　　　　　　)-아/어/해도 됩니다. 쓰레기는 쓰레기통에 버리고 담배는 건물 밖에서 ⑥ (　　　　　　)-아/어/해야 합니다. 화장실에 ⑦ (　　　　　　)-(으)면 안 됩니다. 복도에서 뛰거나 ⑧ (　　　　　　)-(으)면 안 됩니다.

## 쓰기1

**1** 보기 와 같이 자신이 살고 있는 곳의 규칙을 쓰십시오.
Write the rules of the place you live as shown in the example below.

| | 보기 |
|---|---|
| 지금 어디에서 삽니까? | 고시원 |
| 누구와 삽니까? | 혼자 |
| 그곳에서 무엇을 하면 안 됩니까? | 담배를 피우다, 요리하다, 떠들다<br>여자 방에 남자가 들어오다<br>친구가 놀러 오다 |
| 그곳에서 무엇을 해도 됩니까? | 밥, 김치, 라면을 먹다<br>와이파이를 사용하다 |
| 그곳에서 사는 것이 어떻습니까? | 불편할 때도 있지만 싸고 가까워서 마음에 들다 |

**고시원** gosiwon
**와이파이** Wi-Fi
**부엌** kitchen
**내다** to pay
**가격** price

저는 지금 학교 근처에 있는 고시원에서 혼자 삽니다. 고시원에서는 하면 안 되는 것이 많아서 조금 불편합니다. 방 안에서 담배를 피우거나 요리를 하면 안 됩니다. 그리고 옆 방이 가까우니까 떠들면 안됩니다. 조용히 해야 합니다. 남자 방은 2층에 있고, 여자 방은 3층에 있습니다. 그래서 남자들은 3층에 올라오면 안 되고 여자들은 2층에 내려가면 안 됩니다. 그리고 친구가 방에 놀러 올 수 없습니다.

고시원에 살면 좋은 것도 있습니다. 고시원에는 다른 사람들과 같이 사용할 수 있는 부엌이 있습니다. 방 안에서는 요리를 못 하지만 부엌에서는 요리를 해도 됩니다. 그리고 부엌에 있는 밥과 김치와 라면을 먹어도 됩니다. 고시원에서 제일 좋은 것은 와이파이입니다. 돈을 안 내고 와이파이를 사용할 수 있습니다.

고시원에서 사는 것이 불편할 때도 있지만 가격이 싸고 학교와 가까워서 저는 고시원에 사는 것이 마음에 듭니다. 여러분도 고시원에서 살고 싶으면 우리 고시원에 오십시오.

| | 나 |
|---|---|
| 지금 어디에서 삽니까? | |
| 누구와 삽니까? | |
| 그곳에서 무엇을 하면 안 됩니까? | |
| 그곳에서 무엇을 해도 됩니까? | |
| 그곳에서 사는 것이 어떻습니까? | |

## 쓰기2

❷ **다시 쓰십시오.** Write your answer again.

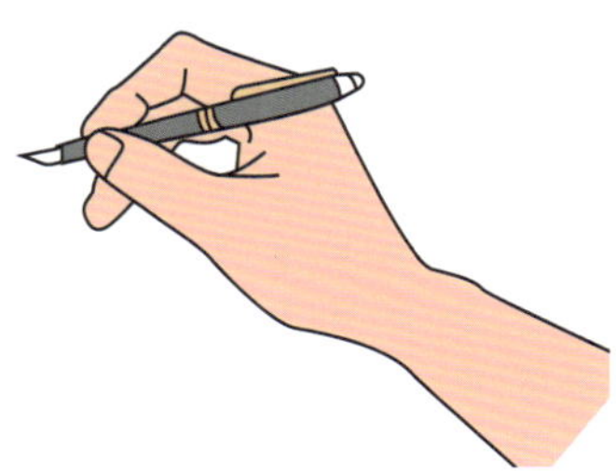

## 활동

**1** 공공장소에서 뭘 하면 안 됩니까? 재미있는 포스터를 만드십시오.

What should you not do in public places? Create an interesting poster.

1) • 공공장소를 정하십시오.

Please choose a public place.

2) • 무엇을 하면 안 됩니까? 친구와 이야기하십시오.

What can't I do? Have a conversation with your friend.

3) • 포스터를 만드십시오.

Please create a poster.

핸드폰을 보지 마십시오.

## 공공장소 예절 Etiquette in Public Places

**한국에서는 버스나 지하철을 탈 때 공공예절을 지켜야 합니다.**

In Korea, when riding the bus or subway, you should observe public etiquette.

한국에서는 버스나 지하철을 탈 때 공공예절을 지켜야 합니다. 지하철에 있는 핑크색 자리는 임산부석이므로 임산부에게 자리를 양보해야 합니다. 또 나이가 많은 할아버지나 할머니께 자리를 양보해야 합니다. 큰 가방은 앞으로 매야 하고 지하철이나 버스를 탈 때 음식을 가지고 타면 안 됩니다.

In Korea, when riding the bus or subway, you should observe public etiquette. Pink seats on the subway are reserved for pregnant women. You should also offer your seat to elderly people. Large bags should be carried in front of you, and you should not bring food onto the subway or bus.

**여러분의 나라에서는 버스나 지하철을 탈 때 어떤 예절을 지켜야 합니까?**

What etiquette should be observed on public transportation in your country?

## 자기평가

### 1 알맞은 어휘를 쓰세요. Fill in the blanks with the correct words.

| 담배를 피우다 | 침을 뱉다 | 나가다 | 들어오다 | 줄을 서다 |
|---|---|---|---|---|
|  |  |  |  |  |
| 보기 담배를 피워요. | 1) ________. | 2) ________. | 3) ________. | 4) ________. |

### 2 알맞은 어휘를 쓰세요. Fill in the blanks with the correct words.

| 밀다 | 떠들다 | 힘들다 | 마음에 들다 |
|---|---|---|---|

1) 문을 (                    )-(으)십시오.
2) 공공장소에서 (                    )-(으)면 안 됩니다.
3) 가: 한국 생활이 제일 (                    )-(으)ㄹ 때가 언제예요?
   나: 아플 때예요.
4) 가: 선물이 (                    )-(으)세요?
   나: 네, 고마워요.

### 3 알맞은 문법을 쓰세요. Fill in the blanks with the correct grammar point.

| -아/어/해도 되다 | -(으)면 안 되다 | -(으)십시오, -지 마십시오 |
|---|---|---|

1) 가: 여기에 쓰레기를 버려도 돼요?
   나: 아니요, (                    ). 저기에 있는 쓰레기통에 버리세요.
2) 가: 교실에서 음식을 (                    )?
   나: 아니요, 교실에서 음식을 먹으면 안 돼요.
3) 공연을 시작합니다. 핸드폰을 (                    ).

### 다음 질문에 답하세요. Answer the following questions.

| | | | | | |
|---|---|---|---|---|---|
| 1 | 공공장소에서 지켜야 하는 예절에 대해 말할 수 있다.<br>I can talk about etiquette in public places. | 네 | ☐ | 아니요 | ☐ |
| 2 | 허락을 구하거나 허락할 수 있다.<br>I can ask for or give permission. | 네 | ☐ | 아니요 | ☐ |
| 3 | 명령하거나 금지할 수 있다.<br>I can give commands or prohibit actions. | 네 | ☐ | 아니요 | ☐ |

모범 답안
1. 1) 나가요 2) 줄을 서요 3) 들어와요 4) 침을 뱉어요
2. 1) 미십시오 2) 떠들면 3) 힘들 4) 마음에 드셨어요
3. 1) 버리면 안 돼요 2) 먹어도 돼요 3) 끄십시오/꺼 주십시오/보지 마십시오

## 어휘 확인

| 공공장소 | | | |
|---|---|---|---|
| □ 에스컬레이터 | □ 엘리베이터 | □ 지하철역 | □ 버스 정류장 |
| □ 계단 | □ 복도 | □ 공연장 | |

| 동사3 | | | |
|---|---|---|---|
| □ 담배를 피우다 | □ 쓰레기를 버리다 | □ 싸우다 | □ 줄을 서다 |
| □ 침을 뱉다 | □ 떠들다 | □ 신발을 벗다 | □ 만지다 |
| □ 뛰다 | □ 일어나다 | | |

| 동사4 | | | |
|---|---|---|---|
| □ 들어오다 | □ 나가다 | □ 나오다 | □ 올라가다 |
| □ 올라오다 | □ 내려가다 | □ 내려오다 | □ 당기다 |
| □ 밀다 | | | |

| 받침 ㄹ | | | |
|---|---|---|---|
| □ 울다 | □ *전화를 걸다 | □ *코를 풀다 | |

| 문법 | 듣기 | | 읽기 | |
|---|---|---|---|---|
| □ 충전(을) 하다<br>□ 들어가다 | □ *죄송합니다 | □ 안내<br>□ *말씀 드리다<br>□ 잠시<br>□ 시작(을) 하다<br>□ 가지다<br>□ 자리<br>□ 배우 | □ 내리다<br>□ 호텔 | □ 결석(을) 하다<br>□ 같다<br>□ N 이상<br>□ 건물 |

| 쓰기 |
|---|
| □ 고시원<br>□ 와이파이<br>□ 부엌<br>□ 내다<br>□ 가격 |

# 부록

- 모범 답안
- 찾아보기

# 모범 답안

## 8과

**26쪽**

**듣기 ❶** 1) ④
2) ① X ② X

**27쪽**

**듣기 ❷** 1) ① O ② X
2) ④

**27쪽**

**받아쓰기**
❶ 비빔밥이 만 천 원이에요.
❷ 물이 한 병에 천삼백 원이에요.
❸ 오늘 커피를 몇 잔 마셨어요?
❹ 가족이랑 고향 친구들이 보고 싶어요.
❺ 삼겹살 이 인분이랑 냉면 한 그릇 주세요.

**34쪽**

**읽기 ❶**
1) 코트하고 점퍼하고 구두하고 선글라스를 팔아요.
2) 제일 비싼 것은 코트예요. 769,000원이에요.
3) 제일 싼 것은 점퍼예요. 54,000원이에요.
4) 한국백화점이 건국백화점보다 더 싸요./
건국백화점보다 한국백화점이 더 싸요.
5) 건국백화점이 한국백화점보다 더 싸요./
한국백화점보다 건국백화점이 더 싸요.

**읽기 ❷** 1) ② 2) ②

**35쪽**

**읽기 ❷**
1) ☑ 쇼핑
2)

| 물건 | 모자 | 290 사이즈 운동화 |
|---|---|---|
| 얼마예요? | 50,000원 | 200,000원 |
| 어땠어요? | 마음에 들었어요. | 조금 컸어요. |

3) ②
4) ① 모자 ② 들었지만 ③ 컸어요
④ 작은 ⑤ 크지 않아서 ⑥ 운동화

## 9과

**48쪽**

**듣기 ❶** 1) (밍 씨는) 머리가 아파요.
2) ① O ② X ③ X

**49쪽**

**듣기 ❷** 1) ④
2) ① X ② O

**49쪽**

**받아쓰기**
❶ 무릎을 다쳤어요.
❷ 많이 아프면 병원에 가세요.
❸ 수업 시간에 핸드폰을 보지 마세요.
❹ 바쁘지 않으면 제 생일 파티에 오세요.
❺ 한국어를 잘하고 싶으면 한국 친구를 사귀세요.

**56쪽**

**읽기 ❶**
❶ 1) (환자는 요즘) 잠을 잘 수 없어요.
2) (환자는) 자고 싶지만 잠이 안 와요.
아침부터 저녁까지 너무 피곤해요.
3) 운동을 하세요.
오후에 커피를 마시지 마세요.
침대에서 핸드폰을 보지 마세요.

❷ 1) (크리스틴은) 병원에 가고 싶어요.
2) ②

**57쪽**

**읽기 ❷**
1) ☑ 병원
2)

| 어디가 어떻게 아파요? | 의사가 무엇을 말했어요? | 약사가 무엇을 말했어요? |
|---|---|---|
| • 머리가 아파요.<br>• 콧물도 나고 열도 나요. | • 주사를 맞으세요.<br>• 내일도 아프면 다시 병원에 오세요. | • 밥을 먹고 약을 드세요.<br>• 물을 많이 마시고 집에서 푹 쉬세요. |

3) ③
4) ① 얇은 ② 콧물도 나고 ③ 열도 났어요
④ 갈 수 없었어요 ⑤ 맞고
⑥ 약을 먹었어요 ⑦ 슬펐어요

# 모범 답안

## 10과

**70쪽**

**듣기 ❶** 1) 지하철을 타고 가요.
2) ①

**71쪽**

**듣기 ❷** 1) ④
2) ① O ② X

**71쪽**

**받아쓰기**

| | | | | | | | | | | | | | | | |
|---|---|---|---|---|---|---|---|---|---|---|---|---|---|---|---|
| ❶ | 학 | 교 | 에 | | 지 | 하 | 철 | 을 | | 타 | 고 | | 와 | 요. | |
| ❷ | 명 | 동 | 에 | | 쇼 | 핑 | 하 | 러 | | 갈 | 까 | 요 | ? | | |
| ❸ | 한 | 복 | 을 | | 입 | 어 | | 봤 | 어 | 요 | ? | | | | |
| ❹ | 아 | 르 | 바 | 이 | 트 | 를 | | 안 | | 해 | | 봤 | 어 | 요. | |
| ❺ | 한 | 국 | 에 | | 공 | 부 | 하 | 러 | | 왔 | 어 | 요. | | | |

**78쪽**

**읽기 ❶**

❶ 1) 칠월 십구일이에요.
2) (방학을 하면) 제주도에 여행을 갈 거예요.
3) (여행을 가서) 바다에서 수영할 거예요.
삼겹살을 먹을 거예요.
등산할 거예요. / 귤을 살 거예요. / 선물을 살 거예요.
4) (홍대에서) 알리를 만나서 같이 놀 거예요.

❷ 1) 엠마가 조세핀 씨에게 썼어요. 2) ④

**79쪽**

**읽기 ❷** 1) ☑ 여행

2)

| | |
|---|---|
| 한옥마을 | 한복을 빌려서 입을 거예요. |
| | 한옥마을을 구경할 거예요. |
| | 산책도 하고 사진도 찍을 거예요. |
| 시장 | 비빔밥을 먹을 거예요. |
| 한옥 | 잘 거예요. |
| 전통 술 박물관 | 막걸리를 만들 거예요. |

3) ④

4) ① 만나러 ② 기차를 ③ 도착해서
④ 입고 ⑤ 찍을 ⑥ 잘 ⑦ 만들러

## 11과

**92쪽**

**듣기 ❶** 1) (주원은) 농구를 할 수 있고 보드를 탈 수 있어요.
2) ①

**93쪽**

**듣기 ❷** 1) ④
2) ④

**93쪽**

**받아쓰기**

| | | | | | | | | | | | | | | | |
|---|---|---|---|---|---|---|---|---|---|---|---|---|---|---|---|
| ❶ | 제 | | 취 | 미 | 는 | | 등 | 산 | 이 | 데 | 요. | | | | |
| ❷ | 보 | 드 | 가 | | 재 | 미 | 있 | 으 | 니 | 까 | | 한 | 번 | | 타 |
| | 보 | 세 | 요. | | | | | | | | | | | | |
| ❸ | 잠 | 이 | | 안 | | 오 | 면 | | 책 | 을 | | 읽 | 어 | | 보 |
| | 세 | 요. | | | | | | | | | | | | | |
| ❹ | 시 | 간 | 이 | | 있 | 으 | 면 | | 수 | 영 | 하 | 거 | 나 | | 배 |
| | 드 | 민 | 턴 | 을 | | 쳐 | 요. | | | | | | | | |
| ❺ | 바 | 다 | 에 | | 가 | 서 | | 사 | 진 | 을 | | 찍 | 거 | 나 | |
| | 산 | 책 | 하 | 고 | | 싶 | 어 | 요. | | | | | | | |

**100쪽**

**읽기 ❶**

❶ 1) (이 모임의 사람들은) 걷는 것을 좋아해요.
2) 건대입구 역 2번 출구 앞에서 만날 거예요.
3) 평일 오후 7시에 만날 거예요.
4) 운동복을 입거나 편한 옷을 입고 가요.
5) (함께 걷고 싶으면) 전화하세요.

❷ 1) (한국 사람들은) 등산을 하는 것을 좋아해요.
2) ③

**101쪽**

**읽기 ❷** 1) ②
2) ① X ② O
3) ①
4) ① 듣거나 ② 춤을 ③ 들었어요 ④ 많이 했어요
⑤ 춤추는 ⑥ 배우고 싶어서 ⑦ 댄스 학원 ⑧ 댄스 팀을

# 모범 답안

## 12과

**114쪽**

**듣기 ❶** 1) (서울은) 맑지만 (영하 5도여서) 추워요.
2) ①

**115쪽**

**듣기 ❷** 1) ③
2) ① O ② X

**115쪽**

**받아쓰기**

❶ 오늘 날씨가 맑고 좋지요?
❷ 어제는 오늘보다 더 추웠지요?
❸ 날씨가 더울 때는 물을 많이 드세요.
❹ 기분이 좋지 않을 때 초콜릿을 먹어요.
❺ 음악을 들을 때 행복해요.

**122쪽**

**읽기 ❶**

❶ 1) 맑은 하늘 사진입니다.
2) 오늘은 맑습니다.
바람도 불어서 덥지 않고 시원합니다.
3) 보드를 타러 공원에 갈 겁니다.
4) (루카스는 조세핀하고 같이) 보드를 타고 싶습니다.

❷ 1) (내일 아침에는) 오늘보다 많이 춥겠습니다.
2) ④

**123쪽**

**읽기 ❷** 1) ①

| 계절 | 언제 | 날씨 | 무엇을 합니까? |
|---|---|---|---|
| 봄 | 3월 ~ 5월 | 따뜻합니다. | 공원에 소풍을 가거나 꽃을 구경하러 갑니다. |
| 여름 | 6월 ~ 8월 | 덥고 비가 자주 옵니다. | 휴가를 갑니다. |
| 가을 | 9월 ~ 11월 | 맑고 바람이 붑니다. | 단풍을 구경하러 산에 많이 갑니다. |
| 겨울 | 12월 ~ 2월 | 춥고 눈도 많이 옵니다. | 스키장에 놀러 갑니다. |

3) ③
4) ① 봄 ② 가을 ③ 꽃이 피어서 ④ 비가 옵니다
⑤ 휴가를 갑니다 ⑥ 단풍을 ⑦ 눈이 (많이) 오면

## 13과

**136쪽**

**듣기 ❶** 1) ☑ 할아버지 ☑ 아버지 ☑ 어머니 ☑ 여동생
2) ①

**137쪽**

**듣기 ❷** 1) ④
2) ① O ② X

**137쪽**

**받아쓰기**

❶ 이 분은 우리 할아버지세요.
❷ 부모님께서는 고향에 계십니다.
❸ 아버지께서는 회사원이십니다.
❹ 방학에 뭘 하고 싶으세요?
❺ 기분이 어떠십니까?

**144쪽**

**읽기 ❶**

❶ 1) 하루나가 세아 어머니께 편지를 썼습니다.
2) 세아 어머니의 생신입니다.
3) (하루나는) 혼자 삽니다.
4) (세아의 어머니께서는) 친절하신 분이십니다.

❷ 1) (부모님과) 명동에 가면 좋습니다.
2) ④

**145쪽**

**읽기 ❷** 1) ③
2) ① X ② O
3) ④
4) ① 오셨습니다 ② 전주 ③ 찍고 ④ 떡갈비를
⑤ 사셨습니다 ⑥ 주무셨습니다

# 모범 답안

## 14과

**158쪽**

**듣기 ❶** 1) 학기가 끝나면 자주 만날 수 없으니까 파티를 합니다.
2) ①

**159쪽**

**듣기 ❷** 1) ① X ② O
2) ②

**159쪽**

**받아쓰기**
❶ 저 좀 도와주세요.
❷ 선물이니까 포장해 주세요.
❸ 무거우니까 제가 들어 줄게요.
❹ 가방을 의자 위에 놓을게요.
❺ 내일부터는 수업 시간에 늦지 않을게요.

**166쪽**

**읽기 ❶**
❶ 1) 12월 31일에 (파티를) 합니다.
2) (파티에 갈 때) 녹색 옷을 입어야 합니다.
3) (파티에 갈 때) 술을 마시고 싶은 사람은 (술을) 가지고 가야 합니다.
4) (파티에 갈 때) 초대장을 가져가야 합니다.

❷ 1) 크리스틴과 다니엘이 (약속 장소에) 늦게 옵니다.
2) ④

**167쪽**

**읽기 ❷** 1) 핸드폰을 집에 놓고 와서 집에 다녀왔습니다.
그리고 버스를 놓쳐서 늦었습니다.
2) ① X ② X
3) ④
4) ① 파티를 할 겁니다 ② 기다렸습니다. ③ 전화
④ 메시지 ⑤ 왔습니다. ⑥ 해야 하니까

## 15과

**180쪽**

**듣기 ❶** 1) ① X ② O
2) ①

**181쪽**

**듣기 ❷** 1) ① X ② O
2) ②

**181쪽**

**받아쓰기**
❶ 에스컬레이터에서 걷거나 뛰지 마세요.
❷ 버스 정류장에서 줄을 서세요.
❸ 여기에 앉아도 돼요?
❹ 박물관에서 물건을 만지면 안 됩니다.
❺ 도서관에서 옆 사람과 떠들면 안 됩니다.

**188쪽**

**읽기 ❶**
❶ 1) (비행기를 타거나 비행기에서 내릴 때) 줄을 서야 합니다.
2) (호텔의 물건을) 집에 가져가면 안 됩니다.
3) (공공장소에서) 떠들면 안 됩니다.
조용히 해야 합니다.
5) (미술관에서) 그림을 만지면 안 됩니다.

❷ 1) (기숙사 카드는) 기숙사에 들어가거나 식당에서 식사할 때 필요합니다.
2) ③

**189쪽**

**읽기 ❷** 1) (이곳은) 학교입니다.
2) ① O ② O
3) ④
4) ① 지각하면 ② 갈 ③ 사용해야 ④ 먹으면
⑤ 마셔도 ⑥ 피워야 ⑦ 침을 뱉으면 ⑧ 떠들면

# 찾아보기

# 찾아보기



## ㄴ

# 찾아보기

# 찾아보기

# 찾아보기

# 찾아보기

# 찾아보기

# 찾아보기

# 찾아보기

# 찾아보기

# 찾아보기

# 찾아보기

**집필** 이지윤 한국외국어대학교 국제지역대학원 한국학과 박사 수료
경희대학교 교육대학원 외국어로서의 한국어교육 석사
건국대학교 언어교육원 강사

이선민 경희대학교 교육대학원 역사교육 석사
건국대학교 언어교육원 강사

이리사 한경국립대학교 미디어문예창작학 석사
건국대학교 언어교육원 강사

윤수연 경희대학교 국어국문학 박사 수료
경희사이버대학교 글로벌한국학 석사
경희사이버대학교 강사
건국대학교 언어교육원 강사



**삽화** 디자인플레이스
**번역** 피티에스그룹 인터내셔널(주) 한국지사
**녹음** 쿨사운드
**디자인** 표지 김인혜
본문 네오프린텍(주)


KU 건국대학교 KONKUK UNIV.

## 건국 한국어 1-2


**찍은날** 2025년 3월 20일
**펴낸날** 2025년 3월 28일

**편자** 건국대학교 언어교육원
집필자: 이지윤, 이선민, 이리사, 윤수연

**펴낸이** 원종필

**편집기획** 임경희

**펴낸곳** 건국대학교출판부
주소: 05029, 서울특별시 광진구 능동로 120
전화: 출판문화사업팀 (02) 450-3891~3
팩스: (02) 457-7202
등록: 제4-3호(1971. 6. 21.)
홈페이지: http://press.konkuk.ac.kr

**찍은곳** 네오프린텍(주)

**정가** 40,000원(워크북 딸림 책 포함)





ISBN 978-89-7107-792-4 14710
ISBN 978-89-7107-785-6 (세트)

KONKUK KOREAN

# 건국 한국어 1-2 Workbook

건국대학교 언어교육원

건국대학교출판부

**Konkuk Korean 1-2 Workbook**

By Konkuk University Language Institute
Textbook Committee: Jee Yoon Lee, Sun Min Lee, Risa Lee, Soo Yeon Yoon

Published by Konkuk University Press
Address: 120 Neungdong-ro, Gwangjin-gu, Seoul 05029, Korea
Telephone: 82-2-450-3891~3
Fax: 82-2-457-7202
Website: http://press.konkuk.ac.kr

First edition 2025
Printed in Korea

# 일러두기 Introduction

「건국 한국어 1」은 초급 한국어 학습자를 대상으로 한 교재이다. 학습자가 일상생활에서 쉽게 접할 수 있는 주제와 상황을 통해 활발하게 의사소통을 할 수 있도록 다양한 연습과 실제적인 과제로 구성하였다. 또한 문법 지식뿐만 아니라 듣기, 말하기, 읽기, 쓰기 능력을 배양하기 위해 네 가지 기능을 강화하였다.

「건국 한국어 1」은 두 권으로 분리하여 200시간의 집중과정 및 단기 과정 등에서 융통성 있게 활용할 수 있도록 하였다. 「건국 한국어 1-1」은 한글 1~한글 5까지를 포함하여 1~7과까지이며, 「워크북 1-1」도 이와 동일하다. 「건국 한국어 1-2」는 8과부터 15과까지이며, 「워크북 1-2」도 이와 동일하다.

<*Konkuk Korean* 1> is a textbook for beginner-level Korean students. The textbook was structured so that various speaking practices and realistic subjects would enable students to actively communicate in Korean using subjects and situations that they are famillar with in the everyday life. In addition, four functions were enhanced to cultivate not only grammar knowledge but also listening, speaking, reading, and writing skills. <*Konkuk Korean* 1> consists of two books and can be used flexibly for both a short-term or 200-hour intensive program. <*Konkuk Korean* 1-1> consists of chapters 1 to 7 including Hangeul 1-5, and <*Workbook* 1-1> is the same. <*Konkuk Korean* 1-2> consists of chapters 8 to 15 and <*Workbook* 1-2> is the same.

## 단원 구성 Unit Composition

「워크북 1」은 다음과 같이 구성하였다.

<*Workbook* 1> were organized as follows.

문법 및 표현 1 ➡ 연습 1 ➡ 문법 및 표현 2 ➡ 연습 2 ➡ 문법 및 표현 3 ➡ 연습 3 ➡ 문법 및 표현 4 ➡ 연습 4

### 문법 및 표현1~4 워크북

「건국 한국어」를 통해 '문법 및 표현'을 도입한 후 「워크북」으로 넘어와서 문법의 의미를 설명하고 연습하도록 구성하였다. 또한 부록에 모범 답안을 제공해 학습자들이 스스로 확인해 볼 수 있도록 하였다. 이를 통해 학습자들의 예습과 복습을 도울 수 있다.

「워크북」은 '문법 및 표현'마다 총 2쪽으로 이루어져 있다. 첫 번째 페이지는 '문법 및 표현'의 의미와 용법을 번역과 함께 제시하였다. 또한 표를 사용하여 형태 변화를 알기 쉽게 제시하였다. 제약 및 추가 설명은 예문과 함께 싣고, 실생활에서 많이 쓰이는 대화와 문장들로 이루어진 예문을 수록하여 학습에 도움이 되도록 하였다. 더불어 많이 사용하는 축약형이나 발음 등을 'tip'으로 제시하였다.

The course is designed to introduce "Grammar and Expressions" using <*Konkuk Korean*>, followed by explanations and practice of the grammar's meanings with Workbook. Additionally, the model answers are provided in the appendix to allow learners to check the answers on their own. This will assist them with their review and preview of lessons.

<*Workbook*> includes two pages for each "Grammar and Expressions." The first page presents the meanings and usage of 'Grammar and Expressions' were presented along with the translations. In addition, form changes were clearly shown using tables.

Restrictions and additional explanations were provided with example sentences, and examples based on real-life dialogues and sentences were included to help with learning. Furthermore, commonly used contractions and pronunciations were presented as 'tips'.

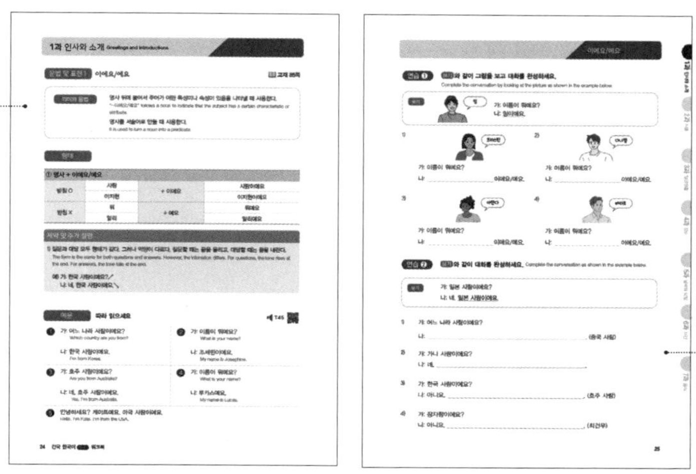

두 번째 페이지는 형태적인 연습과 응답 연습, 대화나 글 완성하기 등을 통해 목표 문법을 충분히 익힐 수 있도록 구성하였다.

The second page provides exercises on form and responses, as well as completing dialogues and passages to help learners understand the target grammar thoroughly.

# 차례

## Contents

## 문법 및 표현1 몇

교재 24쪽

**의미와 용법**

의문문에 쓰여, 뒤에 오는 말과 관련된 수를 물을 때 사용한다.
"몇" is used with interrogatives to ask about numbers related to the following.

**형태**

| ① 몇 + 명사 | | |
|---|---|---|
| 몇 + | 개 | 몇 개 |
| | 권 | 몇 권 |

### 제약 및 추가 설명

1) 단위 명사(개, 권, 명, 잔…)와 만났을 때는 고유어 숫자(하나, 둘, 셋…)를 사용한다.
With unit nouns (개, 권, 명, 잔…), native Korean numbers (하나, 둘, 셋…) are used.
예) 가: 볼펜이 몇 개 있어요? 나: 볼펜이 한 개 있어요.
가: 콜라를 몇 캔 샀어요? 나: 콜라를 세 캔 샀어요.

2) 층, 호, 쪽, 번, 인분 등과 만났을 때는 한자어 숫자(일, 이, 삼…)를 사용한다.
When talking about the floors of a building, room numbers, pages, frequency, and food portions (층, 호, 쪽, 번, 인분), Sino-Korean numbers (일, 이, 삼…) are used.
예) 가: 교실이 몇 층에 있어요? 나: 삼 층에 있어요.
가: 방이 몇 호예요? 나: 사백칠 호예요.
가: 몇 쪽을 봐요? 나: 백오십칠 쪽을 봐요.

| 층 | 호 | 쪽 | 번 |
|---|---|---|---|
|  |  | 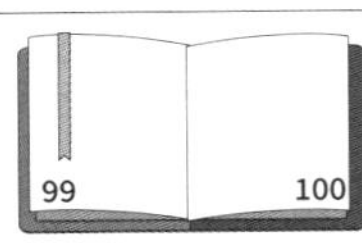 | 1. 2. 3. 4.<br>1) 2) 3) 4)<br>010–1234–4567 |

층 floor 쪽 page
호 room number 번 number

**예문** 따라 읽으세요. T1

❶ 가: 샤프가 몇 개 있어요?
How many mechanical pencils do you have?
나: 한 개 있어요.
I have one.

❷ 가: 차를 몇 잔 마셔요?
How many cups of tea do you drink?
나: 두 잔 마셔요.
I drink two.

❸ 가: 몇 명이에요?
How many people are there?
나: 네 명이에요.
There are four people.

❹ 가: 어제 친구들이 몇 명 왔어요?
How many of your friends came over yesterday?
나: 여덟 명 왔어요.
Eight people came.

❺ 가: 부대찌개를 몇 인분 시켰어요?
How many servings of sausage jjigae did you order?
나: 삼 인분 시켰어요.
I ordered three servings.

❻ 가: 학교 전화번호가 몇 번이에요?
What is the school's phone number?
나: 공이에 사오공에 삼공칠오예요.
It's 02-450-3075.

인분 serving(s)

## 몇

### 연습 ① 보기와 같이 쓰세요. Write as shown in the example below.

보기

가: 아이스크림이 몇 개 있어요?
나: 여섯 개 있어요.

1)

가: 친구가 ________ 있어요?
나: ________ 있어요.

2)
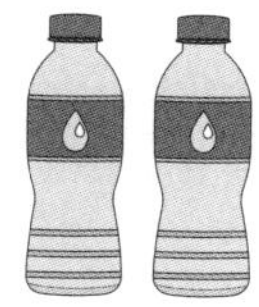

가: 물을 ________ 마셔요?
나: ________ 마셔요.

3)
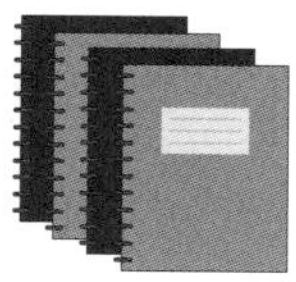

가: 공책이 ________ 있어요?
나: ________.

4)

가: 커피를 ________ 시킬까요?
나: ________ 시켜요.

5)

가: 카드가 ________이에요?
나: ________이에요.

### 연습 ② 보기와 같이 알맞은 단어를 연결하고 질문을 만드세요. 그리고 답을 쓰세요.

Connect to the correct words and create a question as shown in the example below. Then write the answer.

보기 7월 • ———————— • 월

1)

• • 번

2)

• • 쪽

3) 010–8765–4321 • • 층

4)
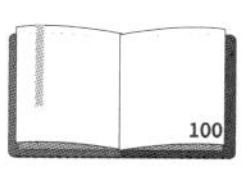

• • 호

보기 가: 생일이 몇 월이에요? 나: 7월이에요.

1) 집이 ________________? 나: ________________.

2) 교실이 ________________? 나: ________________.

3) 전화번호가 ________________? 나: ________________.

4) 숙제가 ________________? 나: ________________.

## 문법 및 표현2 (이)랑

교재 25쪽

**의미와 용법**

명사 뒤에 붙어 둘 이상의 사물이나 사람을 열거할 때 사용한다.
"(이)랑" follows a noun to list two or more objects or people.

**형태**

| ① 명사[1] + (이)랑 + 명사[2] | | | | |
|---|---|---|---|---|
| 받침 O | 옷 | + 이랑 | 옷이랑 N | 옷이랑 가방 |
| 받침 X | 친구 | + 랑 | 친구랑 N | 친구랑 선생님 |

**제약 및 추가 설명**

1) 구어에서 사용하며 '하고'보다 친근한 느낌이 있다.
It is used in spoken language, and feels friendlier than "하고."
예) 가방 안에 책이랑 공책이 있어요.

2) 'N(이)랑 (같이)'를 써서 어떤 일을 함께 하는 대상(사람이나 동물)을 말할 때도 사용할 수 있다.
"N(이)랑 (같이)" can also indicate someone (a person or animal) who you do something with.
예) 주말에 친구랑 (같이) 공원에 갔어요. = 주말에 친구하고 (같이) 공원에 갔어요.

**예문** 따라 읽으세요. T2

1. 가: 가방 안에 뭐가 있어요?
What is in the bag?
나: 지갑이랑 우산이 있어요.
There is a wallet and an umbrella.

2. 가: 보통 아침에 뭘 먹어요?
What do you usually eat for breakfast?
나: 사과랑 빵을 먹어요.
I eat apples and bread.

3. 가: 지난 주말에 뭐 했어요?
What did you do last weekend?
나: 백화점에서 옷이랑 가방을 샀어요.
I bought clothes and a bag at the department store.

4. 가: 뭘 시킬까요?
What should we order?
나: 김치찌개랑 된장찌개를 시켜요.
Let's order kimchi jjigae and doenjang jjigae.

5. 가: 언제 아르바이트해요?
When do you work part-time?
나: 수요일이랑 토요일에 해요.
On Wednesdays and Saturdays.

6. 가: 방 안에 뭐가 있어요?
What do you have in your room?
나: 침대랑 옷장이랑 책상이 있어요.
I have a bed, a closet, and a desk.

7. 가: 누구랑 같이 살아요?
Who do you live with?
나: 고향 친구랑 같이 살아요.
I live with a friend from my hometown.

8. 가: 누구랑 여행을 하고 싶어요?
Who do you want to travel with?
나: 부모님이랑 하고 싶어요.
I want to do it with my parents.

## (이)랑

### 연습 ❶ 보기와 같이 그림을 보고 대화를 완성하세요.

Write by looking at the picture as shown in the example below.

보기

가: 뭘 시킬까요?

나: 피자랑 콜라를 을/를 시켜요.

1) 

가: 책상 위에 뭐가 있어요?

나: 책상 위에 ____________________ 이/가 있어요.

2) 

가: 무슨 과일을 사고 싶어요?

나: ____________________ 을/를 사고 싶어요.

3) 

가: 점심에 뭘 먹었어요?

나: ____________________ 을/를 먹었어요.

4) 

가: 무슨 동물을 좋아해요?

나: ____________________ 을/를 좋아해요.

**동물** animal

### 연습 ❷ 보기와 같이 맞는 것을 연결하고 쓰세요.

Match the words with the appropriate options as shown in the example below.

| | | | |
|---|---|---|---|
| 보기 | 떡볶이 • ——— | • 김치 | 먹지 않아요. |
| 1) | 커피 • | • 제주도 | 가고 싶어요. |
| 2) | 드라마 • | • 우유 | 마실까요? |
| 3) | 부산 • | • 영화 | 봤어요. |
| 4) | 초콜릿 • | • 사탕 | 좋아해요. |

**제주도** Jeju Island

보기 떡볶이랑 김치를 먹지 않아요.

1) ______________________________.

2) ______________________________.

3) ______________________________.

4) ______________________________.

## 문법 및 표현3 –(으)ㄴ

교재 32쪽

**의미와 용법**

형용사에 붙어 뒤에 오는 명사의 상태나 속성을 나타낼 때 사용한다.
"–(으)ㄴ" follows an adjective to describe the state or attribute of the following noun.

**형태**

| ① 형용사 + –(으)ㄴ 명사 | | | | |
|---|---|---|---|---|
| 받침 O | 넓다 | + –은 | 넓은 N | 넓은 방 |
| 받침 X | 크다 | + –ㄴ | 큰 N | 큰 옷 |
| ★ | 있다/없다 | + –는 | 있는/없는 N | 재미있는/재미없는 영화 |
| ★ | 두껍다 | + –은 | 두꺼운 N | 두꺼운 코트 ☞6과 워크북 68쪽 |
| ★ | 길다 | + –ㄴ | 긴 N | 긴 바지 ☞15과 워크북 68쪽 |
| ★ | 어떻다 | + –ㄴ | 어떤 N | 어떤 사람 |

**제약 및 추가 설명**

1) 명사의 구체적인 상태나 속성을 알고 싶을 때는 '어떤 N?'의 형태로 질문한다.
To ask about the specific state or attribute of a noun, the form "Which N?" is used.
예) 가: 어떤 영화가 좋아요? 나: 재미있는 영화가 좋아요.

2) 'V–고 싶다'는 'V–고 싶은 N'의 형태로 쓰고 'A–지 않다'는 'A–지 않은 N'의 형태로 쓴다.
For "V–고 싶다," the form "–고 싶은 N" is used. For "A–지 않다," the form "A–지 않은 N" is used.
예) 지금 보고 싶은 사람이 누구예요? / 저는 맵지 않은 음식이 좋아요.

3) 두 가지 이상의 형용사를 이용하여 상태를 설명할 때는 '$A^1$–고 $A^2$–(으)ㄴ N'의 형태로 쓴다.
To describe a state using two or more adjectives, the form "$A^1$–고 $A^2$–(으)ㄴ N" is used.
예) 저는 길고 두꺼운 코트를 샀어요.

**예문** 따라 읽으세요. T7

1. 가: 백화점에서 뭐 샀어요?
What did you buy at the department store?
나: 짧은 바지를 샀어요.
I bought shorts.

2. 가: 어떤 집에 살고 싶어요?
What kind of house do you want to live in?
나: 저는 넓고 깨끗한 집에서 살고 싶어요.
I want to live in a spacious and clean house.

3. 가: 뭐 드릴까요?
What would you like?
나: 떡볶이 매운 거 일 인분이랑 안 매운 거 일 인분 주세요.
I would like one serving of spicy tteokbokki and one serving of mild tteokbokki.

4. 가: 우리 밥을 먹고 케이크도 먹을까요?
Shall we have cake after our meal?
나: 저는 단 음식을 좋아하지 않아요. 우리 달지 않은 간식을 먹어요.
I don't like sweets. Let's have a snack that isn't sweet.

5. 저는 사고 싶은 물건이 많아요. 핸드폰하고 태블릿하고 이어폰을 사고 싶어요.
I have a lot of things I want to buy. I want to buy a phone, a tablet, and earphones.

6. 제 친구 밍은 재미있는 사람이라서 반 친구들이 모두 좋아해요.
My friend Ming is a fun person, so all of our classmates like him.

**연습 ❶** **쓰세요.** Practice writing below.

| | -(으)ㄴ | 집 | | -(으)ㄴ | 집 |
|---|---|---|---|---|---|
| 크다 | 큰 집 | | 작다 | | |
| 조용하다 | | | ★시끄럽다 | | |
| 깨끗하다 | | | ★더럽다 | | |
| | -(으)ㄴ | 음식 | | -(으)ㄴ | 음식 |
| 짜다 | | | ★싱겁다 | | |
| ★맛있다 | | | ★맛없다 | | |
| ★차갑다 | | | ★뜨겁다 | | |
| ★달다 | | | 쓰다 | | |
| | -(으)ㄴ | 옷 | | -(으)ㄴ | 옷 |
| 싸다 | | | 비싸다 | | |
| 얇다 | | | ★두껍다 | | |
| ★어떻다 | | | | | |

**연습 ❷** **보기와 같이 대화를 완성하세요.** Complete the conversation as shown in the example below.

보기 가: 어떤 옷을 사고 싶어요?
나: <u>예쁜</u> 옷을 사고 싶어요. (예쁘다)

1) 
가: 이 ________________ 아이는 누구예요? (귀엽다)
나: 제 아이예요.

2) 
가 : 어떤 개를 좋아해요?
나: 저는 ________________ 개를 좋아해요. (작다)

3) 
가: 뭘 마시고 싶어요?
나: ________________ 커피를 마시고 싶어요. (차갑다)

4) 
가: ________________ 머리가 좋아요? (어떻다)
나: 저는 ________________ 머리가 좋아요. (길다)

5) 
가: 어떤 집에서 살고 싶어요?
나: 나무가 많이 ________________ 집에서 살고 싶어요. (있다)

6) 
가: ________________ 음식을 좋아해요? (맵다+짜다)
나: 아니요, 좋아하지 않아요.

## 문법 및 표현4 보다 (더)

교재 33쪽

**의미와 용법**

서로 차이가 있는 것을 비교할 때 비교의 대상이 되는 명사 뒤에 쓴다.
"보다 (더)" is used after the noun that is being compared in a comparison.

**형태**

| ① 명사 + 보다 (더) | | | |
|---|---|---|---|
| 받침 O | 신발 | + 보다 (더) | 신발보다 (더) |
| 받침 X | 코트 | | 코트보다 (더) |

**제약 및 추가 설명**

1) 서술어가 형용사일 경우에는 'N[1]이/가 N[2]보다 (더) A–아/어/해요.'나 'N[2]보다 N[1]이/가 (더) A–아/어/해요.'의 형태로 쓴다.
When the predicate is an adjective, the form "N이/가 N보다 (더) A–아/어/해요" or "N보다 N이/가 (더) A–아/어/해요" is used.
예) 수박이 **사과보다** 커요. = **사과보다** 수박이 커요.

2) 서술어가 '좋아하다/싫어하다'일 경우에는 'N[1]을/를 N[2]보다 (더) 좋아해요/싫어해요.' 나 'N[2]을/를 N[1]보다 (더) 좋아해요/싫어해요.'의 형태로 쓴다.
When the predicate is "좋아하다/싫어하다," the form "N을/를 N보다 (더) 좋아해요/싫어해요," or "N보다 N을/를 (더) 좋아해요/싫어해요" is used.
예) 초콜릿을 **사탕보다** 좋아해요. = **사탕보다** 초콜릿을 좋아해요.

3) 서술어가 '좋아하다/싫어하다'를 제외한 동사일 경우에는 동사 앞에 부사(자주, 많이…)를 쓴다. 이때 '더'는 부사 앞에 쓴다.
When the predicate is a verb other than "좋아하다/싫어하다," an adverb (자주, 많이…) is used before the verb. In this case, add "더" before the adverb.
예) 물을 차보다 마셔요. (X) → 물을 차보다 **많이** 마셔요. (O)
농구를 축구보다 **자주 더** 해요. (X) → 농구를 축구보다 **더 자주** 해요. (O)

**예문** 따라 읽으세요. T8

❶ 가: 뭐가 더 재미있어요?
Which is more fun?
나: 책보다 영화가 더 재미있어요.
Movies are more fun than books.

❷ 가: 뭘 더 좋아해요?
Which do you like more?
나: 복숭아를 키위보다 더 좋아해요.
I like peaches more than kiwis.

❸ 가: 커피를 많이 마셔요?
Do you drink a lot of coffee?
나: 아니요, 저는 커피보다 차를 더 많이 마셔요.
No, I drink tea more than coffee.

❹ 가: 요즘 날씨가 너무 추워요.
The weather is really cold these days.
나: 맞아요. 그런데 작년이 올해보다 더 추웠어요.
That's right. But last year was colder than this year.

❺ 한국어가 영어보다 더 어렵지만 재미있어요.
Korean is harder than English, but it's fun.

**연습 ①** **보기 와 같이 쓰세요.** Write as shown in the example below.

보기 ( ☑ 김치찌개 □ 삼계탕 ) 이/가 짜요 김치찌개가 삼계탕보다 더 짜요.

1) ( ☑ 케이크 □ 과자 ) 이/가 달아요 ______________________.

2) ( ☑ 청소 □ 빨래 ) 을/를 싫어해요 ______________________.

3) ( □ 고향 음악 ☑ 한국 음악 ) 을/를 자주 들어요 ______________________.

4) ( □ 떡볶이 ☑ 비빔밥 ) 을/를 잘 먹어요 ______________________.

5) ( □ 짧은 바지 ☑ 긴 바지 ) 이/가 좋아요 ______________________.

**연습 ②** **보기 와 같이 그림을 보고 대화를 완성하세요.**
Complete the conversation by looking at the picture as shown in the example below.

보기

50,000원 80,000원

가: 무엇이 더 비싸요?
나: 구두가 가방보다 비싸요.

1)

밍 루카스

가: 누구의 가방이 더 가벼워요?
나: ______________________ 가벼워요.

2)

가: 저는 김밥을 먹고 싶어요. 엠마 씨는 뭐가 먹고 싶어요?
나: 저는 ______________________ 먹고 싶어요.

3)

가: 어떤 커피를 더 좋아해요?
나: 저는 ______________________ 좋아해요.

4)

가: 누구랑 더 자주 전화해요? 친구? 선생님?
나: ______________________ 전화해요.

## 문법 및 표현1 –(으)세요

교재 46쪽

**의미와 용법**

동사 뒤에 붙어 다른 사람에게 어떤 행동을 할 것을 명령하거나 권유할 때 사용한다.

"–(으)세요" follows a verb to command or suggest an action to someone.

**형태**

| ① 동사 + –(으)세요 | | | |
|---|---|---|---|
| 받침 O | 읽다 | + –으세요 | 읽으세요 |
| 받침 X | 보다 | + –세요 | 보세요 |
| ★ | 듣다 | + –으세요 | 들으세요 ☞11과 워크북 34쪽 |
| ★ | 만들다 | + –세요 | 만드세요 ☞15과 워크북 68쪽 |

| ② 부정: 동사 + –지 마세요 | | | |
|---|---|---|---|
| 받침 O | 먹다 | + –지 마세요 | 먹지 마세요 |
| 받침 X | 가다 | | 가지 마세요 |

### 제약 및 추가 설명

1) '먹다', '마시다'는 '–(으)세요'와 함께 쓸 때 '드시다'의 형태로 사용한다.
For verbs such as "먹다" and "마시다," the polite form "드시다" is used with "–(으)세요."
예) 아침을 먹으세요. (X) → 아침을 드세요. (O)
이 커피를 마시세요. (X) → 이 커피를 드세요. (O)

2) 다른 사람에게 어떤 행동을 하지 말 것을 명령하거나 금지할 때는 '–지 마세요'를 사용한다.
To command or prohibit an action, "–지 마세요" is used.
예) 말을 많이 하지 마세요.

3) '먹다', '마시다'는 '–지 마세요'와 함께 쓸 때 '먹다','마시다','드시다' 모두 사용할 수 있다.
"먹다," "마시다," and "드시다" can all be used with "–지 마세요."
예) 매운 음식을 먹지 마세요. (O) 매운 음식을 드시지 마세요. (O)
술을 많이 마시지 마세요. (O) 술을 많이 드시지 마세요. (O)

### 예문 따라 읽으세요.

T9

1. 가: 다니엘 씨, 책 31쪽을 읽으세요.
Daniel, please read page 31 of the book.
나: 네, 선생님.
Yes, teacher.

2. 가: 머리가 아파요.
I have a headache.
나: 그럼 약을 드세요.
Then take some medicine.

3. 가: 매운 음식을 많이 먹어서 배가 아파요.
I have a stomachache because I ate a lot of spicy food.
나: 그럼 매운 음식을 많이 먹지 마세요.
Then don't eat a lot of spicy food.

4. 가: 한국어 듣기가 어려워요.
Listening to Korean is difficult.
나: 한국 노래를 많이 들으세요.
Listen to a lot of Korean songs.

듣기 listening
노래 song

**연습 ①** **보기와 같이 대화를 완성하세요.** Complete the conversation as shown in the example below.

보기 가: 여러분, 내일 9시까지 학교에 오세요. (오다)
나: 네, 선생님.

1) 가: 요즘 너무 피곤해요.
나: 집에서 ______________________. (쉬다)

2) 가 : 높은 신발을 신어서 발이 아파요.
나: 그럼, 낮은 신발을 ______________________. (신다)

3) 가: 다음 주에 시험이 있어요. 열심히 ______________________. (공부하다)
나: 네, 선생님.

4) 가: 여기에 ______________________. (앉다)
나: 고마워요.

5) 가: 어제부터 목이 조금 아파요.
나: 물을 많이 ______________________. (마시다)

**열심히** vigorously; enthusiastically
**앉다** to sit

**연습 ②** **보기와 같이 맞는 것을 연결하세요.**
Match the sentences with the correct ones as shown in the example below.

보기 잠이 안 와요. • ——— • 오후에는 커피를 마시지 마세요.

1) 이가 아파요. • • 보지 마세요.
2) 밖이 시끄러워요. • • 전화하지 마세요.
3) 지하철 안이에요. • • 쇼핑하지 마세요.
4) 옷을 많이 사서 돈이 없어요. • • 창문을 열지 마세요.
5) 핸드폰을 많이 봐서 눈이 아파요. • • 단 음식을 먹지 마세요.

**시끄럽다** noisy
**열다** to open

**연습 ③** **보기와 같이 대화를 완성하세요.** Complete the conversation as shown in the example below.

보기 가: 한국에서 여행을 가고 싶어요. 어디가 좋아요?
나: 부산이 좋아요. 부산에 가세요.

1) 가: 이 식당은 무슨 음식이 제일 맛있어요?
나: ______________________.

2) 가: 고향 친구가 한국에 왔어요. 친구하고 서울을 여행하고 싶어요. 어디가 좋아요?
나: ______________________.

3) 가: 친구의 생일 선물을 사고 싶어요. 뭐가 좋아요?
나: ______________________.

## 문법 및 표현2 –(으)면

교재 47쪽

**의미와 용법**

동사나 형용사 뒤에 붙어 뒤의 내용이 일어나기 위한 조건을 말하거나 일어나지 않은 일을 일어났다고 생각하고 말할 때 사용한다.
"–(으)면" follows a verb or adjective to express the conditions for the following content to occur, or to speak of something that has not yet occurred as if it had occurred.

**형태**

| ① 형용사/동사 + –(으)면 | | | |
|---|---|---|---|
| 받침 O | 좋다 | + –으면 | 좋으면 |
| | 먹다 | | 먹으면 |
| 받침 X | 아프다 | + –면 | 아프면 |
| | 가다 | | 가면 |
| ★ | 덥다 | + –면 | 더우면 ☞6과 워크북 68쪽 |
| ★ | 듣다 | + –으면 | 들으면 ☞11과 워크북 34쪽 |
| ★ | 살다 | + –면 | 살면 ☞15과 워크북 68쪽 |

| ② 명사 + (이)면 | | | |
|---|---|---|---|
| 받침 O | 주말 | + 이면 | 주말이면 |
| 받침 X | 가수 | + 면 | 가수면 |

**제약 및 추가 설명**

1) '–(으)면' 뒤에는 과거 형태를 쓰지 않는다. The past form is not used after "–(으)면."
예) 몸이 아프면 병원에 갔어요. (X)

2) 부정형은 '안 A/V–(으)면' 또는 'A/V–지 않으면'을 사용한다. 명사의 부정형은 'N이/가 아니면'을 사용한다.
The negative form is expressed as "안 A/V–(으)면" or "A/V–지 않으면." The negative form for nouns is expressed as "N 이/가 아니면."
예) 주말에 안 바쁘면 우리 집에 오세요. = 주말에 바쁘지 않으면 우리 집에 오세요.
방학이 아니면 시간이 없어요.

**예문** 따라 읽으세요. T10

❶ 가: 다리가 아파요.
My legs hurt.
나: 다리가 아프면 여기에서 좀 쉴까요?
If your legs hurt, shall we rest here?

❷ 가: 우리 떡볶이를 시킬까요?
Shall we order tteokbokki?
나: 아니요, 저는 매운 음식을 먹으면 배가 아파요.
No, my stomach hurts if I eat spicy food.

❸ 가: 얼마예요?
how much is it?
나: 건국대학교 학생이면 5,000원만 주세요.
If you're a Konkuk University student, it's only 5,000 won.

❹ 가: 내일 날씨가 안 추우면 밖에서 놀까요?
If it's not cold tomorrow, shall we hang out outside?
나: 그래요.
Sure.

❺ 저는 부모님이 보고 싶으면 전화해요. When I miss my parents, I call them.

❻ 이 노래를 들으면 기분이 좋아요. This song makes me feel good.

❼ 바쁘지 않으면 친구하고 공원에서 산책해요. When I'm not busy, I go for a walk with a friend at the park.

## 연습 1 보기와 같이 맞는 것을 연결하고 쓰세요.

Match and write the sentences with appropriate options as shown in the example below.

| | | |
|---|---|---|
| 보기 | 시간이 있어요. • | • 같이 차를 마실까요? |
| 1) | 날씨가 더워요. • | • 기분이 좋아요. |
| 2) | 핸드폰을 많이 봐요. • | • 차가운 아이스크림을 먹고 싶어요. |
| 3) | 맛있는 음식을 먹어요. • | • 눈이 아파요. |
| 4) | 술을 많이 마셔요. • | • 주말에 같이 볼까요? |
| 5) | 한국어를 잘하고 싶어요. • | • 한국 드라마를 많이 보세요. |
| 6) | 영화를 좋아해요. • | • 머리가 아파요. |
| 7) | 배가 아파요. • | • 같이 백화점에 가요. |
| 8) | 바쁘지 않아요. • | • 매운 음식을 먹지 마세요. |

보기 시간이 있으면 같이 차를 마실까요?

1) ____________________

2) ____________________

3) ____________________

4) ____________________

5) ____________________

6) ____________________

7) ____________________

8) ____________________

## 연습 2 대화를 완성하세요. Complete the conversation.

1) 가: 저는 매운 음식을 먹고 싶어요.
나: ____________________ -(으)면 떡볶이를 드세요.

2) 가: 오늘 같이 영화를 볼까요?
나: 미안해요. 오늘 너무 바빠요.
가: 오늘 ____________________ -(으)면 내일은 어때요?
나: 좋아요. 내일 영화를 봐요.

3) 가: 우리 커피를 마실까요?
나: 저는 커피를 ____________________ -(으)면 잠이 안 와요.
가: 그럼 아이스크림을 먹을까요?
나: 저는 아이스크림을 ____________________ -(으)면 배가 아파요.

## 문법 및 표현3 –(으)니까

교재 54쪽

**의미와 용법**

동사나 형용사 뒤에 붙어 앞의 내용이 뒤의 내용의 이유나 원인이 됨을 나타낼 때 사용한다.
"–(으)니까" follows a verb or adjective to indicate that the preceding information is the cause or reason for the following information.

### 형태

**① 형용사/동사+ –(으)니까**

| | | | |
|---|---|---|---|
| 받침 O | 넓다 | + –으니까 | 넓으니까 |
| | 읽다 | | 읽으니까 |
| 받침 X | 바쁘다 | + –니까 | 바쁘니까 |
| | 하다 | | 하니까 |
| ★ | 뜨겁다 | + –으니까 | 뜨거우니까 ☞6과 워크북 68쪽 |
| ★ | 듣다 | | 들으니까 ☞11과 워크북 34쪽 |
| ★ | 살다 | + –니까 | 사니까 ☞15과 워크북 68쪽 |

**② 명사 + (이)니까**

| | | | |
|---|---|---|---|
| 받침 O | 주말 | + 이니까 | 주말이니까 |
| 받침 X | 가수 | + 니까 | 가수니까 |

**③ 과거: 형용사/동사 + –았/었/했으니까**

| | | | |
|---|---|---|---|
| ㅏ, ㅗ | 살다 | + –았으니까 | 살았으니까 |
| ㅓ, ㅜ, ㅡ, ㅣ… | 적다 | + –었으니까 | 적었으니까 |
| 하다 | 좋아하다 | + 했으니까 | 좋아했으니까 |
| ★ | 춥다 | + –었으니까 | 추웠으니까 ☞6과 워크북 68쪽 |
| ★ | 쓰다 | + –었으니까 | 썼으니까 ☞4과 워크북 52쪽 |
| ★ | 듣다 | + –었으니까 | 들었으니까 ☞11과 워크북 34쪽 |

**④ 과거: 명사 + 이었으니까/였으니까**

| | | | |
|---|---|---|---|
| 받침 O | 주말 | + 이었으니까 | 주말이었으니까 |
| 받침 X | 친구 | + 였으니까 | 친구였으니까 |

### 제약 및 추가 설명

1) 앞 문장에 이유를 말하고 뒷문장에는 결과를 말한다.
The preceding clause states the cause, while the following clause states the result.
예) 가: 내일 왜 학교에 안 가요? / 나: 주말이니까(이유/원인, (reason/cause)) 안 가요(결과, (result/effect)).

2)

| | –았/었/했– | –(으)ㄹ까요?/–(으)세요/–지 마세요 |
|---|---|---|
| –(으)니까 | O | O |
| –아/어/해서 | X | X |

예) 밥을 안 먹었으니까 배가 고파요. (O) 밥을 안 먹었어서 배가 고파요.(X)
날씨가 좋으니까 산책할까요? (O) 날씨가 좋아서 산책할까요? (X)
아프니까 운동하지 마세요. (O) 아파서 운동하지 마세요. (X)

3) 부정형은 '안 A/V–(으)니까' 또는 'A/V–지 않으니까'를 사용한다. 명사의 부정형은 'N이/가 아니니까'를 사용한다.
The negative form is expressed as "안 A/V–(으)니까" or "A/V–지 않으니까." The negative form for nouns is expressed as "N이/가 아니니까."
예) 저는 커피를 안 좋아하니까 안 마셔요. = 저는 커피를 좋아하지 않으니까 안 마셔요.
주말이 아니니까 백화점에 사람이 적어요.

### 예문 따라 읽으세요.

T15

❶ 가: 이 드라마가 재미있어요?
Is this drama interesting?
나: 네, 아주 재미있으니까 보세요.
Yes, it's very interesting, so you should watch it.

❷ 가: 루카스 씨는 왜 매일 라면을 먹어요?
Why do you eat ramen every day, Lucas?
나: 라면을 좋아하니까 매일 먹어요.
I eat ramen every day because I like it.

❸ 가: 내일이 조세핀 씨의 생일이니까 파티할까요?
Tomorrow is Josephine's birthday; shall we have a party?
나: 네, 좋아요.
Yes, that sounds good.

❹ 가: 오늘은 날씨가 추우니까 두꺼운 옷을 입으세요.
It's cold today, so wear thick clothes.
나: 네, 알겠습니다.
Okay.

❺ 가: 배탈이 났으니까 차가운 음식을 먹지 마세요.
You have an upset stomach, so don't eat cold food.
나: 네, 알겠습니다.
Okay.

❻ 가: 저는 매운 음식을 안 좋아해요.
I don't like spicy food.
나: 그럼, 삼계탕은 맵지 않으니까 삼계탕을 드세요.
Then try samgyetang because it isn't spicy.

## 연습 ❶ 보기와 같이 두 문장을 하나로 만드세요.

Combine the two sentences into one as shown in the example below.

보기 배가 아파요. 그러니까 따뜻한 물을 드세요. → 배가 아프니까 따뜻한 물을 드세요.

그러니까 so

1) 세일을 해요. 그러니까 옷을 많이 사고 싶어요.

→ ______________________________.

2) 음식이 매워요. 그러니까 먹지 마세요.

→ ______________________________.

3) 열이 많이 나요. 그러니까 병원에 가세요.

→ ______________________________.

4) 날씨가 춥지 않아요. 그러니까 같이 산책할까요?

→ ______________________________.

5) 한국어를 배우고 싶어요. 그러니까 한국에 왔어요.

→ ______________________________.

6) 어제는 제가 청소했어요. 그러니까 오늘은 밍 씨가 청소하세요.

→ ______________________________.

7) 감기에 걸렸어요. 그러니까 집에서 쉬세요.

→ ______________________________.

8) 내일이 주말이에요. 그러니까 같이 놀까요?

→ ______________________________.

## 연습 ❷ 보기와 같이 대화를 완성하세요. Complete the conversation as shown in the example below.

보기 가: 식당에 왜 사람이 많아요? / 나: 음식이 맛있으니까 사람이 많아요.

1) 가: 집이 정말 깨끗해요. 청소를 자주 해요?

나: 네, 매일 ______________________ 집이 깨끗해요.

2) 가: 집이 어때요?

나: 비싸지만 ______________________ 아주 좋아요.

3) 가: 내일 왜 파티를 해요?

나: ______________________ 파티를 해요.

4) 가: 시험이 끝나서 기분이 좋아요.

나: 시험이 ______________________ 우리 오늘 같이 놀까요?

## 문법 및 표현4 -(으)ㄹ 수 있다/없다

교재 55쪽

**의미와 용법**

어떤 상황이나 일이 가능하거나 불가능함을 나타낼 때 사용한다. 또한 어떤 일을 할 수 있는 능력이 있거나 없음을 나타낼 때 사용한다.

"-(으)ㄹ 수 있다/없다" is used to indicate whether a situation or a task is possible or impossible. It is also used to indicate whether someone has or lacks the ability to do something.

### 형태

| ① 동사 + -(으)ㄹ 수 있다/없다 | | | |
|---|---|---|---|
| 받침 O | 먹다 | + -을 수 있다/없다 | 먹을 수 있다/없다 |
| 받침 X | 쓰다 | + -ㄹ 수 있다/없다 | 쓸 수 있다/없다 |
| ★ | 듣다 | + -을 수 있다/없다 | 들을 수 있다/없다 ☞11과 워크북 34쪽 |
| ★ | 만들다 | + -ㄹ 수 있다/없다 | 만들 수 있다/없다 ☞15과 워크북 68쪽 |

### 제약 및 추가 설명

1) '-(으)ㄹ 수 있다/없다'의 과거형은 '-(으)ㄹ 수 있었어요/없었어요'를 쓴다.
The past form of "-(으)ㄹ 수 있다/없다" is expressed as "-(으)ㄹ 수 있었어요/없었어요."

예) 어제 머리가 아파서 학교에 갈 수 없었어요.

### 예문 **따라 읽으세요.**

T16

❶ 가: 배가 아파서 밥을 먹을 수 없어요.
I had a stomachache, so I couldn't eat.
나: 괜찮아요? 많이 아프면 병원에 가세요.
Are you okay? If you're very sick, go to the hospital.

❷ 가: 내일은 몇 시까지 올 수 있어요?
What time can you come tomorrow?
나: 12시까지 올 수 있어요.
I can come by 12 o'clock.

❸ 가: 어제 밍 씨를 만났어요?
Did you meet Ming yesterday?
나: 아니요, 밍 씨가 바빠서 만날 수 없었어요.
No, I couldn't meet him because he was busy.

❹ 가: 운전할 수 있어요?
Can you drive?
나: 아니요, 운전할 수 없어요.
No, I can't drive.

❺ 가: 한국 음식을 만들 수 있어요?
Can you make Korean food?
나: 네, 저는 떡볶이랑 김밥을 만들 수 있어요.
Yes, I can make tteokbokki and gimbap.

❻ 가: 이 책을 다 읽었어요?
Did you finish reading this book?
나: 아니요, 어려워서 읽을 수 없었어요.
No, it was difficult, so I couldn't finish reading it.

❼ 교실이 시끄러워서 선생님의 말을 들을 수 없어요.
The classroom was noisy, so I couldn't hear the teacher.

❽ 저는 김치를 먹을 수 있지만 김치가 너무 매우면 먹을 수 없어요.
I can eat kimchi, but if the kimchi is too spicy, I can't eat it.

❾ 고향에서는 한국어를 할 수 없었지만 지금은 조금 할 수 있어요.
I couldn't speak Korean when I was in my hometown, but I can speak a little now.

**운전(을) 하다**
to drive

**TIP** '-(으)ㄹ 수 있다/없다'는 '[-(으)ㄹ 쑤 읻따/업따]'로 발음한다.
"-(으)ㄹ 수 있다/없다" is pronounced as [-(으)ㄹ 쑤 읻따/업따].

**연습 1** **보기와 같이 대화를 완성하세요.** Complete the conversation as shown in the example below.

> 보기
> 가: 내일 같이 게임할 수 있어요?
> 나: 미안해요. 일이 많아서 같이 게임할 수 없어요.

1) 가: 주말에 같이 축구를 할 수 있어요?
   나: 네, 주말에는 시간이 있으니까 같이 ______________________.

2) 가: 수업 시간에 음식을 먹을 수 있어요?
   나: 아니요. 수업 시간에는 ______________________.

3) 가: 저는 건국대학교 학생이 아니에요. 건국대학교 기숙사에서 살 수 있어요?
   나: 아니요. 건국대학교 학생이 아니면 ______________________.

4) 가: 요즘 많이 바빠요? 우리는 언제 만날 수 있어요?
   나: 내일은 바쁘지 않으니까 ______________________.

5) 가: 전화할 수 있어요?
   나: 지금 도서관에 있으니까 ______________________.

**연습 2** **보기와 같이 그림을 보고 대화를 완성하세요.**
Complete the conversation by looking at the pictures as shown in the example below.

> 보기
> 
> 매운 음식, 먹다
> 가: 매운 음식을 먹을 수 있어요?
> 나: 네, 먹을 수 있어요./아니요, 먹을 수 없어요.

1) 
한국어 책, 읽다
가: ______________________?
나: ______________________.

2) 
영어, 하다
가: ______________________?
나: ______________________.

3) 
춤, 추다
가: ______________________?
나: ______________________.

4) 
커피, 만들다
가: ______________________?
나: ______________________.

## 문법 및 표현1 −(으)러 가다/오다

교재 68쪽

**의미와 용법**

동사 뒤에 붙어 어떤 장소로 이동하는 목적을 나타낼 때 사용한다.
"−(으)러 가다/오다" is used after a verb to indicate the purpose of going to a specific location.

### 형태

| ① 동사 + −(으)러 가다/오다 | | | |
|---|---|---|---|
| 받침 O | 먹다 | + −으러 가다/오다 | 먹으러 가다/오다 |
| 받침 X | 쓰다 | + −러 가다/오다 | 쓰러 가다/오다 |
| ★ | 듣다 | + −으러 가다/오다 | 들으러 가다/오다 ☞11과 워크북 34쪽 |
| ★ | 놀다 | + −러 가다/오다 | 놀러 가다/오다 ☞15과 워크북 68쪽 |

### 제약 및 추가 설명

1) 앞과 뒤의 주어가 같아야 하며, 뒤의 주어는 생략 가능하다.
Both the first and second clauses should have the same subject but it can be omitted in the second clause.
예) 저는 숙제를 하러 (저는) 도서관에 갔어요. (O) / 루카스 씨가 축구하러 밍 씨가 운동장에 갔어요. (X)

2) 앞에는 '가다, 오다, 다니다' 등 이동을 나타내는 동사를 쓸 수 없다.
Movement verbs such as "가다, 오다, and 다니다" cannot be used in the first clause.
예) 여행을 가러 한국에 왔어요. (X)

3) 장소는 'V−(으)러'의 앞에 써도 되고 뒤에 써도 된다.
The location can be placed either before or after "V−(으)러."
예) 도서관에 공부하러 가요. = 공부하러 도서관에 가요.

4) 과거형은 '−으러 갔어요/왔어요'를 사용한다.
The past form is expressed as "−으러 갔어요/왔어요."
예) 친구를 만나러 커피숍에 갔어요.

5) 부정형은 'V−(으)러 안 가다/오다', 'V−(으)러 가지 않다/오지 않다'를 사용한다.
The negative form is expressed as "V−(으)러 안 가다/오다" or "V−(으)러 가지 않다/오지 않다."
예) 밥을 먹으러 안 갔어요. = 밥을 먹으러 가지 않았어요.

### 예문 따라 읽으세요.

T17

❶ 가: 어디에 가요?
Where are you going?
나: 밥을 먹으러 식당에 가요.
I'm going to a restaurant to eat.

❷ 가: 공원에 뭐 하러 가요?
What are you going to the park for?
나: 운동하러 가요.
I'm going to exercise.

❸ 가: 주말에 뭐 했어요?
What did you do over the weekend?
나: 친구를 만나러 명동에 갔어요.
I went to Myeong-dong to meet a friend.

❹ 가: 주말에 시간이 있으면 우리 집에 놀러 오세요.
If you have time this weekend, come to hang out at my place.
나: 네, 좋아요.
Yes, that sounds good.

❺ 주말에 홍대에 공연을 보러 가고 싶어요.
I want to go to Hongdae this weekend to watch a performance.

❻ 저는 영화를 보러 극장에 가지 않아요. 보통 집에서 영화를 봐요.
I don't go to the theater to watch movies. I usually watch movies at home.

**공연** performance

**연습 ①** **보기와 같이 대화를 완성하세요.** Complete the conversation as shown in the example below.

> 보기 가: 어디에 가요? (도서관, 책을 읽다)
> 나: 도서관에 책을 읽으러 가요.

1) 가: 어제 어디에 갔어요? (커피숍, 커피를 마시다)

   나: ______________________.

2) 가: 오늘 수업이 끝나고 어디에 가요? (친구의 집, 놀다)

   나: ______________________.

3) 가: 어디에 가고 싶어요? (부산, 바다를 보다)

   나: ______________________.

4) 가: 왜 한국에 왔어요? (한국, 한국어를 배우다)

   나: ______________________.

5) 가: 오늘 공원에 산책하러 가요? (공원, 산책하다)

   나: 아니요, ______________________.

**연습 ②** **'-(으)러 가다/오다'를 사용해서 대화를 완성하세요.**
Complete the conversation using "-(으)러 가다/오다".

1) 가: 마트에 뭐 하러 가요?

   나: ______________________.

2) 가: 공원에 뭐 하러 가요?

   나: ______________________.

3) 가: 한강에 뭐 하러 가고 싶어요?

   나: ______________________.

4) 가: 그저께 어디에 갔어요? 거기에 뭐 하러 갔어요?

   나: ______________________.

5) 가: 우리 오늘 뭐 할까요?

   나: 커피숍에 ______________________.

## 문법 및 표현2 –아/어/해 봤다

교재 69쪽

**의미와 용법**

동사 뒤에 붙어 어떤 것을 경험했음을 말할 때 사용한다.
"–아/어/해 봤다" follows a verb to talk about something you have experienced doing.

### 형태

① 동사 + –아/어/해 봤어요

| | | | |
|---|---|---|---|
| ㅏ, ㅗ | 오다 | + –아 봤어요 | 와 봤어요 |
| ㅓ,ㅜ,ㅡ, ㅣ ··· | 먹다 | + –어 봤어요 | 먹어 봤어요 |
| 하다 | 운전하다 | + 해 봤어요 | 운전해 봤어요 |
| ★ | 쓰다 | + –어 봤어요 | 써 봤어요 ☞4과 워크북 52쪽 |
| ★ | 듣다 | + –어 봤어요 | 들어 봤어요 ☞11과 워크북 34쪽 |

### 제약 및 추가 설명

1) 시도를 나타내는 'V–아/어/해 보다'와 과거형 '–았다'가 결합해서 경험을 말할 때 사용한다.
"V–아/어/해 보다" indicating an attempt combines with the past tense "–았다" to express experience.

2) 'V–아/어/해 보다'는 다른 문법과도 결합할 수 있다. "V-아/어/해 보다" can be combined with other grammar.

| | | |
|---|---|---|
| –아/어/해 보다 | + –고 싶다 | 먹어 보고 싶어요. |
| | + –(으)ㄹ까요? | 먹어 볼까요? |
| | + –(으)ㄹ 수 있다 | 먹어 볼 수 있어요? |

3) 매일 하는 일이나, 일반적인 일에는 사용하지 않는다. It is not used for daily or routine actions.
예) 저는 자 봤어요. (X) → 저는 한옥에서 자 봤어요. (O)

4) 동사 '보다'와 같이 사용하지 않는다. It cannot used with the verb "보다."
예) 그 영화를 봐 봤어요. (X) → 그 영화를 봤어요.

5) 부정형은 '안 V–아/어/해 봤어요' 또는 ' V–아/어/해 보지 않았어요'를 사용한다.
The negative form is expressed as "안 V–아/어/해 봤어요" or "V–아/어/해 보지 않았어요."
예) 삼계탕을 아직 안 먹어 봤어요. = 삼계탕을 아직 먹어 보지 않았어요.

한옥 hanok

### 예문 따라 읽으세요.

T18

❶ 가: 한강에서 배를 타 봤어요?
Have you ridden a boat on the Hangang River?
나: 네, 타 봤어요. 아주 즐거웠어요.
Yes, I have. It was very fun.

❷ 가: 태권도를 배워 봤어요?
Have you learned Taekwondo?
나: 아니요, 안 배워 봤어요. 배워 보고 싶어요.
No, I haven't. I would like to try learning it.

❸ 가: 고향에서 아르바이트 해 봤어요?
Have you worked part-time in your hometown?
나: 네, 식당에서 해 봤어요.
Yes, I have worked at a restaurant.

❹ 가: 이 노래를 들어 봤어요?
Have you listened to this song?
나: 네, 들어 봤어요. 노래가 정말 좋아요.
Yes, I have. I love this song.

❺ 저는 친구에게 편지를 써 보지 않았어요. I haven't written a letter to my friend.

❻ 고향에서 한국 드라마를 봤어요. 정말 재미있었어요.
I have watched a Korea drama in my hometown. It was really fun.

## 연습 ❶ 무엇을 해 봤어요? 보기와 같이 표시하고 쓰세요.

What have you tried? Put a check mark in the appropriate box and write as shown in the example below.

보기

| 한국어 책을 읽다 | 네☑ 아니요❑ | 한국어 책을 읽어 봤어요. |
|---|---|---|

1) 혼자 여행을 하다 네❑ 아니요❑ ______________________.

2) 동대문 DDP에 가다 네❑ 아니요❑ ______________________.

3) 춤을 배우다 네❑ 아니요❑ ______________________.

4) 한강에서 치킨을 먹다 네❑ 아니요❑ ______________________.

5) 소주를 마시다 네❑ 아니요❑ ______________________.

6) 한국 극장에서 영화를 보다 네❑ 아니요❑ ______________________.

## 연습 ❷ 보기와 같이 대화를 완성하세요. Complete the conversation as shown in the example below.

보기

가: 한국에서 여행해 봤어요? (여행하다)
나: 네, 여행해 봤어요.
가: 어디에 가 봤어요?
나: 부산에 가 봤어요.

1) 가: 한국 친구를 ______________________? (만나다)
나: 네, ______________________.
가: 한국 친구하고 무엇을 해 봤어요?
나: ______________________.

2) 가: ______________________? (요리하다)
나: 네, ______________________.
가: 무슨 음식을 만들어 봤어요?
나: ______________________.

3) 가: 한강에 ______________________? (가다)
나: 네, ______________________.
가: 한강에서 무엇을 해 봤어요?
나: ______________________.

## 문법 및 표현3 -아/어/해서²

교재 76쪽

**의미와 용법**

동사 뒤에 붙어 앞의 일이 먼저 일어나고 뒤의 일이 나중에 일어난 것임을 말할 때 사용한다.

"-아/어/해서" follows a verb to show that the preceding action happens first, and that the following action happens later.

### 형태

| ① 동사¹ + -아/어/해서 동사² | | | |
|---|---|---|---|
| ㅏ, ㅗ | 오다 | + -아서 | 와서 |
| ㅓ,ㅜ,ㅡ, ㅣ … | 찍다 | + -어서 | 찍어서 |
| 하다 | 요리하다 | + 해서 | 요리해서 |
| ★ | 쓰다 | + -어서 | 써서 ☞4과 워크북 52쪽 |

### 제약 및 추가 설명

1) 행동의 순서를 나타내는데, 두 행동은 서로 관련이 있어야 한다. 앞의 일이 일어나지 않으면 뒤의 일이 일어날 수 없다.
It indicates the sequence of actions, and the two actions must be related. If the preceding action does not occur, the following action cannot occur.

예) 어제 책을 사서 (그 책을) 읽었어요.

반면에 '-고²'는 행동의 순서만 나타내고 두 행동이 서로 관련이 없을 수 있다.
"-고²" also indicates the sequence of actions, however, it doesn't require the actions to be related.

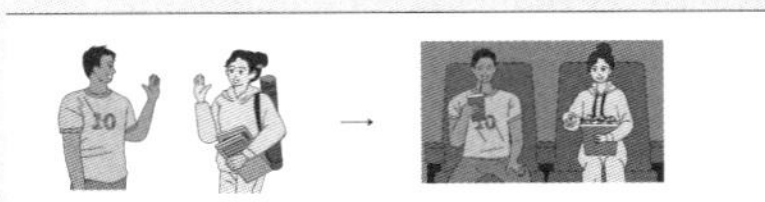

친구를 만나서 영화를 봐요. (관련 있음)

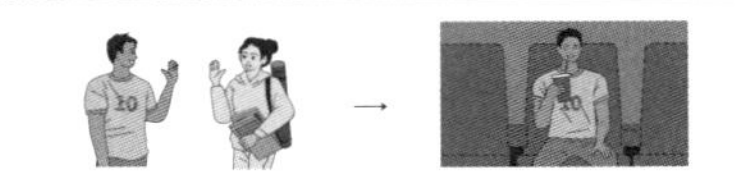

친구를 만나고 영화를 봐요. (관련 없음)

2) 앞과 뒤의 주어가 같아야 한다. 뒤의 주어는 보통 생략한다.
The subject of both the first and second clauses should be the same, and it is usually omitted in the second clause.
예) 저는 집에 가서 (저는) 쉬었어요. (O) / 저는 집에 가서 지영 씨는 쉬었어요. (X)

3) 과거 '-았/었/했-'과 결합하지 않는다. It does not combine with the past tense "-았/었/했-."
예) 어제 친구를 만났어서 놀았어요. (X) → 어제 친구를 만나서 놀았어요. (O)

### 예문 따라 읽으세요.

T23

❶ 가: 아침에 일어나서 먼저 뭐 해요?
What do you do first when you wake up in the morning?
나: 저는 일어나서 먼저 물을 마셔요.
I wake up and drink water first.

❷ 가: 케이크를 만들어서 누구에게 줬어요?
After making the cake, who did you give it to?
나: 친구에게 줬어요.
I gave it to a friend.

❸ 가: 보통 어디에서 밥을 먹어요?
Where do you usually eat?
나: 보통 집에서 요리해서 먹어요.
I usually cook and eat at home.

❹ 가: 우리 제주도에 가서 바다를 볼까요?
Shall we go to Jeju Island and see the ocean?
나: 네, 좋아요. 언제 갈까요?
Yes, that sounds good. When shall we go?

❺ 생일이니까 친구에게 카드를 써서 주고 싶어요.
It's my friend's birthday, so I want to make a card and give it to him/her.

## 연습 ❶ 보기와 같이 알맞은 것을 고르세요. Choose the correct option as shown in the example below.

보기 코엑스몰에 (가고, (가서)) 예쁘고 큰 도서관을 봤어요.

1) 아침에 (일어나고, 일어나서) 세수해요.
2) 주말에 청소를 (하고, 해서) 빨래를 했어요.
3) 다리가 아프면 여기에 (앉고, 앉아서) 쉬세요.
4) 학교에 (오고, 와서) 선생님하고 이야기했어요.
5) 친구의 생일에 선물을 (사고, 사서) 케이크도 샀어요.

**세수(를) 하다**
to wash one's face

## 연습 ❷ 보기와 같이 맞는 것을 연결하고 쓰세요.

Match and write the sentences with appropriate options as shown in the example below.

| | | | |
|---|---|---|---|
| 보기 | 부산에 가다 • | —— | • 바다를 구경하고 싶어요. |
| 1) | 고향 음식을 만들다 • | | • 친구들하고 같이 먹어요. |
| 2) | 친구를 만나다 • | | • 같이 영화를 봐요. |
| 3) | 한국에 오다 • | | • 선생님에게 드렸어요. |
| 4) | 공책에 이름을 쓰다 • | | • 한국어를 배웠어요. |

보기 부산에 가서 바다를 구경하고 싶어요.

1) ______________________________
2) ______________________________
3) ______________________________
4) ______________________________

## 연습 ❸ 보기와 같이 대화를 완성하세요. Complete the conversation as shown in the example below.

보기 가: 어디에 가서 밥을 먹어요?
나: 저는 보통 집에 가서 밥을 먹어요.

1) 가: 어디에 가서 놀아요?
나: ______________________________.
2) 가: 어디에 가서 공부해요?
나: ______________________________.
3) 가: 수업이 끝나고 집에 가서 뭐 해요?
나: ______________________________.
4) 가: 한국에 와서 뭘 해 봤어요?
나: ______________________________.

## 문법 및 표현4 –(으)ㄹ 거예요[1]

교재 77쪽

**의미와 용법**

동사 뒤에 붙어 미래에 어떤 일을 할 것임을 말할 때 사용한다.
"–(으)ㄹ 거예요[1]" follows a verb to talk about future plans.

**형태**

| ① 동사 + –(으)ㄹ 거예요 | | | |
|---|---|---|---|
| 받침 O | 입다 | + –을 거예요 | 입을 거예요 |
| 받침 X | 사다 | + –ㄹ 거예요 | 살 거예요 |
| ★ | 돕다 | + –ㄹ 거예요 | 도울 거예요 ☞6과 워크북 68쪽 |
| ★ | 듣다 | + –을 거예요 | 들을 거예요 ☞11과 워크북 34쪽 |
| ★ | 살다 | + –ㄹ 거예요 | 살 거예요 ☞15과 워크북 68쪽 |

**제약 및 추가 설명**

1) 부정형은 '안 –(으)ㄹ 거예요'나 '–지 않을 거예요'를 사용한다.
The negative form is expressed as "안 –(으)ㄹ 거예요" or "–지 않을 거예요."
예) 방학에 고향에 안 갈 거예요. = 방학에 고향에 가지 않을 거예요.

**예문** 따라 읽으세요. T24

1. 가: 점심에 뭐 먹을 거예요?
   What will you eat for lunch?
   나: 더우니까 냉면을 먹을 거예요.
   It's hot, so I will eat naengmyeon.

2. 가: 편의점에 가서 뭐 살 거예요?
   What will you buy at the convenience store?
   나: 우유가 없어서 우유를 살 거예요.
   I ran out of milk, so I'll buy some.

3. 가: 언제까지 한국에 살 거예요?
   How long will you live in Korea?
   나: 내년까지 살 거예요.
   I will live here until next year.

4. 가: 노래를 들을 거예요?
   Will you listen to music?
   나: 아니요, 안 들을 거예요.
   No, I won't.

5. 내일 고향 친구가 한국에 오니까 친구를 만나러 공항에 갈 거예요. 그래서 학교에 가지 않을 거예요.
   Since my hometown friend is coming to Korea tomorrow, I will go to the airport to meet him/her. So I won't go to school.

6. 주말에 친구하고 공원에 가서 자전거도 타고 이야기도 할 거예요.
   This weekend, I will go to the park with a friend, ride a bike, and chat.

7. 사진을 찍어서 부모님에게 보낼 거예요.
   I will take photos and send them to my parents.

**TIP** '–(으) ㄹ거예요'는 [–(으)ㄹ 꺼예요]로 발음한다.
"–(으) ㄹ거예요" is pronounced as [–(으)ㄹ 꺼예요].

## 연습 ❶ 보기와 같이 알맞은 단어를 골라 문장을 쓰세요.

Choose the correct expressions and write the sentences as shown in the example below.

| 보기 집에서 쉬다 | 열심히 공부하다 | 책을 읽다 | 김밥을 먹다 | 창문을 열다 | 부산에 가다 |
|---|---|---|---|---|---|

보기 아프니까 학교에 안 가고 집에서 쉴 거예요.

1) 더우니까 ______________________________.

2) 시험이 어려우니까 ______________________________.

3) 오후에는 도서관에 가서 ______________________________.

4) 광장시장에 가서 ______________________________.

5) 바다가 보고 싶어서 ______________________________.

## 연습 ❷ 보기와 같이 문장을 완성하세요. Complete the sentences as shown in the example below.

보기 이번 주말에 날씨가 좋으면 한강 공원에 갈 거예요.

**빨리** quickly

1) 저는 방학에 고향에 ①______________. 고향에 가면 먼저 친구들을 ②______________. 친구들을 만나서 같이 고향 음식을 ③______________. 고향 음식을 먹으면 기분이 좋아요. 밥을 먹고 커피숍에도 ④______________. 커피숍에 가서 커피도 마시고 친구들하고 이야기도 ⑤______________. 빨리 친구들을 만나고 싶어요.

2) 이번 주말에 고향에 있는 가족들이 저를 만나러 한국에 ①______________. 가족들이 한국에 오면 같이 부산에 가서 ②______________________________. 저는 여행을 좋아하지만 한국에서 여행을 안 해 봤어요. 저는 바다를 좋아하니까 바다가 있는 부산에 가고 싶어요. 바다에 가서 산책도 하고 ③______________. 놀면 너무 행복해요. 바다에서 사진도 많이 ④______________. 그리고 맛있는 음식도 많이 ⑤______________.

## 문법 및 표현1 –아/어/해 보세요

교재 90쪽

**의미와 용법**

동사 뒤에 붙어 다른 사람에게 과거에 하지 않은 어떤 일을 한번 해 보라고 권유하거나 조언할 때 사용한다.

"–아/어/해 보세요" follows a verb to recommend or advise someone to try something they have not done in the past.

### 형태

| ① 동사 + –아/어/해 보세요 | | | |
|---|---|---|---|
| ㅏ, ㅗ | 가다 | + –아 보세요 | 가 보세요 |
| | 오다 | | 와 보세요 |
| ㅓ, ㅜ, ㅡ, ㅣ, … | 만들다 | + –어 보세요 | 만들어 보세요 |
| | 배우다 | | 배워 보세요 |
| 하다 | 운동하다 | + 해 보세요 | 운동해 보세요 |
| ★ | 쓰다 | + –어 보세요 | 써 보세요 ☞4과 워크북 52쪽 |
| ★ | 듣다 | + –어 보세요 | 들어 보세요 ☞11과 워크북 34쪽 |

### 제약 및 추가 설명

1) 시도를 나타내는 '–아/어/해 보다'와 다른 사람에게 명령이나 요청을 나타내는 '–(으)세요'가 결합한 형태이다.
   It is a combined form of "–아/어/해 보다" indicating an attempt and "–(으)세요" expressing a command or request to someone.
2) '한번 V–아/어/해 보세요'의 형태로 쓰이는데 이때 '한번'은 어떤 일을 시도한다는 의미로 생략되기도 한다.
   It is used in the form of "한번 V–아/어/해 보세요," but "한번," which indicates trying something once, can be omitted.
   예) 한번 입어 보세요. = 입어 보세요.
3) 동사 '보다'와 함께 사용하지 않는다.
   It cannot used with the verb "보다."
   예) 그 영화를 한번 봐 보세요. (X) → 그 영화를 한번 보세요. (O)

### 예문 따라 읽으세요.

T25

① 가: 저는 제주도에 아직 안 가 봤어요. 제주도가 어때요?
I have not been to Jeju Island yet. How about Jeju Island?
나: 아주 예뻐요. 그러니까 한번 가 보세요.
It is very pretty. So you should try going once.

② 가: 신발이 조금 작아요.
The shoes are a bit small.
나: 그래요? 그러면 이 신발을 신어 보세요.
Really? Then try these shoes on.

③ 가: 어서 오세요. 예쁜 옷이 많으니까 구경해 보세요.
Welcome. We have many pretty clothes, so take a look.
나: 여기에 긴 치마가 있어요?
Do you have long skirts?

④ 가: 운동을 배우고 싶어요. 뭘 배우면 좋아요?
I want to learn a sport. What should I learn?
나: 태권도를 배워 보세요.
Try learning Taekwondo.

⑤ 가: 친구에게 편지를 써 봤어요?
Have you ever written a letter to a friend?
나: 아니요, 안 써 봤어요.
No, I haven't.
가: 그럼, 한번 써 보세요.
Then try writing one.

⑥ 가: 케이팝을 들어 봤어요?
Have you listened to K-pop?
나: 아니요, 안 들어 봤어요.
No, I haven't.
가: 그럼, 한번 들어 보세요.
Then try listening to it.

**연습 ❶** **보기 와 같이 그림을 보고 대화를 완성하세요.**

Complete the conversation by looking at the picture as shown in the example below.

보기

가: 신발이 좀 작아요.

나: 그럼, 이걸 신어 보세요.

1)

가: 이거 입어 볼 수 있어요?

나: 그럼요, ______________________.

2)

가: 예쁘고 싼 안경 있어요?

나: 이거 한번 ______________________.

3)

가: 이거 맛있어요?

나: 네, 맛있으니까 ______________________.

4)

가: 이 노래 한번 ______________. 어때요?

나: 정말 좋아요.

5)

가: 인형을 만들면 재미있어요?

나: 네, 재미있으니까 ______________________.

**연습 ❷** **보기 와 같이 맞는 것을 연결하고 쓰세요.**

Match and write the sentences with the correct options as shown in the example below.

| | | |
|---|---|---|
| 보기 | 머리가 아프다 • | • 약을 먹다 |
| 1) | 취미가 없다 • | • 우유를 마시다 |
| 2) | 바빠서 밥을 먹을 수 없다 • | • 이 책을 읽다 |
| 3) | 고향 친구가 보고 싶다 • | • 남산에 가다 |
| 4) | 높은 곳에서 서울을 보고 싶다 • | • 운동을 배우다 |
| 5) | 한국의 역사를 알고 싶다 • | • 전화하다 |

보기 머리가 아프면 약을 먹어 보세요.

1) ______________________________________________.

2) ______________________________________________.

3) ______________________________________________.

4) ______________________________________________.

5) ______________________________________________.

8과 주문과 쇼핑
9과 건강
10과 여행
11과 취미
12과 날씨와 계절
13과 가족
14과 초대와 약속
15과 공공장소

## 문법 및 표현2 -거나

교재 91쪽

**의미와 용법**

동사나 형용사 뒤에 붙어 앞이나 뒤의 내용 중 하나가 선택될 수 있음을 나타낼 때 사용한다.

"-거나" follows a verb or adjective to indicate that either the preceding or the following information can be selected.

**형태**

| ① 형용사/동사 + -거나 | | | |
|---|---|---|---|
| 받침 O | 뜨겁다 | + -거나 | 뜨겁거나 |
| | 읽다 | | 읽거나 |
| 받침 X | 싸다 | | 싸거나 |
| | 치다 | | 치거나 |

**제약 및 추가 설명**

1) 앞과 뒤의 주어가 같아야 한다. 뒤의 주어는 보통 생략한다.
   The subject of both the first and second clauses should be the same, and it is usually omitted in the second clause.
   예) 저는 주말에 친구를 만나거나 (저는) 집에서 쉬어요.
2) 부정형은 '안 A/V-거나' 또는 'A/V-지 않거나'를 사용한다.
   The negative form is expressed as "안 A/V-거나" or "A/V-지 않거나."
   예) 저는 기분이 안 좋거나 심심하면 음악을 들어요. = 저는 기분이 좋지 않거나 심심하면 음악을 들어요.
3) 과거 '-았/었/했-'과 결합하지 않는다.
   It is not used with the past tense "-았/었/했-."
   예) 고향에서는 시간이 있으면 게임했거나 볼링을 쳤어요. (X)
   고향에서는 시간이 있으면 게임하거나 볼링을 쳤어요. (O)

**예문** 따라 읽으세요. T26

1. 가: 음식이 맵거나 짜면 말하세요.
   Please let me know if the food is spicy or salty.
   나: 네, 알겠습니다.
   Okay.
2. 가: 언제 고향에 가고 싶어요?
   When do you want to visit your hometown?
   나: 아프거나 부모님이 보고 싶으면 고향에 가고 싶어요.
   I want to visit my hometown when I'm sick or miss my parents.
3. 가: 저녁을 먹고 뭐 해요?
   What do you do after dinner?
   나: 책을 읽거나 산책을 해요.
   I read a book or go for a walk.
4. 가: 아침에는 보통 뭘 먹어요?
   What do you usually eat for breakfast?
   나: 우유를 마시거나 바나나를 먹어요.
   I drink milk or eat a banana.
5. 저는 음악을 듣거나 게임을 하면 기분이 좋아요. I feel happy when I listen to music or play video games.
6. 잠이 안 오거나 심심하면 핸드폰을 봐요. I play on my phone if I can't sleep or I'm bored.
7. 돈이 많으면 집을 사거나 여행할 거예요. If I have a lot of money, I will buy a house or go on a trip.

**연습 1** **보기와 같이 알맞은 단어를 골라 대화를 완성하세요.**

Match and complete the conversation with the correct words as shown in the example below.

| 슬프다 | 배가 아프다∨ | 바쁘다∨ | 날씨가 안 좋다 | 기분이 나쁘다 | 춥다 |
|---|---|---|---|---|---|
| 덥다 | 피곤하다 | 작다 | 크다 | 더럽다 | 시끄럽다 |
| 어지럽다 | 길다 | 짧다 | 얇다 | 두껍다 | 무겁다 |

보기 가: 언제 밥을 먹을 수 없어요?

나: 바쁘거나 배가 아프면 밥을 먹을 수 없어요.

1) 가: 언제 운동하고 싶지 않아요?

나: ________________________________.

2) 가: 언제 택시를 타요?

나: ________________________________.

3) 가: 어떤 옷을 안 좋아해요?

나: ________________________________.

4) 가: 어떤 집에서 살고 싶지 않아요?

나: ________________________________.

**연습 2** **'–거나'를 사용해서 대화를 완성하세요.** Complete the conversation using "–거나".

1) 가: 시간이 많으면 뭐 하고 싶어요?

나: ________________________________.

2) 가: 이번 주말에 날씨가 좋으면 뭐 할 거예요?

나: ________________________________.

3) 가: 우리 수업이 끝나고 뭐 할까요?

나: ________________________________.

4) 가: 한국 친구를 사귀면 같이 뭐 하고 싶어요?

나: ________________________________.

5) 가: 무엇을 하면 기분이 좋아요?

나: ________________________________.

6) 가: 주말 오전에 보통 뭐 해요?

나: ________________________________.

## 문법 및 표현3 ㄷ 불규칙

교재 98쪽

**의미와 용법**

받침 'ㄷ'으로 끝나는 일부 동사가 모음과 만나면 'ㄷ'이 'ㄹ'로 바뀐다.
For some verbs ending with "ㄷ," when followed by a vowel, the final consonant "ㄷ" changes to "ㄹ."

**형태**

| ① 받침 ㄷ + 모음 → 받침 ㄹ | | |
|---|---|---|
| 듣다 | + -어요 | 들어요 |
| 걷다 | + -어서 | 걸어서 |
| 묻다 | + -(으)면 | 물으면 |

**제약 및 추가 설명**

1) '묻다'는 '-어 보다'와 결합한 '물어보다'로 사용할 때가 많다. '물어보다'는 한 단어이기 때문에 붙여 쓴다.
"묻다" is often used as "물어보다" when combined with "-어 보다." "물어보다" is treated as a single word, so it is written without spacing.
예) 묻고 싶은 것이 있으면 저에게 물어보세요. / 친구에게 전화번호를 물어봤어요.

2) '받다, 닫다' 등은 모음과 결합해도 받침 'ㄷ'이 'ㄹ'로 바뀌지 않는다.
For verbs such as "받다" and "닫다," "ㄷ" does not change to "ㄹ" even when combined with a vowel.
예) 이메일을 받았어요? / 추우면 창문을 닫으세요.

**닫다** to close

**예문** 따라 읽으세요. T31

1. 가: 기분이 안 좋으면 뭐 해요?
What do you do when you're in a bad mood?
나: 음악을 들어요.
I listen to music.

2. 가: 길을 모르면 어떻게 해요?
What do you do if you don't know the way?
나: 한국 사람에게 물어봐요.
I ask a Korean person.

3. 가: 어제 뭐 했어요?
What did you do yesterday?
나: 날씨가 좋아서 공원에 가서 걸었어요.
The weather was nice, so I went to the park and took a walk.

4. 가: 바쁘지 않으면 좀 걸을까요?
If you're not busy, shall we go for a walk?
나: 좋아요. 우리 호수 근처에 가서 걸어요.
That sounds good. Let's take a walk by the lake.

5. 가: 듣고 싶은 음악이 있어요?
Is there any music you want to listen to?
나: 네, 케이팝을 듣고 싶어요.
Yes, I want to listen to K-pop.

6. 가: 요즘 발이 너무 아파요.
My feet hurt a lot these days.
나: 발이 아프면 많이 걷지 마세요.
If your feet hurt, don't walk too much.

7. 저는 보통 학교에 걸어서 가요.
I usually walk to school.

***길을 모르다**
*to not know the way

**연습 ❶** **쓰세요.** Practice writing below.

| | 듣다 | 걷다 | 묻다 | 닫다 |
|---|---|---|---|---|
| –아/어/해요 | | | | 닫아요 |
| –았/었/했어요 | | | 물었어요 | |
| –고 | | 걷고 | | |
| –지만 | 듣지만 | | | |
| –아/어/해서 | | | | |
| –(으)ㄹ 거예요 | | | | |
| –(으)세요 | | | | |
| –(으)면 | | | | |
| –(으)ㄹ 수 있다 | | | | |
| –아/어/해 봤다 | | | | |
| –거나 | | | | |

**연습 ❷** **알맞은 단어를 골라 대화를 완성하세요.** Choose appropriate words and complete the conversation.

| 받다 | 듣다 | 묻다 | 닫다 | 걷다 |
|---|---|---|---|---|

1) 가: 너무 추워요. 창문을 ______________________ –(으)세요.
   나: 네, 알았어요.

2) 가: 날씨가 좋으니까 잠깐 밖에서 ______________________ –(으)ㄹ까요?
   나: 미안해요. 지금 다리가 아파서 ______________________ –고 싶지 않아요.

3) 가: 제가 지난주에 선물을 보냈어요. ______________________ –았/었/했어요?
   나: 네, 고마워요.

4) 가: 어떤 노래를 ______________________ –(으)면 잠이 안 와요?
   나: 시끄러운 노래요.

5) 가: 학교 전화번호를 알고 싶으면 누구에게 ______________________ –아/어/해요?
   나: 친구에게 ____________ –거나 선생님에게 ______________ –아/어/해요.

6) 가: 학교에 어떻게 와요?
   나: 학교 근처에 사니까 ______________________ –아/어/해서 와요.

## 문법 및 표현4 -는 것

교재 99쪽

**의미와 용법** 동사 뒤에 붙어 동사를 명사로 만들 때 사용한다.
"-는 것" is used after a verb to turn it into a noun.

### 형태

| ① 동사 + -는 것 → 명사 | | | |
|---|---|---|---|
| 받침 O | 먹다 | + -는 것 | 먹는 것 |
| 받침 X | 가다 | | 가는 것 |
| ★ | 만들다 | | 만드는 것 ☞15과 워크북 68쪽 |

### 제약 및 추가 설명

1) 문장에서 조사 '이/가', '은/는'이 붙으면 주어가 되고, 조사 '을/를'이 붙으면 목적어가 된다.
If it is followed by "이/가" or "은/는," it becomes the subject of the sentence. If it is followed by "을/를," it becomes the object.
예) 가방 안에 있는 것이 뭐예요? (주어, subject) / 저는 운동하는 것을 좋아해요. (목적어, object)

2) 형용사 '있다, 없다'나 '있다, 없다'로 끝나는 형용사나 동사 뒤에도 쓸 수 있다.
It is also used after the adjectives "있다, 없다" and adjectives or verbs that end with "있다, 없다."
예) 가방 안에 있는 것이 뭐예요? / 한국어를 잘 못해서 할 수 없는 것이 많아요.

3) 부정형은 '안 V-는 것', 'V-지 않는 것'으로 쓴다.
The negative form is expressed as "안 V-는 것" or "V-지 않는 것."
예) 다리가 아프면 많이 안 걷는 것이 좋아요. = 다리가 아프면 많이 걷지 않는 것이 좋아요.

### 예문 따라 읽으세요.

T32

❶ 가: 주말에 보통 뭐 해요?
What do you usually do on weekends?
나: 저는 책 읽는 것을 좋아해서 책을 읽어요.
I like reading, so I read books.

❷ 가: 여행하는 것을 좋아해요?
Do you like traveling?
나: 네, 저는 여행하는 걸 좋아해요.
Yes, I like traveling.

❸ 가: 취미가 뭐예요?
What is your hobby?
나: 제 취미는 액세서리를 만드는 거예요.
My hobby is making accessories.

❹ 가: 먹을 수 없는 것이 있어요?
Is there anything you can't eat?
나: 네, 저는 복숭아를 먹을 수 없어요.
I can't eat peaches.

❺ 밥을 빨리 먹는 것은 좋지 않으니까 천천히 드세요.
Eating quickly is not good for you, so eat slowly.

❻ 배탈이 났으니까 차가운 음식을 많이 먹지 않는 것이 좋아요.
You have an upset stomach, so it's better not to eat cold food.

❼ 처음에는 한국에서 혼자 사는 것이 힘들었지만 지금은 괜찮아요.
At first, living alone in Korea was difficult, but now it's okay.

**천천히** slowly
**힘들다** difficult; tiring

**TIP** 구어에서는 중복을 피하기 위해 앞에 오는 '을/를'을 생략하기도 한다.
In spoken language, "을/를" is often omitted before "-는 것" to avoid redundancy.
예) 가: 무엇을 하는 것을 좋아해요? → 뭐를 하는 걸/거 좋아해요? → 뭐 하는 걸/거 좋아해요?
나: 드라마를 보는 것을 좋아해요. → 드라마 보는 걸/거 좋아해요.

## -는 것

**연습 ❶ 보기와 같이 두 문장을 하나로 만드세요.**

Combine the two sentences into one as shown in the example below.

보기 무엇을 하다 / 어려워요?
→ 무엇을 하는 것이 어려워요?

1) 한국에서 살다 / 어때요?
→ ______

2) 식당에서 자주 먹다 / 뭐예요?
→ ______

3) 무서워서 하지 않다 / 있어요? 그게 뭐예요?
→ ______

4) 춤을 추다 / 좋아해요?
→ ______

5) 한국에서 공부하다 / 어때요?
→ ______

**연습 ❷ '-는 것'을 사용해서 대화를 완성하세요.** Complete the conversation using "-는 것".

1) 가: 뭐 하는 것을 좋아해요? 왜요?
나: ______.

2) 가: 뭐 하는 걸 싫어해요? 왜요?
나: ______.

3) 가: 주말에 집에서 뭐 하는 게 제일 좋아요?
나: ______.

4) 가: 전화하는 게 좋아요? 메시지를 보내는 게 좋아요?
나: ______.

5) 가: 혼자 사는 게 좋아요? 친구랑 같이 사는 게 좋아요?
나: ______.

6) 가: 운동을 하는 걸 좋아해요? 운동 경기를 보는 걸 좋아해요?
나: ______.

# 12과 날씨와 계절 Weather and Seasons

## 문법 및 표현1 –지요?

교재 112쪽

**의미와 용법**

동사나 형용사 뒤에 붙어 말하는 사람과 듣는 사람이 서로 알고 있는 사실을 확인할 때 사용한다.
"–지요?" follows a verb or adjective, and is used to confirm a fact that both the speaker and the listener are aware of.

### 형태

① 현재: 형용사/동사 + –지요?

| | | | |
|---|---|---|---|
| 받침 O | 춥다 | + –지요? | 춥지요? |
| 받침 X | 쓰다 | | 쓰지요? |

② 현재: 명사 + (이)지요?

| | | | |
|---|---|---|---|
| 받침 O | 학생 | + 이지요? | 학생이지요? |
| 받침 X | 학교 | + 지요? | 학교지요? |

③ 과거: 형용사/동사 + –았/었/했지요?

| | | | |
|---|---|---|---|
| ㅏ, ㅗ | 가다 | + –았지요? | 갔지요? |
| ㅓ, ㅜ, ㅡ, ㅣ… | 배우다 | + –었지요? | 배웠지요? |
| 하다 | 공부하다 | + 했지요? | 공부했지요? |
| ★ | 쓰다 | + –었지요? | 썼지요? ☞4과 워크북 52쪽 |
| ★ | 춥다 | + –었지요? | 추웠지요? ☞6과 워크북 68쪽 |
| ★ | 걷다 | + –었지요? | 걸었지요? ☞11과 워크북 34쪽 |

④ 과거: 명사 + 이었지요/였지요?

| | | | |
|---|---|---|---|
| 받침 O | 일요일 | + 이었지요? | 일요일이었지요? |
| 받침 X | 배우 | + 였지요? | 배우였지요? |

⑤ 미래: 동사 + –(으)ㄹ 거지요?

| | | | |
|---|---|---|---|
| 받침 O | 입다 | + –을 거지요? | 입을 거지요? |
| 받침 X | 오다 | + –ㄹ 거지요? | 올 거지요? |
| ★ | 듣다 | + –을 거지요? | 들을 거지요? ☞11과 워크북 34쪽 |
| ★ | 만들다 | + –ㄹ 거지요? | 만들 거지요? ☞15과 워크북 68쪽 |

### 제약 및 추가 설명

1) '–지요?'에 대한 대답은 '–아/어/해요'로 한다. The response to "–지요?" is given with "–아/어/해요."
예) 가: 오늘 날씨가 좋지요? / 나: 네, 날씨가 좋아요.

2) 부정형은 '안 A/V–지요?'나 'A/V–지 않지요?'를 사용한다. 명사의 부정형은 'N이/가 아니지요?'를 사용한다.
The negative form is expressed as "안 A/V–지요?" or "A/V–지 않지요?" The negative form for nouns is expressed as "N이/가 아니지요?"
예) 오늘은 학교에 안 가지요? = 오늘은 학교에 가지 않지요?
밍 씨는 회사원이 아니지요?

### 예문 따라 읽으세요.

T33

1. 가: 오늘은 날씨가 맑지요?
The weather is clear today, isn't it?
나: 네, 맑아요.
Yes, it is.

2. 가: 지금도 비가 오지요?
It's still raining, isn't it?
나: 네, 비도 오고 바람도 불어요.
Yes, it's raining and windy.

3. 가: 오늘이 금요일이지요?
Today's Friday, isn't it?
나: 아니요, 오늘은 목요일이에요.
No, today is Thursday.

4. 가: 밍 씨는 작년에 한국에 왔지요?
Ming came to Korea last year, didn't he?
나: 네, 작년 6월에 한국에 왔어요.
Yes, he came to Korea in June last year.

5. 가: 어제 날씨가 더웠지요?
It was hot yesterday, wasn't it?
나: 네, 너무 더워서 힘들었어요.
Yes, it was so hot that it was exhausting.

6. 가: 지금 점심을 먹을 거지요?
You're eating lunch now, aren't you?
나: 아니요, 이따가 먹을 거예요.
No, I will eat later.

**TIP** 말할 때는 짧게 줄여 '–죠?'의 형태로 많이 사용한다. In conversation, it is often shortened to "–죠?"
예) 바타르 씨의 고향은 많이 춥지요? = 춥죠?

**연습 1** **보기와 같이 쓰세요.** Write as shown in the example below.

보기 'OO 씨는 학교 근처에 살아요.', 맞아요? → OO 씨는 학교 근처에 살지요?

1) '오늘 날씨가 안 더워요.', 맞아요?

→ ____________________

2) '밍 씨는 정말 친절하고 멋있는 사람이에요.', 맞아요?

→ ____________________

멋있다 cool

3) '케이트 씨는 건국대학교에서 한국어를 배워요.', 맞아요?

→ ____________________

4) '하루나 씨는 한국에서 일을 하지 않아요.', 맞아요?

→ ____________________

5) '알리 씨는 작년에 한국에 왔어요.', 맞아요?

→ ____________________

6) '조세핀 씨는 올해까지 한국에서 살 거예요.', 맞아요?

→ ____________________

**연습 2** **보기와 같이 그림을 보고 대화를 완성하세요.**

Complete the conversation by looking at the pictures as shown in the example below.

보기

가: 이 옷이 예쁘지요?

나: 네, 정말 예뻐요.

1)

가: 어제 바람이 ____________________?

나: 네, 바람도 불고 날씨도 흐렸어요.

2)

가: 떡볶이가 ____________________?

나: 네, 맛있지만 조금 매워요.

3)

가: 시간이 있으면 책을 ____________________?

나: 아니요, 저는 핸드폰을 봐요.

4)

가: 건우 씨는 ____________________?

나: 아니요, 저는 회사원이에요.

5)

가: 오늘도 수업 끝나고 축구를 ____________________?

나: 그럼요, 하러 갈 거예요.

## 문법 및 표현2 -(으)ㄹ 때

교재 113쪽

**의미와 용법**

동사나 형용사 뒤에 붙어 어떤 행동이나 상황이 일어나는 동안이나 그 순간을 말할 때 사용한다.
It is used after a verb or adjective to express the time or moment when an action or situation takes place.

**형태**

| ① 형용사/동사 + -(으)ㄹ 때 | | | |
|---|---|---|---|
| 받침 O | 있다 | + -을 때 | 있을 때 |
| 받침 X | 쉬다 | + -ㄹ 때 | 쉴 때 |
| ★ | 춥다 | + -을 때 | 추울 때 ☞6과 워크북 68쪽 |
| ★ | 듣다 | + -을 때 | 들을 때 ☞11과 워크북 34쪽 |
| ★ | 힘들다 | + -ㄹ 때 | 힘들 때 ☞15과 워크북 68쪽 |

**제약 및 추가 설명**

1) 'N 때'의 형태를 사용하기도 한다. 이때 명사는 '방학, 휴가, 생일, 시험, 크리스마스' 등과 같이 기간을 나타내는 말이 온다.
The form "N 때" is also used. Here, nouns specifying a time or period, such as vacations, holidays, birthdays, exams, and Christmastime are used.
예) 저는 방학 때 친구들이랑 제주도에 놀러 가고 싶어요.

2) 부정형은 '안 A/V-(으)ㄹ 때'나 'A/V-지 않을 때'를 쓴다.
The negative form is expressed as "안 A/V-(으)ㄹ 때" or "A/V-지 않을 때"
예) 잠이 안 올 때 책을 읽으면 좋아요. = 잠이 오지 않을 때 책을 읽으면 좋아요.

**예문** 따라 읽으세요. T34

❶ 가: 날씨가 좋을 때 뭐 해요?
What do you do when the weather is nice?
나: 집 근처에 있는 공원에 가서 산책해요.
I go to the park near my house and take a walk.

❷ 가: 언제 고향에 가고 싶어요?
When do you want to visit your hometown?
나: 아플 때 고향에 가고 싶어요.
I want to visit my hometown when I am sick.

❸ 가: 언제 기분이 좋아요?
When do you feel good?
나: 맛있는 음식을 먹을 때랑 음악을 들을 때 기분이 좋아요.
I feel good when I eat delicious food and listen to music.

❹ 가: 쉴 때 뭐 할 거예요?
What will you do to rest?
나: 집에서 푹 잘 거예요.
I will get good sleep at home.

❺ 저는 차가 뜨거울 때 마시는 것을 좋아해요. I like drinking tea when it's hot.

❻ 고향 음식이 먹고 싶을 때는 제가 요리해서 먹어요.
When I want to eat food from my hometown, I cook it myself.

❼ 기분이 좋지 않을 때는 산책하거나 운동하는 것이 좋아요.
If you're in a bad mood, it would be better to go for a walk or exercise.

❽ 저는 보통 생일 때 친구들하고 같이 밥을 먹어요.
I usually eat with my friends on my birthday.

**연습 ❶** **보기와 같이 쓰세요.** Write as shown in the example below.

보기 심심하다, 게임을 해요. → 심심할 때 게임을 해요.

1) 눈이 오다, 스키를 타러 가고 싶어요.
→ ______________________.

2) 사진을 찍다, 웃으세요.
→ ______________________.

**웃다** to laugh

3) 노래하고 싶다, 노래방에 가서 노래해요.
→ ______________________.

4) 날씨가 덥지 않다, 캠핑해 보세요.
→ ______________________.

5) 날씨가 춥다, 두꺼운 옷을 입는 것이 좋아요.
→ ______________________.

**연습 ❷** **'-(으)ㄹ 때'를 사용해서 대화를 완성하세요.** Complete the conversation using "-(으)ㄹ 때".

1) 가: 보통 무엇을 할 때 음악을 들어요?
나: ______________________.

2) 가: 무엇을 할 때 즐거워요?
나: ______________________.

3) 가: 무엇을 할 때 핸드폰을 볼 수 없어요?
나: ______________________.

4) 가: 언제 고향에 가고 싶어요?
나: ______________________.

5) 가: 언제 한국 생활이 힘들어요?
나: ______________________.

6) 가: 언제 놀러 가고 싶어요?
나: ______________________.

7) 가: 언제 병원에 가요?
나: ______________________.

# 12과 날씨와 계절 Weather and Seasons

## 문법 및 표현3 −(스)ㅂ니다

교재 120쪽

**의미와 용법**

동사나 형용사 뒤에 붙어 격식적인 자리에서 물을 때는 '−(스)ㅂ니까'를 쓰고 답할 때는 '−(스)ㅂ니다'를 사용한다.

"−(스)ㅂ니다" is used with a verb or adjective. In formal situations, "−(스)ㅂ니까" is used when asking questions, and "−(스)ㅂ니다" is used when answering questions.

### 형태

★으 탈락 ☞4과 워크북 52쪽
★ㄹ 불규칙 ☞15과 워크북 68쪽

**①−1 현재 질문: 형용사/동사 + −(스)ㅂ니까?**

| | | | |
|---|---|---|---|
| 받침 O | 춥다 | −습니까? | 춥습니까? |
| | 읽다 | | 읽습니까? |
| 받침 X | 싸다 | + −ㅂ니까? | 쌉니까? |
| | 쓰다 | | 씁니까? |
| ★ | 만들다 | + −ㅂ니까? | 만듭니까? |

**①−2 현재 대답: 형용사/동사 + −(스)ㅂ니다.**

| | | | |
|---|---|---|---|
| 받침 O | 춥다 | + −습니다 | 춥습니다 |
| | 읽다 | | 읽습니다 |
| 받침 X | 싸다 | + −ㅂ니다 | 쌉니다 |
| | 쓰다 | | 씁니다 |
| ★ | 만들다 | + −ㅂ니다 | 만듭니다 |

**②−1 현재 질문: 명사 + 입니까?**

| | | | |
|---|---|---|---|
| 받침 O | 학생 | + 입니까? | 학생입니까? |
| 받침 X | 가수 | | 가수입니까? |

**②−2 현재 대답: 명사 + 입니다.**

| | | | |
|---|---|---|---|
| 받침 O | 학생 | + 입니다 | 학생입니다 |
| 받침 X | 가수 | | 가수입니다 |

**③−1 과거 질문: 형용사/동사 + −았/었/했습니까?**

| | | | |
|---|---|---|---|
| ㅏ, ㅗ | 좋다 | + −았습니까? | 좋았습니까? |
| ㅓ,ㅜ,ㅡ, ㅣ··· | 기다리다 | + −었습니까? | 기다렸습니까? |
| 하다 | 복잡하다 | + 했습니까? | 복잡했습니까? |
| ★ | 쓰다 | + −었습니까? | 썼습니까? |

**③−2 과거 대답: 형용사/동사 + −았/었/했습니다.**

| | | | |
|---|---|---|---|
| ㅏ, ㅗ | 좋다 | + −았습니다 | 좋았습니다 |
| ㅓ,ㅜ,ㅡ, ㅣ··· | 기다리다 | + −었습니다 | 기다렸습니다 |
| 하다 | 복잡하다 | + 했습니다 | 복잡했습니다 |
| ★ | 쓰다 | + −었습니다 | 썼습니다 |

**④−1 과거 질문: 명사 + 이었습니까/였습니까?**

| | | | |
|---|---|---|---|
| 받침 O | 학생 | + 이었습니까 | 학생이었습니까? |
| 받침 X | 가수 | + 였습니까? | 가수였습니까? |

**④−2 과거 대답: 명사 + 이었습니다/였습니다.**

| | | | |
|---|---|---|---|
| 받침 O | 학생 | + 이었습니다 | 학생이었습니다 |
| 받침 X | 가수 | + 였습니다 | 가수였습니다 |

**⑤−1 미래 질문: 동사 + −(으)ㄹ 겁니까?**

| | | | |
|---|---|---|---|
| 받침 O | 읽다 | + −을 겁니까? | 읽을 겁니까? |
| 받침 X | 쓰다 | + −ㄹ 겁니까? | 쓸 겁니까? |
| ★ | 만들다 | + −ㄹ 겁니까? | 만들 겁니까? |

**⑤−2 미래 대답: 동사 + −(으)ㄹ 겁니다.**

| | | | |
|---|---|---|---|
| 받침 O | 읽다 | + −을 겁니다 | 읽을 겁니다 |
| 받침 X | 쓰다 | + −ㄹ 겁니다 | 쓸 겁니다 |
| ★ | 만들다 | + −ㄹ 겁니다 | 만들 겁니다 |

### 제약 및 추가 설명

1) 보통 회의나 발표, 텔레비전 뉴스, 인터뷰 등 공식적인 상황에서 많이 사용한다.
It is commonly used in meetings, presentations, television news, interviews, and other formal contexts.

2) "안녕하세요?"는 "안녕하십니까?", "어때요?"는 "어떻습니까?", "어땠어요?"는 "어땠습니까?"를 사용한다.
"안녕하세요?" changes to "안녕하십니까?," "어때요?" to "어떻습니까?," and "어땠어요?" to "어땠습니까?"

### 예문 따라 읽으세요.

T39

❶ 가: 오늘 날씨가 어떻습니까?
How is the weather today?
나: 오늘은 흐리고 춥습니다.
Today, it's cloudy and cold.

❷ 가: 밍 씨는 시간이 있으면 뭐 합니까?
What do you do when you have free time, Ming?
나: 운동하거나 드라마를 봅니다.
I exercise or watch dramas.

❸ 가: 영화가 어땠습니까?
How was the movie?
나: 재미있었지만 조금 슬펐습니다.
It was interesting, but a little sad.

❹ 가: 내년에 무엇을 할 겁니까?
What will you do next year?
나: 저는 한국 회사에서 일할 겁니다.
I will work at a Korean company.

❺ 안녕하십니까? 저는 크리스틴입니다. 인도네시아에서 왔습니다. 고향에서는 회사원이었습니다.
Hello. My name is Christine. I'm from Indonesia. I was an office worker in my hometown.

**TIP** 구어에서는 '뭡니까', '가숩니다'와 같이 줄여서 말하기도 하지만 글을 쓸 때는 줄여서 쓰지 않는다.
Expressions are often shortened as "뭡니까 (What is···?)" and "가숩니다 (I'm a singer)" in spoken language, but not in written language.

**연습 ①** **쓰세요.** Practice writing below.

| 동사 | -았/었/했습니까?<br>-았/었/했습니다. | -(스)ㅂ니까?<br>-(스)ㅂ니다. | -(으)ㄹ 겁니까?<br>-(으)ㄹ 겁니다. | 형용사 | -았/었/했습니까?<br>-았/었/했습니다. | -(스)ㅂ니까?<br>-(스)ㅂ니다. |
|---|---|---|---|---|---|---|
| 기다리다 | | | | 괜찮다 | | |
| 공부하다 | | | | 높다 | | |
| 놀다 | | | | 쌀쌀하다 | | |
| 듣다 | | | | 맛있다 | | |
| 먹다 | | | | 쉽다 | | |
| 바꾸다 | | | | 아프다 | | |
| 쉬다 | | | | 흐리다 | | |
| 쓰다 | | | | 힘들다 | | |
| 앉다 | | | | *어떻다 | 어땠습니까? | 어떻습니까? |

**연습 ②** **보기와 같이 쓰세요.** Write as shown in the example below.

> **보기** 가: 오늘이 몇 월 며칠이에요? → 오늘이 몇 월 며칠입니까?
> 나: 오늘은 구월 일일이에요. → 오늘은 구월 일일입니다.

1) 가: 보통 주말에 뭐 해요? → 보통 주말에 ______________________?
   나: 저는 친구를 만나서 놀아요. → 저는 친구를 만나서 ______________________.
2) 가: 방학에 무엇을 하고 싶어요? → 방학에 무엇을 ______________________?
   나: 친구랑 여행을 가고 싶어요. → 친구와 여행을 ______________________.
3) 가: 무슨 운동을 할 수 있어요? → 무슨 운동을 ______________________?
   나: 저는 볼링을 칠 수 있어요. → 저는 볼링을 ______________________.
4) 가: 서울에서 어디에 가 봤어요? → 서울에서 어디에 ______________________?
   나: 서울숲에 가 봤어요. → 서울숲에 ______________________.
5) 가: 한국에 무엇을 하러 왔어요? → 한국에 무엇을 ______________________?
   나: 한국어를 배우러 왔어요. → 한국어를 ______________________.

## 문법 및 표현4 –겠[1]–

교재 121쪽

**의미와 용법**

동사나 형용사 뒤에 붙어 상황에 대해 추측할 때 사용한다.
"–겠–" follows a verb or adjective to make a guess or assumption about a situation.

### 형태

| ① 형용사/동사 + –겠– | | | |
|---|---|---|---|
| 받침 O | 춥다 | + –겠– | 춥겠습니다 |
| 받침 X | 비가 오다 | | 비가 오겠습니다 |

### 제약 및 추가 설명

1) 일기 예보나 교통정보, 방송 등에서 많이 사용한다.
It is frequently used in weather forecasts, traffic updates, or broadcasts.
예) 내일은 바람이 많이 불겠습니다.

2) '–고, –지만' 등 다른 문법과 만나서 같이 쓰일 때도 있다.
It can be combined with other grammar structures such as "–고," and "–지만."
예) 오전에는 맑겠고 오후에는 흐리겠습니다.
인천에는 비가 오겠지만 서울에는 오지 않겠습니다.

3) 부정형은 '안 A/V–겠–', 'A/V–지 않겠–'으로 쓴다.
The negative form is expressed as "안 A/V–겠–" or "A/V–지 않겠–."
예) 서울은 안 춥겠습니다. = 서울은 춥지 않겠습니다.

### 예문 따라 읽으세요.

T40

❶ 가: 내일 서울의 날씨가 어떻습니까?
What will the weather be like in Seoul tomorrow?
나: 내일 서울은 아주 맑겠습니다.
Tomorrow, the weather in Seoul will be very clear.

❷ 가: 이번 주에 비가 옵니까?
Will it rain this week?
나: 네, 수요일에 비가 오겠습니다.
Yes, it will rain on Wednesday.

❸ 가: 언제까지 덥습니까?
How long will it be hot?
나: 이번 주 금요일까지는 덥겠지만 주말에 비가 오면 시원하겠습니다.
It will be hot until this Friday, but if it rains on the weekend, it will be cool.

❹ 가: 저는 내일부터 휴가를 가요. 다음 주에 봐요.
I'm going on vacation starting tomorrow. See you next week.
나: 좋겠어요. 잘 쉬고 오세요.
Good for you. Have fun.

**시원하다** cool; refreshin

❺ 내일 제주도는 오전에는 흐리겠고 오후부터는 바람이 많이 불겠습니다.
It will be cloudy on Jeju Island tomorrow morning, and starting in the afternoon, there will be strong winds.

## 연습 ❶ 보기와 같이 그림을 보고 대화를 완성하세요.

Complete the conversation by looking at the picture as shown in the example below.

보기

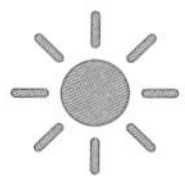

가: 내일 날씨가 어떻습니까?

나: 맑겠습니다.

1) 

가: 내일 날씨가 어떻습니까?

나: ______________________________.

2) 

가: 내일 날씨가 어떻습니까?

나: ______________________________.

3) 

가: 내일 날씨가 어떻습니까?

나: ______________________________.

4) 

가: 내일 날씨가 어떻습니까?

나: ______________________________.

5) 

가: 내일 날씨가 어떻습니까?

나: ______________________________.

## 연습 ❷ 보기와 같이 그림을 보고 대화를 완성하세요.

Complete the conversation by looking at the picture as shown in the example below.

보기

가: 내일 불꽃축제를 구경하러 가요.

나: 와! 재미있겠어요.

1) 

가: 어제 잠을 안 잤어요.

나: ____________________.

2) 

가: 너무 바빠서 밥을 먹을 수 없어요.

나: ____________________.

3) 

가: 이 음식은 요리사가 만들었어요.

나: ____________________.

4) 

가: 주말에 명동에 쇼핑하러 갈 거예요.

나: ____________________.

## 문법 및 표현1 –(으)시–

교재 134쪽

**의미와 용법**

동사나 형용사 뒤에 붙어 주어의 어떤 행위나 상태를 높일 때 사용한다.
"–(으)시–" follows a verb or adjective to respectfully discuss the subject's action or state.

### 형태

| ① 현재: 형용사/동사 + –(으)시– + –어요 = –(으)셔요 → –(으)세요 | | | | |
|---|---|---|---|---|
| 받침 O | 작다 | + –으세요 | 작으세요 | |
| | 읽다 | | 읽으세요 | |
| 받침 X | 예쁘다 | + –세요 | 예쁘세요 | |
| | 쓰다 | | 쓰세요 | |
| ★ | 아름답다 | + –으세요 | 아름다우세요 | ☞6과 워크북 68쪽 |
| ★ | 듣다 | + –으세요 | 들으세요 | ☞11과 워크북 34쪽 |
| ★ | 살다 | + –세요 | 사세요 | ☞15과 워크북 68쪽 |

| ② 현재: 명사 + (이)시– + –어요 = (이)셔요 → (이)세요 | | | |
|---|---|---|---|
| 받침 O | 회사원 | + 이세요 | 회사원이세요 |
| 받침 X | 할머니 | | 할머니세요 |

### 제약 및 추가 설명

1) 높임말은 나이가 많은 사람이나 처음 보는 사람에게 사용한다. Honorific expressions are used with elderly people or strangers.
2) 높임을 나타낼 때 단어가 바뀌는 경우도 있다. Some words change entirely in their honorific form.
   예) 있다 → 계시다, 먹다/마시다 → 드시다, 말하다 → 말씀하시다, 자다 → 주무시다
3) 높임을 받는 인물과 관계가 있는 물건이나 몸의 일부가 문장의 주어일 때도 사용한다.
   Honorific expressions are used for objects or body parts associated with the respected subject.
   예) 할아버지께서는 핸드폰이 있으세요. 어머니께서는 손이 크세요.
4) 자신에게는 높임말을 사용하지 않는다. Honorific expressions are not used for oneself.
   예) 가: 엠마 씨, 어디 가세요? / 나: 저는 일하러 가세요.(X) → 일하러 가요.(O)
5) 부정형은 '안 A/V–(으)세요'나 'A/V–지 않으세요'를 사용한다. 명사의 부정형은 'N이/가 아니세요'를 사용한다.
   The negative form is expressed as "안 A/V–(으)세요" or "A/V–지 않으세요." The negative form for nouns is expressed as "N이/가 아니세요."
   예) 아버지께서는 일을 안 하세요. = 아버지께서는 일을 하지 않으세요.
   어머니께서는 회사원이 아니세요.

### 예문 따라 읽으세요.

T41

1. 가: 자함 씨의 반 선생님께서 어떠세요?
   How is your homeroom teacher, Zihan?
   나: 우리 반 선생님께서는 친절하세요.
   My homeroom teacher is very kind.
2. 가: 엠마 씨 어머니께서는 쉴 때 뭐 하세요?
   What does your mother do during her free time, Emma?
   나: 산에 가서 사진을 찍으세요.
   She goes to the mountains and takes pictures.
3. 가: 바타르 씨는 어디에 사세요?
   Where do you live, Bataar?
   나: 저는 학교 근처에 살아요.
   I live near the school.
4. 가: 루카스 씨의 부모님께서는 무슨 일을 하세요?
   What do your parents do, Lucas?
   나: 아버지께서는 경찰이시고 어머니께서는 간호사세요.
   My father is a police officer, and my mother is a nurse.
5. 아버지께서는 회사원이 아니세요. 엔지니어세요. My father is not an office worker. He is an engineer.
6. 할머니께서는 계시지만 할아버지께서는 안 계세요. My grandmother is alive, but my grandfather is not.
7. 어머니께서는 요리를 잘하시지만 시간이 없어서 가끔 하세요.
   My mother is a good cook, but she doesn't have much time, so she only cooks occasionally.

***어떠세요?** *How is…?
***무슨 일을 하세요?**
*What do you do for a living?

**연습 ❶** **쓰세요.** Practice writing below.

| | (이)세요 | 이/가 아니세요 |
|---|---|---|
| 선생님 | | |
| 주부 | | |

| | –(으)세요 | –지 않으세요 | | –(으)세요 | –지 않으세요 |
|---|---|---|---|---|---|
| 가다 | | | 오다 | | |
| 배우다 | | | 입다 | | |
| *듣다 | | | *살다 | | |
| *어떻다 | 어떠세요? | (X) | 크다 | | |
| 많다 | | | 멋있다 | | |
| *귀엽다 | | | *힘들다 | | |
| *먹다, 마시다 | | | *말하다 | | |
| *있다 | 선생님께서 교실에 | 선생님께서 교실에 | *자다 | | |

**연습 ❷** **그림을 보고 대화를 완성하세요.** Look at the pictures and complete the conversations.

1) 

가: 할아버지께서 지금 뭐 하세요?

나: ______________________________.

2) 

가: 할아버지께서 지금 드라마를 보세요?

나: 아니요. ______________________________.

3) 

가: 할머니께서 지금 뭐 하세요?

나: ______________________________.

4) 

가: 할머니께서 지금 뭐 하세요?

나: ______________________________.

5) 

가: 할머니께서 지금 기분이 어떠세요?

나: ______________________________.

## 문법 및 표현2 -(으)시-

교재 135쪽

**의미와 용법**

동사나 형용사 뒤에 붙어 공식적인 자리에서 주어의 어떤 행위나 상태를 높일 때 사용한다.
"-(으)시-" follows a verb or adjective to respectfully discuss the subject's action or state in formal settings.

**형태**

★ ㅂ 불규칙 ☞6과 워크북 68쪽
★ ㄷ 불규칙 ☞11과 워크북 34쪽
★ ㄹ 탈락 ☞15과 워크북 68쪽

| ①-1 현재 질문: 형용사/동사 + -(으)시-+ㅂ니까? = -(으)십니까? | | | | ①-2 현재 대답: 형용사/동사 + -(으)시-+ㅂ니다. = -(으)십니다. | | | |
|---|---|---|---|---|---|---|---|
| 받침 O | 작다 | + -으십니까? | 작으십니까? | 받침 O | 작다 | + -습니다 | 작으십니다 |
| | 읽다 | | 읽으십니까? | | 읽다 | | 읽으십니다 |
| 받침 X | 예쁘다 | + -십니까? | 예쁘십니까? | 받침 X | 예쁘다 | + -ㅂ니다 | 예쁘십니다 |
| | 쓰다 | | 쓰십니까? | | 쓰다 | | 쓰십니다 |
| ★ | 아름답다 | + -으십니까? | 아름다우십니까? | ★ | 아름답다 | + -으십니다 | 아름다우십니다 |
| ★ | 듣다 | + -으십니까? | 들으십니까? | ★ | 듣다 | + -으십니다 | 들으십니다 |
| ★ | 살다 | + -ㅂ니까? | 사십니까? | ★ | 살다 | + -ㅂ니다 | 사십니다 |
| **②-1 현재 질문: 명사 + (이)시-+ㅂ니까? = (이)십니까?** | | | | **②-2 현재: 명사 + (이)시- + -ㅂ니다. = (이)십니다.** | | | |
| 받침 O | 회사원 | + 이십니까? | 회사원이십니까? | 받침 O | 회사원 | + 이십니다 | 회사원이십니다 |
| 받침 X | 할머니 | + 십니까? | 할머니십니까? | 받침 X | 할머니 | + 십니다 | 할머니십니다 |

### 제약 및 추가 설명

1) 발표, 인터뷰 등과 같이 공식적인 상황에서는 '-(으)십니다, (이)십니다'를 사용한다.
In formal situations such as presentations or interviews, "-(으)십니다" or "(이)십니다" is used.

| | | | |
|---|---|---|---|
|  | 가: 누구세요?<br>나: 우리 부모님이세요. |  | 가: 누구십니까?<br>나: 우리 부모님이십니다. |
|  | 가: 심심할 때 뭐 하세요?<br>나: 저는 책을 읽어요. |  | 가: 주말에 뭐 하십니까?<br>나: 저는 책을 읽습니다. |

2) 부정형은 '안 A/V-(으)십니다'나 'A/V-지 않으십니다'를 사용한다. 명사의 부정형은 'N이/가 아니십니다'를 사용한다.
The negative form is expressed as "안 A/V-(으)십니다" or "A/V-지 않으십니다." The negative form for nouns is expressed as "N이/가 아니십니다."
예) 아버지께서는 일을 안 하십니다. = 아버지께서는 일을 하지 않으십니다.
어머니께서는 회사원이 아니십니다.

### 예문 따라 읽으세요.

T42

❶ 가: 환자분, 오늘은 좀 어떠십니까?
How are you feeling today?
나: 오늘은 어제보다 괜찮습니다.
I feel better than yesterday.

❷ 가: 다니엘 씨는 시간이 있을 때 뭐 하십니까?
What do you do when you have free time, Daniel?
나: 동영상을 만듭니다.
I make videos.

❸ 가: 손님, 뭘 찾으십니까?
May I help you?
나: 여기 가벼운 운동화 있어요?
Do you have light sneakers?

❹ 가: 저 분은 누구십니까?
Who is that person?
나: 우리 선생님이십니다.
He is our teacher.

❺ 아버지께서는 보통 11시쯤 주무십니다.
My father usually goes to bed around 11 o'clock.

❻ 어머니께서는 매일 아침을 드시고 커피 한 잔을 드십니다.
My mother has breakfast and drinks a cup of coffee every day.

***어떠십니까?**
*How are you?

**연습 1** **쓰세요.** Practice writing below.

| | (이)십니까? | (이)십니다. | 이/가 아니십니까? | 이/가 아니십니다. |
|---|---|---|---|---|
| 선생님 | | | | |
| 주부 | | | | |

| | –(으)십니까? | –(으)십니다. | –지 않으십니다. |
|---|---|---|---|
| 가다 | | | |
| 배우다 | | | |
| 입다 | | | |
| *듣다 | | | |
| *살다 | | | |
| *어떻다 | 어떠십니까? | | |
| 크다 | | | |
| 많다 | | | |
| *귀엽다 | | | |
| *힘들다 | | | |
| *먹다, 마시다 | | | |
| *말하다 | | | |
| *있다 | 선생님께서 교실에 | 선생님께서 교실에 | 선생님께서 교실에 |
| *자다 | | | |

**연습 2** **보기와 같이 쓰세요.** Write as shown in the example below.

## 할머니의 하루

오전 5:00 일어나다 → 세수를 하고 옷을 입다 → 아침을 먹고 운동하다→ 12:00 점심을 먹고 커피를 마시다 → 저녁에 샤워하고 책을 읽다 → 저녁 9:00 자다

보기 할머니께서는 오전 5시에 일어나십니다. 그리고

## 문법 및 표현3 -(으)셨-, -(으)실-

교재 142쪽

**의미와 용법**

- -(으)셨-: 동사나 형용사 뒤에 붙어 주어의 과거 행위나 상태를 높일 때 사용한다.
  "-(으)셨-" follows a verb or adjective to respectfully discuss the subject's past action or state.
- -(으)실-: 동사의 뒤에 붙어 주어의 미래 행위를 높일 때 사용한다.
  "-(으)실-" follows a verb or adjective to respectfully discuss the subject's future action.

**형태**

★ ㅂ 불규칙 ☞6과 워크북 68쪽
★ ㄷ 불규칙 ☞11과 워크북 34쪽
★ ㄹ 탈락 ☞15과 워크북 68쪽

| ① 과거: 형용사/동사 + -(으)시- + -었어요 = -(으)셨어요 | | | | |
|---|---|---|---|---|
| 받침 O | 멋있다 | + -으셨어요 | 멋있으셨어요 | |
| | 읽다 | | 읽으셨어요 | |
| 받침 X | 예쁘다 | + -셨어요 | 예쁘셨어요 | |
| | 쓰다 | | 쓰셨어요 | |
| ★ | 아름답다 | + -으셨어요 | 아름다우셨어요 | ☞6과 워크북 68쪽 |
| ★ | 듣다 | + -으셨어요 | 들으셨어요 | ☞11과 워크북 34쪽 |
| ★ | 살다 | + -셨어요 | 사셨어요 | ☞15과 워크북 68쪽 |

| ② 과거: 명사 + (이)시- + 었어요 = (이)셨어요 | | | |
|---|---|---|---|
| 받침 O | 회사원 | + 이셨어요 | 회사원이셨어요 |
| 받침 X | 기자 | + 셨어요 | 기자셨어요 |

| ③ 미래: 동사 + -(으)시- + ㄹ 거예요 = -(으)실 거예요 | | | | |
|---|---|---|---|---|
| 받침 O | 읽다 | + -으실 거예요 | 읽으실 거예요 | |
| 받침 X | 쓰다 | + -실 거예요 | 쓰실 거예요 | |
| ★ | 걷다 | + -으실 거예요 | 걸으실 거예요 | ☞11과 워크북 34쪽 |
| ★ | 살다 | + -실 거예요 | 사실 거예요 | ☞15과 워크북 68쪽 |

**제약 및 추가 설명**

1) 과거의 부정형은 '안 A/V-(으)셨어요', 'A/V-지 않으셨어요'를 사용한다. 명사의 과거 부정형은 'N이/가 아니셨어요'를 사용한다.
The negative form for the past tense is expressed as "안 A/V-(으)셨어요" or "A/V-지 않으셨어요."
The past negative form for nouns is expressed as "N이/가 아니셨어요."
예) 선생님께서 안 오셨어요. = 선생님께서 오지 않으셨어요. / 어머니께서는 회사원이 아니셨어요.
2) 미래의 부정형은 '안 V-(으)실 거예요'나 'V-지 않으실 거예요'를 사용한다.
The future negative form for nouns is expressed as "안 V-(으)실 거예요" or "V-지 않으실 거예요.""
예) 선생님께서 안 오실 거예요. = 선생님께서 오지 않으실 거예요.

**예문** 따라 읽으세요. T47

1. 가: 할머니께서는 안 계세요?
   Is your grandmother no longer with us?
   나: 네, 할머니께서는 돌아가셨어요.
   Yes, she passed away.
2. 가: 어제 뭐 하셨어요?
   What did you do yesterday?
   나: 수업 후에 집에 가서 쉬었어요.
   After class, I went home and rested.
3. 가: 올림픽 공원에 가 보셨어요?
   Have you been to Olympic Park?
   나: 아니요, 안 가 봤어요.
   No, I haven't.
4. 가: 고향에서도 학생이셨어요?
   Were you a student as well in your hometown?
   나: 아니요, 회사에 다녔어요.
   No, I worked for a company.
5. 가: 부모님께서 한국에 오셨어요?
   Have your parents come to Korea?
   나: 아니요, 내일 오실 거예요.
   No, they will come tomorrow.
6. 가: 주말에 뭐 하실 거예요?
   What will you do this weekend?
   나: 한강에 가서 놀 거예요.
   I will go to the Hangang River and hang out.
7. 아버지께서는 지난주에 일이 많아서 바쁘셨어요. My father was busy with work last week.
8. 부모님께서 다음 주에 한국에 오실 거예요. My parents will come to Korea next week.

**돌아가시다**
to pass away (honorifi

**연습 ①** **쓰세요.** Practice writing below.

| | (이)셨어요? | 이/가 아니셨어요. |
|---|---|---|
| 선생님 | | |
| 주부 | | |

| | -(으)셨어요? | -지 않으셨어요. | -(으)실 거예요? | -지 않으실 거예요. |
|---|---|---|---|---|
| 가다 | | | | |
| 입다 | | | | |
| *듣다 | | | | |
| *살다 | | | | |
| *어떻다 | 어떠셨어요? | | | |
| 크다 | | | | |
| 좋다 | | | | |
| *귀엽다 | | | | |
| *힘들다 | | | | |
| *먹다, 마시다 | | | | |
| *말하다 | | | | |
| *있다 | 선생님께서 교실에 | 선생님께서 교실에 | 선생님께서 교실에 | 선생님께서 교실에 |
| *자다 | | | | |
| *죽다 | | | | |

**연습 ②** **그림을 보고 대화를 완성하세요.**

Look at the pictures and write the answers as shown in the example below.

1) 

가: 할아버지께서는 무슨 일을 하셨어요?

나: ______________________________.

2) 

가: 이거 엠마 씨가 만드셨어요?

나: 아니요, ______________________________.

3) 

가: 할아버지께서는 안 계세요?

나: 네, 작년에 ______________________________.

4) 

가: 부모님께서 한국에 오셨어요?

나: 아니요, 내일 ______________________________.

5) 

가: 손님, 여기에서 ______________________________?

나: 아니요, 가져갈 거예요.

## 문법 및 표현4 -(으)셨- / -(으)실-

교재 143쪽

### 의미와 용법

- -(으)셨-: 동사나 형용사 뒤에 붙어 공식적인 자리에서 주어의 과거 행위나 상태를 높일 때 사용한다.
  "-(으)셨-" follows a verb or adjective to respectfully discuss the subject's past action or state in formal settings.
- -(으)실-: 동사의 뒤에 붙어 공식적인 자리에서 주어의 미래 행위를 높일 때 사용한다.
  "-(으)실-" follows a verb to respectfully discuss the subject's future action in formal settings.

### 형태

★ ㅂ 불규칙 ☞6과 워크북 68쪽
★ ㄷ 불규칙 ☞11과 워크북 34쪽
★ ㄹ 탈락 ☞15과 워크북 68쪽

| ①-1 과거 질문: 형용사/동사 + -(으)시- + -었습니까? = -(으)셨습니까? | | | |
|---|---|---|---|
| 받침 O | 멋있다 | + -으셨습니까? | 멋있으셨습니까? |
| | 읽다 | | 읽으셨습니까? |
| 받침 X | 예쁘다 | + -셨습니까? | 예쁘셨습니까? |
| | 쓰다 | | 쓰셨습니까? |
| ★ | 아름답다 | + -으셨습니까? | 아름다우셨습니까? |
| ★ | 듣다 | + -으셨습니까? | 들으셨습니까? |
| ★ | 살다 | + 셨습니까? | 사셨습니까? |

| ①-2 과거 대답: 형용사/동사 + -(으)시- + -었습니다. = -(으)셨습니다. | | | |
|---|---|---|---|
| 받침 O | 멋있다 | + -으셨습니다 | 멋있으셨습니다 |
| | 읽다 | | 읽으셨습니다 |
| 받침 X | 예쁘다 | + -셨습니다 | 예쁘셨습니다 |
| | 쓰다 | | 쓰셨습니다 |
| ★ | 아름답다 | + -으셨습니다 | 아름다우셨습니다 |
| ★ | 듣다 | + -으셨습니다 | 들으셨습니다 |
| ★ | 살다 | + -셨습니다 | 사셨습니다 |

| ②-1 과거 질문: 명사 + (이)시- + 었습니까? = (이)셨습니까? | | | |
|---|---|---|---|
| 받침 O | 회사원 | + -이셨습니까? | 회사원이셨습니까? |
| 받침 X | 기자 | + -셨습니까? | 기자셨습니까? |

| ②-2 과거 대답: 명사 + (이)시- + 었습니다. = (이)셨습니다. | | | |
|---|---|---|---|
| 받침 O | 회사원 | + 이셨습니다 | 회사원이셨습니다 |
| 받침 X | 기자 | + 셨습니다 | 기자셨습니다 |

| ③-1 미래 질문: 동사 + -(으)시- + ㄹ 겁니까? = -(으)실 겁니까? | | | |
|---|---|---|---|
| 받침 O | 읽다 | + -으실 겁니까? | 읽으실 겁니까? |
| 받침 X | 쓰다 | + -실 겁니까? | 쓰실 겁니까? |
| ★ | 걷다 | + -으실 겁니까? | 걸으실 겁니까? |
| ★ | 살다 | + -실 겁니까? | 사실 겁니까? |

| ③-2 미래 대답: 동사 + -(으)시- + -ㄹ 겁니다. = -(으)실 겁니다 | | | |
|---|---|---|---|
| 받침 O | 읽다 | + -으실 겁니다 | 읽으실 겁니다 |
| 받침 X | 쓰다 | + -실 겁니다 | 쓰실 겁니다 |
| ★ | 걷다 | + -으실 겁니다 | 걸으실 겁니다 |
| ★ | 살다 | + -실 겁니다 | 사실 겁니다 |

### 제약 및 추가 설명

1) 발표, 인터뷰 등과 같이 공식적인 상황에서는 '-으셨습니까?, -으실 겁니까?'를 사용한다.
In formal situations such as presentations or interviews, "-으셨습니까?" or "-으실 겁니까?" is used.

가: 고향에서 한국어를 공부하셨어요?
나: 네, 혼자 공부했어요.

가: 내년에도 공부하실 거예요?
나: 네, 할 거예요.

가: 고향에서 한국어를 공부하셨습니까?
나: 네, 혼자 공부했습니다.

가: 내년에도 공부하실 겁니까?
나: 네, 할 겁니다.

### 예문 따라 읽으세요.

T48

1. 가: 한국에 처음 왔을 때 기분이 어떠셨습니까?
   How did you feel when you first came to Korea?
   나: 아주 좋았습니다.
   I really liked it.
2. 가: 언제 한국에 오셨습니까?
   When did you come to Korea?
   나: 한 달 전에 왔습니다.
   I came a month ago.
3. 가: 여기에서 드실 겁니까?
   Will you eat here?
   나: 아니요, 가져갈 겁니다.
   No, I will take it to go.
4. 가: 두 분 모두 사진을 찍으실 겁니까?
   Will both of you take a photo?
   나: 아니요, 저만 찍을 겁니다.
   No, only I will take a photo.
5. 할아버지께서는 작년까지 회사에 다니셨습니다. My grandfather worked for a company until last year.
6. 부모님께서는 한국에 일주일쯤 계실 겁니다. My parents will stay in Korea for about a week.

**N(숫자²) 달**
N (native Korean number) month(s)

## -(으)셨- / -(으)실-

**연습 ❶** **쓰세요.** Practice writing below.

| | (이)셨습니까? | (이)셨습니다. | 이/가 아니셨습니까? | 이/가 아니셨습니다. |
|---|---|---|---|---|
| 선생님 | | | | |
| 주부 | | | | |

| | -(으)셨습니까? | -지 않으셨습니다. | -(으)실 겁니까? | -지 않으실 겁니다. |
|---|---|---|---|---|
| 가다 | | | | |
| 입다 | | | | |
| *듣다 | | | | |
| *살다 | | | | |
| *어떻다 | 어떠셨습니까? | | | |
| 크다 | | | | |
| 좋다 | | | | |
| *귀엽다 | | | | |
| *힘들다 | | | | |
| *먹다, 마시다 | | | | |
| *말하다 | | | | |
| *있다 | 선생님께서 교실에 | 선생님께서 교실에 | 선생님께서 교실에 | 선생님께서 교실에 |
| *자다 | | | | |
| *죽다 | | | | |

**연습 ❷** **보기와 같이 그림을 보고 쓰세요.**

Look at the pictures and write the answers as shown in the example below.

어제

내일

보기 어제 할머니와 할아버지께서는 같이 춤을 추셨습니다. 그리고

## 문법 및 표현1 -아/어/해 주세요

교재 156쪽

**의미와 용법**

동사 뒤에 붙어 다른 사람에게 도움을 요청할 때 사용한다.
"-아/어/해 주세요" is used after a verb to politely ask someone for help.

### 형태

| ① 동사 + -아/어/해 주세요 | | | |
|---|---|---|---|
| ㅏ, ㅗ | 닫다 | + -아 주세요 | 닫아 주세요 |
| ㅓ, ㅜ, ㅡ, ㅣ… | 바꾸다 | + -어 주세요 | 바꿔 주세요 |
| 하다 | 말하다 | + 해 주세요 | 말해 주세요 |
| ★ | 쓰다 | + -어 주세요 | 써 주세요 ☞4과 워크북 52쪽 |
| ★ | 듣다 | + -어 주세요 | 들어 주세요 ☞11과 워크북 34쪽 |

### 제약 및 추가 설명

1) 도움을 주는 행위를 하는 'V-아/어/해 주다'와 다른 사람에게 요청하는 '-(으)세요'가 더해져 다른 사람에게 도움을 요청할 때 사용한다.
 닫 + -아 주다 + -세요 = 닫아 주세요.
 "V-아/어/해 주다," which indicates a "helping" action, is combined with "-(으)세요," which indicates a request, to ask someone for help.
 "닫" + "-아 주다" + "-세요" = "닫아 주세요."
2) 말할 때 보통 'N 좀 -아/어/해 주세요'로 많이 쓴다. In spoken language, it is frequently said as "N 좀 -아/어/해 주세요."
 예) 펜을 빌려 주세요. = 펜 좀 빌려 주세요.
3) 동사 '주다'와 함께 사용하지 않는다. It cannot used with the verb "주다."
 예) 메뉴판을 줘 주세요. (X) → 메뉴판을 주세요. (O)
4) 부드럽게 요청할 때는 'V-아/어/해 주다'와 '-(으)ㄹ 수 있어요?'를 결합해서 사용한다.
 For softer or more polite requests, "V-아/어/해 주다" is combined with "-(으)ㄹ 수 있어요?"
 예) 펜 좀 빌려 줄 수 있어요? = 펜 좀 빌려 주세요.
5) 부드럽게 명령할 때도 사용한다. It is also used for soft commands.
 예) 잠깐만 기다려 주세요. = 잠깐만 기다리세요.

### 예문 따라 읽으세요.

T49

❶ 가: 제 생일 파티를 해요. 파티에 와 주세요.
I'm having a birthday party. Please come to my party.
나: 네, 그런데 언제 해요?
Sure, but when is it?

❷ 가: 여권 좀 보여 주세요.
Please show me your passport.
나: 네, 여기 있어요.
Yes, here it is.

❸ 가: 선생님, 죄송하지만 다시 한번 말씀해 주세요.
Excuse me, but could you say that again?
나: 네, 잘 들으세요.
Yes, please listen carefully.

❹ 가: 교실이 추우니까 에어컨 좀 꺼 주세요.
The classroom is cold. Please turn off the air conditioner.
나: 네, 알았어요.
Okay.

❺ 가: 한국 친구를 많이 사귀었어요?
Have you made many Korean friends?
나: 아니요, 주원 씨가 좀 소개해 줄 수 있어요?
No, could you introduce some to me, Ju-won?

❻ 가: 지하철 안이니까 조용히 해 주세요.
We're on the subway, so please be quiet.
나: 네, 죄송합니다.
Yes, I'm sorry.

❼ 다리를 다쳤어요. 저 좀 도와주세요.
I hurt my leg. Please help me.

**여권** passport **보이다** to show
**끄다** to turn off
***조용히 하다** *to be quiet

**연습 ❶** **보기와 같이 그림을 보고 쓰세요.** Write by looking at the picture as shown in the example below.

보기

여기에 <u>이름 좀 써 주세요</u>. (이름, 쓰다)

**켜다** to turn on
**계산(을) 하다** to pay

1) 

더우니까 ________________________________. (에어컨, 켜다)

2) 

저기요, 이거 ________________________________. (계산, 하다)

3) 

엄마, ________________________________. (인형, 사다)

4) 

엄마, ________________________________. (책, 읽다)

5) 

가져갈 거예요. ________________________________. (햄버거, 포장하다)

**연습 ❷** **보기와 같이 쓰세요.** Write as shown in the example below.

보기 맛있는 음식을 먹고 싶어요. 맛집을 알고 싶어요. → <u>맛집을 소개해 주세요</u>.

1) 비가 와요. 그런데 저는 우산이 없어요. 친구는 우산이 두 개 있어요.

→ ________________________________.

2) 택시를 탔어요. 건국대학교에 가고 싶어요.

→ ________________________________.

***전화가 오다**
*got a call
***전화를 받다**
*to answer the phone

3) 친구의 전화가 왔어요. 그렇지만 지금은 일을 하니까 전화를 받을 수 없어요.

→ ________________________________.

4) 친구 집에 귀여운 강아지가 있어요. 그 강아지의 사진을 보고 싶어요.

→ ________________________________.

5) 친구는 수영을 할 수 있지만 저는 할 수 없어요. 수영을 배우고 싶어요.

→ ________________________________.

## 문법 및 표현2 –(으)ㄹ게요[1]

교재 157쪽

**의미와 용법**

동사 뒤에 붙어 다른 사람에게 약속하거나 미래의 일에 대한 자신의 의지를 나타낼 때 사용한다.
"–(으)ㄹ게요[1]" follows a verb to express a promise to someone or indicate intent to do something in the future.

### 형태

**① 동사 + –(으)ㄹ게요**

| | | | |
|---|---|---|---|
| 받침 O | 입다 | + –을게요 | 입을게요 |
| 받침 X | 쓰다 | + –ㄹ게요 | 쓸게요 |
| ★ | 듣다 | + –을게요 | 들을게요 ☞11과 워크북 34쪽 |
| ★ | 열다 | + –ㄹ게요 | 열게요 ☞15과 워크북 68쪽 |

### 제약 및 추가 설명

1) '–아/어/해 주다'와 만나 다른 사람을 위해 자신이 어떤 행동을 할 것을 약속할 때 사용한다.
When combined with "–아/어/해 주다," it is used to promise to do a specific action for someone.
예) 가: 지우개 좀 빌려 주세요. / 나: 네, 빌려 줄게요.

2) 말하는 사람의 약속이나 의지를 나타내기 때문에 2, 3인칭 대명사가 주어로 올 수 없다.
Because it indicates the speaker's promise or intent, second or third-person pronouns cannot be the subject.
예) 제가 발표할게요. (O) 루카스 씨가 발표할게요. (X)

3) 부정형은 '안 V–(으)ㄹ게요'나 'V–지 않을게요'를 사용한다. The negative form is expressed as "안 V–(으)ㄹ게요" or "V–지 않을게요."
예) 창문을 안 열게요. = 창문을 열지 않을게요.

4) '–아/어/해 보다'와 만나면 자신이 어떤 행동을 시도해 보겠다는 의지를 나타낸다.
When combined with "–아/어/해 보다," it shows the speaker's intent to try something.
예) 가: 춘천에 가면 닭갈비를 한번 먹어 보세요. / 나: 네, 먹어 볼게요.

### 예문 따라 읽으세요.

T50

❶ 가: 추우니까 문 좀 닫아 주세요.
It's cold. Please close the door.
나: 네, 닫아 줄게요.
Okay, I'll close it.

❷ 가: 저기요, 사진 좀 찍어 주세요.
Excuse me. Please take a photo of me.
나: 네, 찍어 줄게요. 카메라를 주세요.
Yes, I will take it for you. Please give me the camera.

❸ 가: 내일 5시까지 파티에 올 수 있어요?
Can you come to the party by 5 o'clock tomorrow?
나: 네, 5시까지 꼭 갈게요.
Yes, I'll definitely come by 5 o'clock.

❹ 가: 수업 시간에 핸드폰을 보지 마세요.
Don't look at your phone during class.
나: 네, 안 볼게요.
Okay, I won't.

❺ 가: 지각하지 마세요.
Don't be late.
나: 네, 지각하지 않을게요.
Okay, I won't be late.

❻ 가: 한국에 가서 자주 연락할게요.
I'll keep in touch often when I'm in Korea.
나: 알았어요. 연락을 기다릴게요.
Okay. I will wait for your call.

**지각(을) 하다** to be late

❼ 가: 뭘 마실까요?
What should we drink?
나: 저는 녹차를 마실게요. 바타르 씨는요?
I will have green tea. How about you, Batar?

❽ 가: 올림픽 공원에 유명한 나무가 있으니까 한번 가 보세요.
There's a famous tree in Olympic Park. You can go and check it out.
나: 그래요? 가 볼게요.
Really? I will go check it out.

**TIP** '–을게요'는 [을께요]로 발음되지만 쓸 때에는 '–을게요'로 써야 한다.
"–을게요" is pronounced as [을께요], but it should be written as "–을게요".

## -(으)ㄹ게요[1]

**연습 ❶** **보기와 같이 대화를 완성하세요.** Complete the conversation as shown in the example below.

> 보기
> 가: 창문 좀 열어 주세요.
> 나: 네, 창문을 열어 줄게요.

1) 가: 선생님, 다시 말씀해 주세요.
나: 네, 다시 ______________________.

2) 가: 추우니까 에어컨 좀 꺼 주세요.
나: 네, ______________________.

3) 가: 우산을 안 가져왔어요. 우산 좀 빌려 줄 수 있어요?
나: 네, 2개 있으니까 ______________________.

4) 가: 알리 씨, 약속 시간보다 10분 늦었어요.
나: 미안해요. 다음부터 약속 시간에 ______________________.

5) 가: 밍 씨, 세아 씨의 전화번호를 알면 좀 가르쳐 주세요.
나: 네, 제가 전화번호를 ______________________.

**연습 ❷** **그림을 보고 대화를 완성하세요.** Look at the pictures and complete the conversation.

1) 
남자: 제가 아이들하고 ______________________. (놀다)
여자: 고마워요. 그럼 저는 책을 ______________________. (읽다)

2) 
여자: 제가 ______________________. (빨래하다)
남자: 그럼, 저는 ______________________. (청소하다)

3) 
여자: 오늘은 제가 음식을 ______________________. (만들다)
남자: 그럼, 제가 ______________________. (도와주다)

4) 
여자: 이따가 다시 ______________________. (연락하다)
남자: 네, ______________________. (기다리다)

## 문법 및 표현3 –아/어/해야 되다

교재 164쪽

**의미와 용법**

동사나 형용사 뒤에 붙어 반드시 어떤 행위를 할 필요가 있거나 어떤 상태가 될 필요가 있음을 나타낼 때 사용한다.
" –아/어/해야 되다" follows a verb or adjective to indicate that an action or state is necessary.

### 형태

| ① 형용사/동사 + –아/어/해야 돼요 | | | |
|---|---|---|---|
| ㅏ, ㅗ | 가다 | + –아야 돼요 | 가야 돼요 |
| ㅓ, ㅜ, ㅡ, ㅣ… | 있다 | + –어야 돼요 | 있어야 돼요 |
| 하다 | 확인하다 | + 해야 돼요 | 확인해야 돼요 |
| ★ | 크다 | + –어야 돼요 | 커야 돼요 ☞4과 워크북 52쪽 |
| ★ | 뜨겁다 | + –어야 돼요 | 뜨거워야 돼요 ☞6과 워크북 68쪽 |
| ★ | 듣다 | + –어야 돼요 | 들어야 돼요 ☞11과 워크북 34쪽 |

### 제약 및 추가 설명

1) '–아/어/해야 되다'는 보통 구어나 비격식적인 상황에서 많이 사용하고 '–아/어/해야 하다'는 문어나 격식적인 상황에서 더 많이 사용한다.
"–아/어/해야 되다" is commonly used in spoken language or informal situations, while "–아/어/해야 하다" is more commonly used in written language or formal situations.
예) 외국인등록증이 있어야 돼요. (친구에게 말할 때; When talking to a friend)
외국인등록증이 있어야 합니다. (공식적인 자리에서 대중에게 말할 때; When talking to the public in an official setting)

### 예문 따라 읽으세요.

T55

1. 가: 어떤 집을 찾으세요?
What kind of house are you looking for?
나: 깨끗한 집을 찾아요. 그리고 방이 넓어야 돼요.
I'm looking for a clean house. It also needs to have a large room.

2. 가: 어떤 친구를 사귀고 싶어요?
What kind of friends would you like to make?
나: 저는 친절한 사람이 좋아요. 친절해야 돼요.
I like kind people. They need to be kind.

3. 가: 성수동에 가고 싶어요. 어떻게 가야 돼요?
I want to go to Seongsu-dong. How do I get there?
나: 지하철 2호선을 타고 가야 돼요.
You have to take Subway Line 2.

4. 가: 지금 식사할 수 있어요?
Can I eat now?
나: 죄송합니다. 손님. 예약하고 오셔야 합니다.
I'm sorry, sir/ma'am. You need to make a reservation beforehand.

5. 가: 오늘 같이 영화 보러 갈까요?
Shall we go to the movies together today?
나: 미안해요. 내일 시험이 있어서 공부해야 돼요.
I'm sorry. I have a test tomorrow, so I have to study.

6. 가: 운동화는 가벼워야 해요. 무거우면 힘들어요.
Sneakers need to be light. If they're heavy, they are going to give you a hard time.
나: 맞아요. 저도 가벼운 운동화가 좋아요.
That's true. I like light sneakers, too.

7. 가: 발표를 언제까지 써야 돼요?
When do I need to write the presentation by?
나: 다음 주 수요일까지 써야 해요.
You need to write it by next Wednesday.

8. 가: 듣기를 잘하고 싶으면 어떻게 해야 돼요?
What do I have to do to improve my listening?
나: 한국 드라마를 보거나 한국 노래를 많이 들어야 돼요.
You need to watch Korean dramas or listen to a lot of Korean songs.

9. 도서관이니까 조용히 해야 합니다. We're in a library, so you should be quiet.

10. 방학 때 아르바이트를 해야 해서 고향에 갈 수 없었습니다.
I had to work part-time during vacation, so I couldn't go to my hometown.

**식사(를) 하다**
have a meal

**연습 1** **알맞은 단어를 골라 대화를 완성하세요.** Choose appropriate words and complete the sentences.

| 가다 | 끄다 | 잘하다 | 있다 | 먹다 |
|---|---|---|---|---|

1) 가: 수업 끝나고 같이 밥을 먹을까요?
   나: 미안해요. 수업 끝나고 카드를 만들러 은행에 ______________________.

2) 가: 배탈이 났을 때 어떻게 해야 돼요?
   나: 약을 ______________________.

3) 가: 시험을 볼 때에는 핸드폰을 ______________________.
   나: 네, 알겠습니다.

4) 가: 운동선수가 되고 싶으면 어떻게 해야 돼요?
   나: 운동을 ______________________.

5) 가: 다른 나라에 여행을 가고 싶어요. 뭐가 필요해요?
   나: 여권이 ______________________.

**연습 2** **보기와 같이 대화를 완성하세요.** Complete the conversation as shown in the example below.

> 보기 가: 날씨가 추우면 어떻게 해야 합니까?
> 나: 따뜻한 옷을 입어야 합니다.

1) 가: 단어를 모르면 어떻게 해야 합니까?
   나: ______________________.

2) 가: 감기에 걸리면 어떻게 해야 합니까?
   나: ______________________.

3) 가: 한국어를 잘하고 싶으면 어떻게 해야 합니까?
   나: ______________________.

4) 가: 약속 시간에 늦고 싶지 않습니다. 어떻게 해야 합니까?
   나: ______________________.

5) 가: 방학에 고향에 갈 겁니다. 뭘 준비해야 합니까?
   나: ______________________.

6) 가: 부모님이 한국에 오실 겁니다. 뭘 해야 합니까?
   나: ______________________.

7) 가: 스키를 타고 싶습니다. 날씨가 어때야 합니까?
   나: ______________________.

## 문법 및 표현4 못

교재 165쪽

**의미와 용법**

동사 앞에 사용하는데 어떤 행위를 할 생각은 있지만 상황이 안 되거나 능력이 부족해서 그 행위를 할 수 없을 때 사용한다.
"못" is used before a verb to indicate that one intends to perform an action but is unable to do so due to circumstances or lack of ability.

**형태**

① 못 + 동사 + -아/어/해요

| | | |
|---|---|---|
| 못 + | 가다 | 못 가요 |
| | 먹다 | 못 먹어요 |
| | *운동하다 | 운동(을) 못 해요. |

**제약 및 추가 설명**

1) '말하다', '공부하다'와 같은 단어는 '명사+을/를'과 '하다' 사이에 '못'을 넣는다. 구어에서는 '을/를'을 생략하기도 한다.
For words such as "말하다" or "공부하다," "못" is placed between "noun+을/를" and "하다." In spoken language, "을/를" is sometimes omitted.
예) 산책(을) 못 해요. / 요리(를) 못 해요.

2) 'V-지 못하다"의 형태도 쓴다. The form "V-지 못하다" is also used.
예) 머리가 아파서 내일 학교에 못 가요. = 머리가 아파서 학교에 가지 못해요.

3) '안'과 '못' 비교

| 안 V/V-지 않다 | 못 V/V-지 못하다 |
|---|---|
|  운동을 안 해요. |  운동을 못 해요. |
| 의지가 없거나 단순 사실 부정(no will or negation of fact) | 능력의 부정(negation of ability) |

예) 저는 김치를 안 먹어요. (김치를 먹지 않는다는 사실 부정, I don't eat kimchi)
김치가 매워서 못 먹어요. (김치를 먹지 못한다는 능력의 부정, I cannot eat kimchi)

**예문** 따라 읽으세요. T56

❶ 가: 오토바이를 탈 수 있어요?
Can you ride a motorcycle?
나: 아니요, 못 타요.
No, I can't.

❷ 가: 운전할 수 있으세요?
Can you drive?
나: 아니요, 저는 운전 못 해요.
No, I can't drive.

❸ 가: 어제 왜 학교에 안 왔어요?
Why didn't you come to school yesterday?
나: 열이 나서 못 왔어요.
I couldn't come, because I had a fever.

❹ 가: 건우 씨, 식사하셨습니까?
Geon-woo, have you eaten?
나: 아니요, 바빠서 아직 못 먹었습니다.
No, I haven't. I've been busy.

❺ 가: 한복을 입어 봤어요?
Have you worn hanbok?
나: 아니요, 아직 못 입어 봤어요. 어디에서 빌릴 수 있어요?
No, I haven't. Where can I rent one?

❻ 가: 이 책을 빌려 줄 수 있어요?
Can I borrow this book?
나: 미안해요. 저도 봐야 해서 못 빌려 줘요.
I'm sorry. I can't lend it to you because I need to read it too.

❼ 저는 어릴 때에는 수영을 하지 못했습니다. 그런데 지금은 할 수 있습니다.
When I was young, I couldn't swim. But now I can.

**연습 ❶** **보기 와 같이 알맞은 것을 고르세요.** Choose the correct option as shown in the example below.

보기 스키를 타고 싶지만 여름이라서 (안 , (못)) 타요.

1) 저는 매운 음식을 싫어해서 (안 , 못) 먹어요.
2) 시험 시간에 늦어서 시험을 (안 , 못) 봤어요.
3) 여행을 하고 싶지만 시간이 없어서 여행을 (안 , 못) 해요.
4) 저는 평일에는 학교에 가지만 주말에는 학교에 (안 , 못) 가요.
5) 교실이 시끄러워서 친구의 말을 (안 , 못) 들었어요.

**연습 ❷** **보기 와 같이 바꾸세요.** Change the sentences as shown in the example below.

보기 오늘은 바빠서 갈 수 없어요. ➔ 못 가요 .

1) 저는 케이크를 만들 수 없어요. ➔ ______________________
2) 신발이 작아서 신을 수 없어요. ➔ ______________________
3) 팔을 다쳐서 배드민턴을 칠 수 없어요. ➔ ______________________
4) 시간이 없어서 방을 청소할 수 없었어요. ➔ ______________________
5) 친구 집에 갔지만 친구를 만날 수 없었어요. ➔ ______________________

**연습 ❸** **보기 와 같이 대화를 완성하세요.** Complete the conversation as shown in the example below.

보기 가: 매일 아침 5시에 일어날 수 있어요?
나: 아니요, 못 일어나요.

1) 가: 매운 떡볶이를 먹을 수 있어요?
나: 아니요, 저는 매운 음식을 ______________________.

2) 가: 어제 크리스틴 씨를 만났어요?
나: 아니요, 크리스틴 씨가 바빠서 ______________________.

3) 가: 주말에 우리 집에 놀러 올 수 있어요?
나: 미안해요, 약속이 있어서 ______________________.

4) 가: 주원 씨에게 연락했어요?
나: 아니요, 전화번호를 몰라요. 그래서 ______________________.

5) 가: 스케이트를 타러 갈까요?
나: 미안해요. 저는 스케이트를 ______________________.

## 문법 및 표현1 -아/어/해도 되다

교재 178쪽

**의미와 용법**

동사 뒤에 붙어 어떤 행위에 대한 허락을 나타낼 때 사용한다.
"-아/어/해도 되다" follows a verb to indicate permission to complete a specific action.

### 형태

| ① 동사 + -아/어/해도 되다 | | | |
|---|---|---|---|
| ㅏ, ㅗ | 가다 | + -아도 되다 | 가도 되다 |
| | 닫다 | | 닫아도 되다 |
| ㅓ, ㅜ, ㅡ, ㅣ, … | 만지다 | + -어도 되다 | 만져도 되다 |
| | 먹다 | | 먹어도 되다 |
| 하다 | 사용하다 | + -해도 되다 | 사용해도 되다 |
| ★ | 쓰다 | + -어도 되다 | 써도 되다 ☞4과 워크북 52쪽 |
| ★ | 듣다 | + -어도 되다 | 들어도 되다 ☞11과 워크북 34쪽 |

### 제약 및 추가 설명

1) 허락 여부를 묻거나 대답할 때 주로 사용한다.
It is often used to ask for or give permission.
예) 가: 여기에 앉아도 돼요? / 나: 네, 앉아도 돼요.

2) '-으러 가다/오다', '-아/어/해 보다'와 결합하여 자주 쓰인다.
It is frequently combined with "-으러 가다/오다" and "-아/어/해 보다."
예) 가: 밍 씨의 집에 놀러 가도 돼요? 나: 네, 놀러 오세요.
가: 이 옷을 입어 봐도 돼요? 나: 네, 입어 봐도 돼요.

### 예문 따라 읽으세요.

T57

❶ 가: 선생님, 화장실에 다녀와도 돼요?
Teacher, can I go to the restroom?
나: 네, 다녀와도 돼요.
Yes, you can.

❷ 가: 미술관 안에서 사진을 찍을 수 있어요?
Can I take photos inside the art gallery?
나: 네, 찍어도 돼요.
Yes, you can.

❸ 가: 지금 바쁘니까 이따가 연락해도 됩니까?
I'm busy right now. Can I call you later?
나: 네, 이따가 연락해 주세요.
Yes, call me later.

❹ 가: 수업 시간에 음악을 들어도 돼요?
Can I listen to music during class?
나: 아니요, 음악을 듣지 마세요.
No, don't listen to music.

❺ 가: 바타르 씨, 집에 놀러 가도 돼요?
Can I visit your place, Bataar?
나: 네, 주말에 놀러 오세요.
Yes, come over on the weekend.

❻ 가: 이 선글라스를 써 봐도 돼요?
Can I try on these sunglasses?
나: 네, 한번 써 보세요.
Yes, try them on.

**연습 1** **그림을 보고 대화를 완성하세요.** Look at the pictures and complete the conversations.

1) 

가: 창문을 좀 ____________________.

나: 네, 닫으세요.

2) 

가: 여기에 ____________________.

나: 네, 앉으세요.

3) 

가: 저기요, 옷 좀 ____________________.

나: 그럼요. 구경하세요.

4) 

가: 손님, 지금 ____________________.

나: 네, 출발하세요.

5) 

가: 서점에서 책을 ____________________.

나: 그럼요.

6) 

가: 편의점에서 음식을 ____________________.

나: 그럼요.

**연습 2** **이 공원에서 무엇을 해도 됩니까? 쓰세요.**

What is allowed in this park? Write your answers below.

1) ____________________.

2) ____________________.

3) ____________________.

4) ____________________.

5) ____________________.

6) ____________________.

## 문법 및 표현2 –(으)면 안 되다

교재 179쪽

**의미와 용법**

동사 뒤에 붙어 어떤 행위를 하지 못하게 할 때 사용한다.
"–(으)면 안 되다" follows a verb to indicate that an action is not allowed.

### 형태

① 동사 + –(으)면 안 되다

| | | | |
|---|---|---|---|
| 받침 O | 입다 | + –으면 안 되다 | 입으면 안 되다 |
| 받침 X | 쓰다 | + –면 안 되다 | 쓰면 안 되다 |
| ★ | 듣다 | + –으면 안 되다 | 들으면 안 되다 ☞11과 워크북 34쪽 |
| ★ | 떠들다 | | 떠들면 안 되다 ☞15과 워크북 68쪽 |

### 제약 및 추가 설명

1) 보통 어떤 행위를 금지할 때 사용한다. 또한 허락을 구하는 질문(–아/어/해도 돼요?)을 받고 허락하지 않을 때 사용한다.
It is commonly used to prohibit an action. Also, it is used to deny permission when responding to questions asking for permission such as "–아/어/해도 돼요?"
예) 공연장 안에서는 담배를 피우면 안 됩니다.
가: 여기에서 사진을 찍어도 됩니까? / 나: 아니요, 사진을 찍으시면 안 됩니다.

2) 의문문의 형식으로 허락을 구할 때도 사용한다. It is also used in interrogative form to ask for permission.
예) 가: 지금 화장실에 가면 안 돼요?
나: 네, 가면 안 돼요. / 아니요, 가도 돼요.

3) '–아/어/해 주다'와 결합하여 의문문의 형식으로 쓰면 부드러운 요청의 의미를 가진다.
When combined with "–아/어/해 주다" in an interrogative form, it softens the tone and makes a polite request.
예) 이것 좀 빌려 주면 안 돼요? = 빌려 주세요.

### 예문 따라 읽으세요.

T58

❶ 가: 공연장 안에서 사진을 찍으시면 안 됩니다.
You must not take pictures inside the performance hall.
나: 네, 알겠습니다.
Okay.

❷ 가: 지하철에서 물건을 팔면 안 됩니다.
You must not sell items on the subway.
나: 네, 알겠습니다.
Okay.

❸ 가: 선생님, 창문을 닫아도 돼요?
Teacher, can I close the window?
나: 아니요, 닫으면 안 돼요.
No, you must not close it.

❹ 가: 쉬는 시간에 교실에서 음악을 들으면 안 돼요?
Can't I listen to music in the classroom during break time?
나: 들어도 돼요.
You may.

❺ 가: 하루나 씨, 일본어를 배우고 싶어요. 일본어 좀 가르쳐 주면 안 돼요?
Haruna, I want to learn Japanese. Can't you teach me Japanese?
나: 네, 가르쳐 줄게요.
Yes, I'll teach you.

❻ 가: 이 신발을 신어 봐도 됩니까?
Can I try these shoes on?
나: 아니요, 신으시면 안 됩니다.
No, you cannot try them on.

❼ 에스컬레이터에서 걷거나 뛰시면 안 됩니다. You must not walk or run on the escalator.

## -(으)면 안 되다

**연습 ❶** **여기에서 무엇을 하면 안 됩니까? 쓰세요.** What is not allowed here? Practice writing below.

1) ______________________________.

2) ______________________________.

3) ______________________________.

4) ______________________________.

5) ______________________________.

6) ______________________________.

**연습 ❷** **보기와 같이 대화를 완성하세요.** Complete the conversation as shown in the example below.

> **보기** 가: 지하철에서 떠들어도 돼요?
> 나: 아니요. __떠들면 안 돼요__.

1) 가: 선생님께 물을 때 영어를 사용해도 돼요?
나: 아니요. ______________________________. 한국어를 사용하세요.

2) 가: 미술관에서 그림을 만져도 돼요?
나: 아니요. ______________________________.

3) 가: 발표를 할 때 공책을 봐도 돼요?
나: 아니요. ______________________________. 외워야 돼요.

4) 가: 문을 열어도 돼요?
나: 아니요. 수업 시간이니까 ______________________________.

**연습 ❸** **보기와 같이 대화를 완성하세요.** Complete the conversation as shown in the example below.

> **보기** 가: 교실이 좀 더워요. 에어컨을 __켜면 안 돼요__?
> 나: 켜도 돼요. 켜세요.

1) 가: 복도에서 ______________________________?
나: 쉬는 시간에는 이야기해도 돼요.

2) 가: 저는 다리가 아파요. 여기에 ______________________________?
나: 앉아도 돼요.

3) 가: 배가 고파요. 밥을 ______________________________?
나: 그래요. 우리 밥을 먹으러 가요.

4) 가: 알리 씨, 사진 좀 ______________________________?
나: 네, 찍어 줄게요.

## 문법 및 표현3 –(으)십시오

교재 186쪽

**의미와 용법**

동사 뒤에 붙어 격식적인 상황에서 다른 사람에게 명령하거나 권유할 때 사용한다.
"–(으)십시오" follows a verb to command or suggest an action to someone in formal situations.

### 형태

| ① 동사 + –(으)십시오 | | | | |
|---|---|---|---|---|
| 받침 O | 앉다 | + –으십시오 | 앉으십시오 | |
| 받침 X | 쓰다 | + –십시오 | 쓰십시오 | |
| ★ | 듣다 | + –으십시오 | 들으십시오 | ☞11과 워크북 34쪽 |
| ★ | 밀다 | + –십시오 | 미십시오 | ☞15과 워크북 65쪽 |

| ② 부정: 동사 + –지 마십시오 | | | |
|---|---|---|---|
| 받침 O | 밀다 | + –지 마십시오 | 밀지 마십시오 |
| 받침 X | 쓰다 | + –지 마십시오 | 쓰지 마십시오 |

### 제약 및 추가 설명

1) 공식적인 자리에서 말하거나 안내방송을 할 때 사용한다. 공지사항이나 주의사항을 글로 쓸 때에도 사용할 수 있다.
It is used when speaking in formal settings or making announcements. It can also be used in written notices or precautions.

|  |  |
|---|---|
| 어서 오세요. | 어서 오십시오. |

2) 몇몇 어휘는 높임 표현과 같이 쓴다. Some vocabulary items are paired with honorific expressions.

| 먹다/마시다 → 드시다 | 드십시오 | 말하다 → 말씀하시다 | 말씀하십시오 |
|---|---|---|---|
| 자다 → 주무시다 | 주무십시오 | 있다 → 계시다 | 계십시오 |

3) 다른 사람에게 어떤 행동을 하지 말 것을 명령하거나 금지할 때는 '–지 마십시오'를 사용한다.
To command or prohibit an action, "–지 마십시오" is used.
예) 계단에서 뛰지 마십시오.

4) '–아/어/해 보다'나 '–아/어/해 주다'와 결합하여 '–아/어/해 보십시오', '–아/어/해 주십시오'로 쓰인다.
It is combined with "–아/어/해 보다" or "–아/어/해 주다" to form "–아/어/해 보십시오" or "–아/어/해 주십시오."
예) 한번 가 보십시오.(권유, suggestion; advice) / 핸드폰을 꺼 주십시오.(요청, request)

### 예문 따라 읽으세요.

T63

1. 가: 손님, 여기에 앉으십시오.
   Please sit here.
   나: 네. 감사합니다.
   Yes. Thank you.

2. 가: 동영상을 볼 때는 이어폰을 사용하십시오.
   When watching videos, use earphones.
   나: 네, 알겠습니다.
   Yes, okay.

3. 가: 여기에서는 사진을 찍지 마십시오.
   Do not take pictures here.
   나: 네, 알겠습니다.
   Okay, I understand.

4. 가: 복도에서 뛰지 마십시오.
   Don't run in the hallway.
   나: 네, 죄송합니다.
   Yes, I'm sorry.

5. 가: 운동을 해 보고 싶습니다. 무슨 운동을 하면 좋습니까?
   I want to try exercising. What kind of exercise do you recommend?
   나: 요가를 해 보십시오.
   Try yoga.

6. 가: 어디에 이름을 써야 합니까?
   Where should I write my name?
   나: 여기에 써 주십시오.
   Please write it here.

7. 문을 당기십시오. Pull the door.

8. 호수에 들어가지 마십시오. Do not enter the lake.

**TIP** '–으십시오'는 [으십씨요]로 발음되지만 쓸 때에는 '–으십시오'로 써야 한다.
"–으십시오" is pronounced as [으십씨요], but it should be written as "–으십시오".

## -(으)십시오

**연습 1** **보기와 같이 그림을 보고 대화를 완성하십시오.**
Complete the conversation by looking at the picture as shown in the example below.

보기

가: 어서 오십시오. (오다)
나: 네, 안녕하세요.

1) 
가: 들어가도 됩니까?
나: 네, ______________________. (들어오다)

2) 

가: 표를 몇 장 드릴까요?
나: 두 장 주세요.
가: 네, 잠시만 ______________________. (기다리다)

3) 
가: 잠시 후 비행기가 출발하니까 자리에 ______________. (앉다)
나: 네, 알겠습니다.

4) 
가: 배가 아프고 설사를 해요.
나: 매운 음식을 ______________________. (드시다)

5) 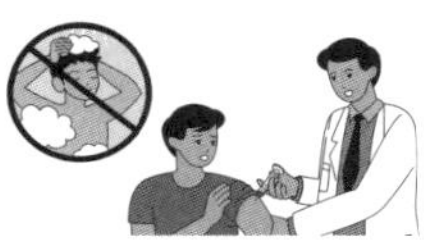
가: 오늘 샤워해도 돼요?
나: 아니요, 주사를 맞았으니까 오늘은 ______________.(샤워하다)

**연습 2** **그림을 보고 대화를 완성하세요.** Look at the pictures and complete the conversations.

1) 
가: 여권 좀 ______________________.
나: 네, 여기 있어요.

2) 
가: 이 약을 언제 먹어야 합니까?
나: 식사 후에 ______________________.

3) 
가: 옷을 바꾸고 싶어서 왔어요.
나: 네, 잠시만 ______________________.

4) 
가: 여기에서 물건을 ______________________.
나: 네, 죄송합니다.

## 문법 및 표현4 ㄹ 탈락

교재 187쪽

**의미와 용법**

받침 'ㄹ' 로 끝나는 동사나 형용사는 '으'를 만나지 않는다. 또한, 받침 'ㄹ'로 끝나는 동사나 형용사가 'ㄴ', 'ㅂ', 'ㅅ'을 만나면 'ㄹ'이 탈락한다.
Verbs or adjectives ending with "ㄹ" do not combine with "으." In addition, when verbs or adjectives ending with "ㄹ" combine with "ㄴ," "ㅂ," or "ㅅ," the "ㄹ" is omitted.

### 형태

① 받침 ㄹ + '으'

② 받침 ㄹ + 'ㄴ', 'ㅂ', 'ㅅ'

| | | |
|---|---|---|
| 울다 | 울 + -으면 | 울면 |
| 힘들다 | 힘들 + -으ㄴ | 힘든 |
| 열다 | 열 + -으세요 | 여세요 |
| 살다 | 살 + -는 것 | 사는 것 |
| 만들다 | 만들 + -으ㄹ 거예요 | 만들 거예요 |

### 예문 따라 읽으세요.

T64

1. 가: 뭘 시킬까요?
   What should we order?
   나: 단 게 먹고 싶어요. 우리 케이크를 시켜요.
   I want to eat something sweet. Let's order a cake.

2. 가: 집이 학교에서 멉니까?
   Is your house far from school?
   나: 아니요, 멀지 않습니다.
   No, my house is not far.

3. 가: 옷을 입어 볼 수 있어요?
   Can I try on the clothes?
   나: 그럼요. 마음에 드는 것이 있으면 한번 입어 보세요.
   Of course. If there's something you like, try it on.

4. 가: 춥고 바람이 많이 부니까 따뜻한 옷을 입으세요.
   It's cold and very windy, so dress warmly.
   나: 네, 알겠어요. 고마워요.
   Okay. Thank you.

5. 가: 김치를 만들 수 있어요?
   Can you make kimchi?
   나: 아니요, 못 만들어요.
   No, I can't.

6. 가: 이번 주말에 공원에 놀러 갈까요?
   Shall we go to the park this weekend?
   나: 좋아요. 꽃을 보러 가요.
   That sounds good. Let's go look at the flowers.

7. 가: 어디에 사십니까?
   Where do you live?
   나: 학교 근처에 삽니다.
   I live near the school.

8. 가: 저 사람의 전화번호를 아세요?
   Do you know that person's phone number?
   나: 이름은 알지만 전화번호는 몰라요.
   I know their name, but not their phone number.

9. 저는 한국에서 사는 것이 힘들 때 고향 친구에게 전화를 겁니다.
   When I have a hard time living in Korea, I call my friend in my hometown.

10. 미술관에서 떠들면 안 됩니다.
    You must not talk loudly in the art gallery.

## ㄹ 탈락

**연습 ①** **쓰세요.** Practice writing below.

| | –아/어요 | –(으)ㄹ 때 | –(으)ㄴ | –(으)면 | –(으)니까 | –는 것 | –(스)ㅂ니다 | –(으)세요 |
|---|---|---|---|---|---|---|---|---|
| 멀다 | | | | 멀면 | | | | |
| 힘들다 | | | | | | | | |
| 살다 | | | | | | | 삽니다 | |
| 놀다 | | | | | | | | |
| 울다 | | 울 때 | | | | | | |
| 팔다 | | | | | | | | |
| 밀다 | | | | | | | | |
| 만들다 | | | | | | | | |
| (마음에) 들다 | | | | | 드니까 | | | |
| (전화를) 걸다 | 걸어요 | | | | | | | |

**연습 ②** **알맞은 단어를 골라 대화를 완성하세요.**

Choose appropriate words and complete the conversations.

| 멀다 | 열다 | 살다 | 팔다 | 마음에 들다 |
|---|---|---|---|---|

1) 가: 이 식당에서 술을 ______________–(스)ㅂ니까?

나: 저녁에는 ______________–지만 점심에는 ______________–지 않습니다.

2) 가: 저는 학교 기숙사에 ____________–(스)ㅂ니다. 아만다 씨는 어디에 ____________–(으)세요?

나: 저는 지하철 역 근처에 ________________–아/어/해요.

3) 가: 내일 몇 시에 출발합니까?

나: 약속 장소가 조금 ____________________–(으)니까 일찍 출발할까요?

4) 가: 창문을 ______________________–아/어/해도 돼요?

나: 아니요, 추우니까 ______________________–(으)면 안 돼요.

5) 가: 생일 선물이 __________________________–(으)세요?

나: 네, 고마워요. 아주 ______________________________–아/어/해요.

# 부록

- 모범 답안
- 듣기1, 듣기2 지문 및 번역
- 읽기2 번역

# 모범 답안

## 8과

### 7쪽 몇

연습 ❶ 1) 가: 몇 명, 나: 다섯 명
2) 가: 몇 병, 나: 두 병
3) 가: 몇 권, 나: 네 권 있어요.
4) 가: 몇 잔, 나: 한 잔
5) 가: 몇 장, 나: 세 장

연습 ❷ 보기

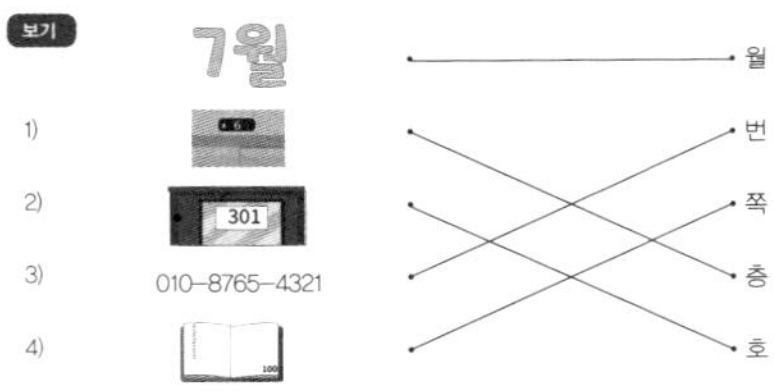


1) 가: 몇 층이에요? 나: 육 층이에요.
2) 가: 몇 호예요? 나: 삼백일 호예요.
3) 가: 몇 번이에요? 나: 공일공에 팔칠육오에 사삼이일이에요.
4) 가: 몇 쪽이에요? 나: 백 쪽이에요.

### 9쪽 (이)랑

연습 ❶ 1) 컴퓨터랑 책이/책이랑 컴퓨터가
2) 딸기랑 수박을/수박이랑 딸기를
3) 김밥이랑 라면을/라면이랑 김밥을
4) 고양이랑 개(강아지)를/개(강아지)랑 고양이를

연습 ❷
보기 떡볶이 — 김치 — 먹지 않아요.
1) 커피 — 제주도 — 가고 싶어요.
2) 드라마 — 우유 — 마실까요?
3) 부산 — 영화 — 봤어요.
4) 초콜릿 — 사탕 — 좋아해요.

1) 커피랑 우유를 마실까요?
2) 드라마랑 영화를 봤어요.
3) 부산이랑 제주도에 가고 싶어요.
4) 초콜릿이랑 사탕을 좋아해요.

### 11쪽 –(으)ㄴ

연습 ❶

| | –(으)ㄴ 집 | | –(으)ㄴ 집 |
|---|---|---|---|
| 크다 | 큰 집 | 작다 | 작은 집 |
| 조용하다 | 조용한 집 | ★시끄럽다 | 시끄러운 집 |
| 깨끗하다 | 깨끗한 집 | ★더럽다 | 더러운 집 |
| | –(으)ㄴ 음식 | | –(으)ㄴ 음식 |
| 짜다 | 짠 음식 | ★싱겁다 | 싱거운 음식 |
| ★맛있다 | 맛있는 음식 | ★맛없다 | 맛없는 음식 |
| ★차갑다 | 차가운 음식 | ★뜨겁다 | 뜨거운 음식 |
| ★달다 | 단 음식 | 쓰다 | 쓴 음식 |
| | –(으)ㄴ 옷 | | –(으)ㄴ 옷 |
| 싸다 | 싼 옷 | 비싸다 | 비싼 옷 |
| 얇다 | 얇은 옷 | ★두껍다 | 두꺼운 옷 |
| 어떻다 | 어떤 옷 | | |

연습 ❷ 1) 귀여운 2) 작은 3) 차가운
4) 가: 어떤, 나: 긴 5) 있는 6) 맵고 짠

### 13쪽 보다 (더)

연습 ❶ 1) 케이크가 과자보다 (더) 달아요./
과자보다 케이크가 (더) 달아요.
2) 청소를 빨래보다 (더) 싫어해요./
빨래보다 청소를 (더) 싫어해요.
3) 한국 음악을 고향 음악보다 (더) 자주 들어요./
고향 음악보다 한국 음악을 (더) 자주 들어요.
4) 비빔밥을 떡볶이보다 (더) 잘 먹어요./
떡볶이보다 비빔밥을 (더) 잘 먹어요.
5) 긴 바지가 짧은 바지보다 (더) 좋아요./
짧은 바지보다 긴 바지가 (더) 좋아요.

연습 ❷ 1) 루카스의 가방이 밍의 가방보다 (더)/
밍의 가방보다 루카스의 가방이 (더)
2) 삼계탕을 김밥보다 (더)/
김밥보다 삼계탕을 (더)
3) 차가운 커피를 뜨거운 커피보다 (더)/
뜨거운 커피보다 차가운 커피를 (더)
4) 선생님보다 친구랑 (더) 자주

## 9과

### 15쪽 –(으)세요

연습 ❶ 1) 쉬세요 2) 신으세요
3) 공부하세요 4) 앉으세요
5) 드세요

연습 ❷
보기 잠이 안 와요. — 오후에는 커피를 마시지 마세요.
1) 이가 아파요. — 보지 마세요.
2) 밖이 시끄러워요. — 전화하지 마세요.
3) 지하철 안이에요. — 쇼핑하지 마세요.
4) 옷을 많이 사서 돈이 없어요. — 창문을 열지 마세요.
5) 핸드폰을 많이 봐서 눈이 아파요. — 단 음식을 먹지 마세요.

연습 ❸ 1) 김밥이 제일 맛있어요. 김밥을 드세요.
2) 한강 공원이 예뻐요. 한강 공원에 가세요.
3) 책이 좋아요. 책을 사세요.

### 17쪽 –(으)면

보기 시간이 있어요. — 같이 차를 마실까요?
1) 날씨가 더워요. — 기분이 좋아요.
2) 핸드폰을 많이 봐요. — 차가운 아이스크림을 먹고 싶어요.
3) 맛있는 음식을 먹어요. — 눈이 아파요.
4) 술을 많이 마셔요. — 주말에 같이 볼까요?
5) 한국어를 잘하고 싶어요. — 한국 드라마를 많이 보세요.
6) 영화를 좋아해요. — 머리가 아파요.
7) 배가 아파요. — 같이 백화점에 가요.
8) 바쁘지 않아요. — 매운 음식을 먹지 마세요.

연습 ❶ 1) 날씨가 더우면 차가운 아이스크림을 먹고 싶어요
2) 핸드폰을 많이 보면 눈이 아파요
3) 맛있는 음식을 먹으면 기분이 좋아요

4) 술을 많이 마시면 머리가 아파요
5) 한국어를 잘하고 싶으면 한국 드라마를 많이 보세요
6) 영화를 좋아하면 주말에 같이 볼까요?
7) 배가 아프면 매운 음식을 먹지 마세요
8) 바쁘지 않으면 같이 백화점에 가요

연습 ❷ 1) 매운 음식을 먹고 싶으면 2) 너무 바쁘면
3) 마시면, 먹으면

## 19쪽 –(으)니까

연습 ❶ 1) 세일을 하니까 옷을 많이 사고 싶어요.
2) 음식이 매우니까 먹지 마세요.
3) 열이 많이 나니까 병원에 가세요.
4) 날씨가 춥지 않으니까 같이 산책할까요?
5) 한국어를 배우고 싶으니까 한국에 왔어요.
6) 어제는 제가 청소했으니까 오늘은 밍 씨가 청소하세요.
7) 감기에 걸렸으니까 집에서 쉬세요.
8) 내일이 주말이니까 같이 놀까요?

연습 ❷ 1) 청소하니까 2) 크니까/깨끗하니까...
3) (제/친구의) 생일이니까 4) 끝났으니까

## 21쪽 –(으)ㄹ 수 있다/없다

연습 ❶ 1) 축구를 할 수 있어요
2) 음식을 먹을 수 없어요
3) (건국대학교 기숙사에) 살 수 없어요
4) 만날 수 있어요
5) 전화할 수 없어요

연습 ❷ 1) 가: 한국어 책을 읽을 수 있어요?
나: 네, 읽을 수 있어요./아니요, 읽을 수 없어요
2) 가: 영어를 할 수 있어요?
나: 네, 할 수 있어요./아니요, 할 수 없어요
3) 가: 춤을 출 수 있어요?
나: 네, 출 수 있어요./아니요, 출 수 없어요
4) 가: 커피를 만들 수 있어요?
나: 네, 만들 수 있어요./아니요, 만들 수 없어요

# 10과

## 23쪽 –(으)러 가다/오다

연습 ❶ 1) 커피숍에 커피를 마시러 갔어요.
2) 친구의 집에 놀러 가요.
3) 부산에 바다를 보러 가고 싶어요.
4) 한국에 한국어를 배우러 왔어요.
5) 공원에 산책하러 안 가요/가지 않아요.

연습 ❷ 1) 과일/과자/라면…을/를 사러 가요.
2) 운동/산책하러…가요.
3) 자전거를 타러/데이트하러/운동하러...가고 싶어요.
4) 도서관에 갔어요. 도서관에 공부하러 갔어요.
5) 커피를 마시러/공부하러 가요/갈까요?

## 25쪽 –아/어/해 봤다

연습 ❶ 1) 혼자 여행을 해 봤어요.
혼자 여행을 안 해 봤어요./해 보지 않았어요.
2) 동대문 DDP에 가 봤어요.
동대문 DDP에 안 가 봤어요./가 보지 않았어요.
3) 춤을 배워 봤어요.
춤을 안 배워 봤어요./배워 보지 않았어요.
4) 한강에서 치킨을 먹어 봤어요.
한강에서 치킨을 안 먹어 봤어요./먹어 보지 않았어요.
5) 소주를 마셔 봤어요.
소주를 안 마셔 봤어요./마셔 보지 않았어요.
6) 한국 극장에서 영화를 봤어요.
한국 극장에서 영화를 안 봤어요./보지 않았어요.

연습 ❷ 1) 가: 만나 봤어요?
나: 만나 봤어요.
게임해/공부해/이야기해/놀아… 봤어요.
2) 가: 요리해 봤어요?
나: 요리해 봤어요.
떡볶이/김밥…을/를 만들어 봤어요.
3) 가: 가 봤어요?
나: 가 봤어요.
자전거를 타/산책해/운동해... 봤어요.

## 27쪽 –아/어/해서²

연습 ❶ 1) 일어나서 2) 하고
3) 앉아서 4) 와서
5) 사고

연습 ❷

| 보기 | 부산에 가다 | 바다를 구경하고 싶어요. |
|---|---|---|
| 1) | 고향 음식을 만들다 | 친구들하고 같이 먹어요. |
| 2) | 친구를 만나다 | 같이 영화를 봐요. |
| 3) | 한국에 오다 | 선생님에게 드렸어요. |
| 4) | 공책에 이름을 쓰다 | 한국어를 배웠어요. |

1) 고향 음식을 만들어서 친구들하고 같이 먹어요.
2) 친구를 만나서 같이 영화를 봐요.
3) 한국에 와서 한국어를 배웠어요.
4) 공책에 이름을 써서 선생님에게 드렸어요.

연습 ❸ 1) 홍대/백화점…에 가서 놀아요.
2) 도서관/교실/커피숍…에 가서 공부해요.
3) 집에 가서 쉬어요/공부해요/게임해요...
4) 한국에 와서 한복을 입어 봤어요/한강에 가 봤어요...

## 29쪽 –(으)ㄹ 거예요

연습 ❶ 1) 창문을 열 거예요.
2) 열심히 공부할 거예요.
3) 책을 읽을 거예요.
4) 김밥을 먹을 거예요.
5) 부산에 갈 거예요.

연습 ❷ 1) ① 갈 거예요. ② 만날/볼 거예요.
③ 먹을 거예요. ④ 갈 거예요.
⑤ 할 거예요.

# 모범 답안

2) ① 올 거예요. ② 여행(을) 할 거예요./놀 거예요.
③ 놀 거예요. ④ 찍을 거예요.
⑤ 먹을 거예요.

## 11과

### 31쪽 –아/어/해 보세요

연습 ❶ 1) (한번) 입어 보세요. 2) (한번) 써 보세요.
3) (한번) 먹어 보세요. 4) (한번) 들어 보세요.
5) (한번) 만들어 보세요.

연습 ❷ 보기 머리가 아프다 — 약을 먹다
1) 취미가 없다
2) 바빠서 밥을 먹을 수 없다
3) 고향 친구가 보고 싶다
4) 높은 곳에서 서울을 보고 싶다
5) 한국의 역사를 알고 싶다

약을 먹다
우유를 마시다
이 책을 읽다
남산에 가다
운동을 배우다
전화하다

1) 취미가 없으면 운동을 배워 보세요.
2) 바빠서 밥을 먹을 수 없으면 우유를 마셔 보세요.
3) 고향 친구가 보고 싶으면 전화해 보세요.
4) 높은 곳에서 서울을 보고 싶으면 남산에 가 보세요.
5) 한국의 역사를 알고 싶으면 이 책을 읽어 보세요.

### 33쪽 –거나

연습 ❶ 1) 춥거나 더우면 운동하고 싶지 않아요.
2) 날씨가 안 좋거나 피곤하면 택시를 타요.
3) 크거나 짧은 옷을 안 좋아해요.
4) 더럽거나 시끄러운 집에서 살고 싶지 않아요.

연습 ❷ 1) 책을 읽거나 영화를 보고 싶어요.
2) 산책하거나 친구하고 놀 거예요.
3) 도서관에 가서 공부하거나 식당에 가서 밥을 먹을까요?
4) (같이) 이야기하거나 여행을 하고 싶어요.
5) 맛있는 음식을 먹거나 재미있는 드라마를 보면 기분이 좋아요.
6) (주말 오전에 보통) 청소하거나 빨래해요.

### 35쪽 ㄷ 불규칙

연습 ❶

| | 듣다 | 걷다 | 묻다 | 닫다 |
|---|---|---|---|---|
| –아/어/해요 | 들어요 | 걸어요 | 물어요 | 닫아요 |
| –았/었/했어요 | 들었어요 | 걸었어요 | 물었어요 | 닫았어요 |
| –고 | 듣고 | 걷고 | 묻고 | 닫고 |
| –지만 | 듣지만 | 걷지만 | 묻지만 | 닫지만 |
| –아/어/해서 | 들어서 | 걸어서 | 물어서 | 닫아서 |
| –(으)ㄹ 거예요 | 들을 거예요 | 걸을 거예요 | 물을 거예요 | 닫을 거예요 |
| –(으)세요 | 들으세요 | 걸으세요 | 물으세요 | 닫으세요 |
| –(으)면 | 들으면 | 걸으면 | 물으면 | 닫으면 |
| –(으)ㄹ 수 있다 | 들을 수 있어요 | 걸을 수 있어요 | 물을 수 있어요 | 닫을 수 있어요 |
| –아/어/해 봤다 | 들어 봤어요 | 걸어 봤어요 | 물어 봤어요 | 닫아 봤어요 |
| –거나 | 듣거나 | 걷거나 | 묻거나 | 닫거나 |

연습 ❷ 1) 가: 닫으세요.
2) 가: 걸을까요? 나: 걷고
3) 가: 받았어요?
4) 가: 들으면
5) 가: 물어요? 나: 묻거나, 물어요
6) 나: 걸어서

### 37쪽 –는 것

연습 ❶ 1) 한국에서 사는 것이 어때요?
2) 식당에서 자주 먹는 것이 뭐예요?
3) 무서워서 하지 않는 것이 있어요?
4) 춤을 추는 것을 좋아해요?
5) 한국에서 공부하는 것이 어때요?

연습 ❷ 1) 책 읽는 것을 좋아해요./
드라마 보는 것을 좋아해요. 재미있어서 좋아해요.
2) 무서운 영화를 보는 것을 싫어해요./
청소하는 것을 싫어해요. 피곤해서 싫어해요.
3) (주말에 집에서) 자는 게 제일 좋아요./
(주말에 집에서) 노는 게 제일 좋아요.
4) 전화하는 게 좋아요./
메시지를 보내는 게 좋아요.
5) 혼자 사는 게 좋아요./
친구랑 같이 사는 게 좋아요.
6) 운동을 하는 걸 좋아해요./
운동 경기를 보는 걸 좋아해요.

## 12과

### 39쪽 –지요?

연습 ❶ 1) 오늘 날씨가 안 덥지요?
2) 밍 씨는 친절하고 멋있는 사람이지요?
3) 케이트 씨는 건국대학교에서 한국어를 배우지요?
4) 하루나 씨는 한국에서 일을 하지 않지요?
5) 알리 씨는 작년에 한국에 왔지요?
6) 조세핀 씨는 올해까지 한국에서 살 거지요?

연습 ❷ 1) 불었지요
2) 맛있지요/(조금) 맵지요
3) 읽지요/보지요
4) 학생이지요/요리사지요…
5) 할 거지요/하러 갈 거지요

### 41쪽 –(으)ㄹ 때

연습 ❶ 1) 눈이 올 때 스키를 타러 가고 싶어요.
2) 사진을 찍을 때 웃으세요.
3) 노래하고 싶을 때 노래방에 가서 노래해요.
4) 날씨가 덥지 않을 때 캠핑해 보세요.
5) 날씨가 추울 때 두꺼운 옷을 입는 것이 좋아요.

연습 ❷ 1) 쉴 때/공부할 때/학교에 갈 때... 음악을 들어요.
2) 놀 때/게임할 때... 즐거워요.
3) 시험을 볼 때 (핸드폰을) 볼 수 없어요.
4) 부모님이 보고 싶을 때 (고향에) 가고 싶어요.
5) 아플 때/돈이 없을 때 (한국 생활이) 힘들어요.
6) 시간이 있을 때/심심할 때/방학 때 놀러 가고 싶어요.
7) 아플 때 (병원에) 가요.

# 모범 답안

## 43쪽 –(스)ㅂ니다

연습 ❶

| 동사 | -았/었/했습니까?<br>-았/었/했습니다. | -(스)ㅂ니까?<br>-(스)ㅂ니다. | -(으)ㄹ 겁니까?<br>-(으)ㄹ 겁니다. |
|---|---|---|---|
| 기다리다 | 기다렸습니까? | 기다립니까? | 기다릴 겁니까? |
| | 기다렸습니다. | 기다립니다. | 기다릴 겁니다. |
| 공부하다 | 공부했습니까? | 공부합니까? | 공부할 겁니까? |
| | 공부했습니다. | 공부합니다. | 공부할 겁니다. |
| 놀다 | 놀았습니까? | 놉니까? | 놀 겁니까? |
| | 놀았습니다. | 놉니다. | 놀 겁니다. |
| 듣다 | 들었습니까? | 듣습니까? | 들을 겁니까? |
| | 들었습니다. | 듣습니다. | 들을 겁니다. |
| 먹다 | 먹었습니까? | 먹습니까? | 먹을 겁니까? |
| | 먹었습니다. | 먹습니다. | 먹을 겁니다. |
| 바꾸다 | 바꿨습니까? | 바꿉니까? | 바꿀 겁니까? |
| | 바꿨습니다. | 바꿉니다. | 바꿀 겁니다. |
| 쉬다 | 쉬었습니까? | 쉽니까? | 쉴 겁니까? |
| | 쉬었습니다. | 쉽니다. | 쉴 겁니다. |
| 쓰다 | 썼습니까? | 씁니까? | 쓸 겁니까? |
| | 썼습니다. | 씁니다. | 쓸 겁니다. |
| 앉다 | 앉았습니까? | 앉습니까? | 앉을 겁니까? |
| | 앉았습니다. | 앉습니다. | 앉을 겁니다. |

| 형용사 | -았/었/했습니까?<br>-았/었/했습니다. | -(스)ㅂ니까?<br>-(스)ㅂ니다. |
|---|---|---|
| 괜찮다 | 괜찮았습니까? | 괜찮습니까? |
| | 괜찮았습니다. | 괜찮습니다. |
| 높다 | 높았습니까? | 높습니까? |
| | 높았습니다. | 높습니다. |
| 쌀쌀하다 | 쌀쌀했습니까? | 쌀쌀합니까? |
| | 쌀쌀했습니다. | 쌀쌀합니다. |
| 맛있다 | 맛있었습니까? | 맛있습니까? |
| | 맛있었습니다. | 맛있습니다. |
| 쉽다 | 쉬웠습니까? | 쉽습니까? |
| | 쉬웠습니다. | 쉽습니다. |
| 아프다 | 아팠습니까? | 아픕니까? |
| | 아팠습니다. | 아픕니다. |
| 흐리다 | 흐렸습니까? | 흐립니까? |
| | 흐렸습니다. | 흐립니다. |
| 힘들다 | 힘들었습니까? | 힙듭니까? |
| | 힘들었습니다. | 힘듭니다. |
| *어떻다 | 어땠습니까? | 어떻습니까? |
| | | |

연습 ❷ 1) 가: 뭐 합니까? 나: 놉니다.
2) 가: 하고 싶습니까? 나: 가고 싶습니다.
3) 가: 할 수 있습니까? 나: 칠 수 있습니다.
4) 가: 가 봤습니까? 나: 가 봤습니다.
5) 가: 하러 왔습니까? 나: 배우러 왔습니다.

## 45쪽 –겠[1]–

연습 ❶ 1) 비가 오겠습니다. 2) 흐리겠습니다. 3) 바람이 불겠습니다. 4) 눈이 오겠습니다. 5) 덥겠습니다.

연습 ❷ 1) 피곤하겠어요/자고 싶겠어요. 2) 배가 고프겠어요. 3) 맛있겠어요. 4) 사람이 많겠어요/재미있겠어요/좋겠어요.

# 13과

## 47쪽 –(으)시–

연습 ❶

| | (이)세요 | 이/가 아니세요 |
|---|---|---|
| 선생님 | 선생님이세요 | 선생님이 아니세요 |
| 주부 | 주부세요 | 주부가 아니세요 |

| | -(으)세요 | -지 않으세요 | | -(으)세요 | -지 않으세요 |
|---|---|---|---|---|---|
| 가다 | 가세요 | 가지 않으세요 | 오다 | 오세요 | 오지 않으세요 |
| 배우다 | 배우세요 | 배우지 않으세요 | 입다 | 입으세요 | 입지 않으세요 |
| *듣다 | 들으세요 | 듣지 않으세요 | *살다 | 사세요 | 살지 않으세요 |
| *어떻다 | 어떠세요? | | 크다 | 크세요 | 크지 않으세요 |
| 많다 | 많으세요 | 많지 않으세요 | 멋있다 | 멋있으세요 | 멋있지 않으세요 |
| *귀엽다 | 귀여우세요 | 귀엽지 않으세요 | *힘들다 | 힘드세요 | 힘들지 않으세요 |
| *먹다, 마시다 | 드세요 | 드시지 않으세요 | *말하다 | 말씀하세요 | 말씀하시지 않으세요 |
| *있다 | 선생님께서 교실에 계세요 | 선생님께서 교실에 계시지 않으세요 | *자다 | 주무세요 | 주무시지 않으세요 |

연습 ❷ 1) (할아버지께서 지금) 주무세요.
2) (할아버지께서 지금) 책을 읽으세요.
3) (할머니께서 지금) 물을 드세요.
4) (할머니께서 지금) 말씀하세요.
5) (할머니께서 지금) 기분이 좋으세요.

# 모범 답안

## 49쪽 –(으)시–

연습 ❶

| | (이)십니까? | (이)십니다. | 이/가 아니십니까? | 이/가 아니십니다. |
|---|---|---|---|---|
| 선생님 | 선생님이십니까? | 선생님이십니다. | 선생님이 아니십니까? | 선생님이 아니십니다. |
| 주부 | 주부십니까? | 주부십니다. | 주부가 아니십니까? | 주부가 아니십니다. |

| | -(으)십니까?. | -(으)십니다. | -지 않으십니다. |
|---|---|---|---|
| 가다 | 가십니까? | 가십니다. | 가지 않으십니다. |
| 배우다 | 배우십니까? | 배우십니다. | 배우지 않으십니다. |
| 입다 | 입으십니까? | 입으십니다. | 입지 않으십니다. |
| *듣다 | 들으십니까? | 들으십니다. | 듣지 않으십니다. |
| *살다 | 사십니까? | 사십니다. | 살지 않으십니다. |
| *어떻다 | 어떠십니까? | | |
| 크다 | 크십니까? | 크십니다. | 크지 않으십니다. |
| 많다 | 많으십니까? | 많으십니다. | 많지 않으십니다. |
| *귀엽다 | 귀여우십니까? | 귀여우십니다. | 귀엽지 않으십니다. |
| *힘들다 | 힘드십니까? | 힘드십니다. | 힘들지 않으십니다. |
| *먹다, 마시다 | 드십니까? | 드십니다. | 드시지 않으십니다. |
| *말하다 | 말씀하십니까? | 말씀하십니다. | 말씀하시지 않으십니다. |
| *있다 | 선생님께서 교실에 계십니까? | 선생님께서 교실에 계십니다. | 선생님께서 교실에 계시지 않으십니다. |
| *자다 | 주무십니까? | 주무십니다. | 주무시지 않습니다. |

연습 ❷ 세수를 하(시)고 옷을 입으십니다. 그리고 아침을 드시고 운동하십니다. 그리고 열두 시에 점심을 드시고 커피를 드십니다. 저녁에 샤워하(시)고 책을 읽으십니다. 그리고 저녁 아홉 시에 주무십니다.

## 51쪽 –(으)셨– / –(으)실–

연습 ❶

| | (이)셨어요? | 이/가 아니셨어요. |
|---|---|---|
| 선생님 | 선생님이셨어요? | 선생님이 아니셨어요. |
| 주부 | 주부셨어요? | 주부가 아니셨어요 |

| | -(으)셨어요? | -지 않으셨어요. | -(으)실 거예요? | -지 않으실 거예요. |
|---|---|---|---|---|
| 가다 | 가셨어요? | 가지 않으셨어요. | 가실 거예요? | 가지 않으실 거예요. |
| 입다 | 입으셨어요? | 입지 않으셨어요. | 입으실 거예요? | 입지 않으실 거예요. |
| *듣다 | 들으셨어요? | 듣지 않으셨어요. | 들으실 거예요? | 듣지 않으실 거예요. |
| *살다 | 사셨어요? | 살지 않으셨어요. | 사실 거예요? | 살지 않으실 거예요. |
| *어떻다 | 어떠셨어요? | | | |
| 크다 | 크셨어요? | 크지 않으셨어요. | | |
| 좋다 | 좋으셨어요? | 좋지 않으셨어요. | | |
| *귀엽다 | 귀여우셨어요? | 귀엽지 않으셨어요. | | |
| *힘들다 | 힘드셨어요? | 힘들지 않으셨어요. | | |
| *먹다, 마시다 | 드셨어요? | 드시지 않으셨어요. | 드실 거예요? | 드시지 않으실 거예요. |
| *말하다 | 말씀하셨어요? | 말씀하시지 않으셨어요. | 말씀하실 거예요? | 말씀하시지 않으실 거예요. |
| *있다 | 선생님께서 교실에 계셨어요? | 선생님께서 교실에 계시지 않으셨어요. | 선생님께서 교실에 계실 거예요? | 선생님께서 교실에 계시지 않으실 거예요. |
| *자다 | 주무셨어요? | 주무시지 않으셨어요. | 주무실 거예요? | 주무시지 않으실 거예요. |
| *죽다 | 돌아가셨어요? | 돌아가시지 않으셨어요. | | |

연습 ❷ 1) (할아버지께서는) 경찰이셨어요 2) 할머니/어머니께서 만드셨어요 3) 돌아가셨어요 4) 오실 거예요 5) 드실 거예요

## 53쪽 –(으)셨– / –(으)실–

연습 ❶

| | (이)셨습니까? | (이)셨습니다. | 이/가 아니셨습니까? | 이/가 아니셨습니다. |
|---|---|---|---|---|
| 선생님 | 선생님이셨습니까? | 선생님이셨습니다. | 선생님이 아니셨습니까? | 선생님이 아니셨습니다. |
| 주부 | 주부셨습니까? | 주부셨습니다. | 주부가 아니셨습니까? | 주부가 아니셨습니다. |

| | -(으)셨습니까? | -지 않으셨습니다. | -(으)실 겁니까? | -지 않으실 겁니다. |
|---|---|---|---|---|
| 가다 | 가셨습니까? | 가지 않으셨습니다. | 가실 겁니까? | 가지 않으실 겁니다. |
| 입다 | 입으셨습니까? | 입지 않으셨습니다. | 입으실 겁니까? | 입지 않으실 겁니다. |
| *듣다 | 들으셨습니까? | 듣지 않으셨습니다. | 들으실 겁니까? | 듣지 않으실 겁니다. |
| *살다 | 사셨습니까? | 살지 않으셨습니다. | 사실 겁니까? | 살지 않으실 겁니다. |
| *어떻다 | 어떠셨어요? | | | |
| 크다 | 크셨습니까? | 크지 않으습니다. | | |
| 좋다 | 좋으셨습니까? | 좋지 않으셨습니다. | | |
| *귀엽다 | 귀여우셨습니까? | 귀엽지 않으셨습니다. | | |
| *힘들다 | 힘드셨습니까? | 힘들지 않으셨습니다. | | |
| *먹다, 마시다 | 드셨습니까? | 드시지 않으셨습니다. | 드실 겁니까? | 드시지 않으실 겁니다. |
| *말하다 | 말씀하셨습니까? | 말씀하시지 않으셨습니다. | 말씀하실 겁니까? | 말씀하시지 않으실 겁니다. |
| *있다 | 선생님께서 교실에 계셨습니까? | 선생님께서 교실에 계시지 않으셨습니다. | 선생님께서 교실에 계실 겁니까? | 선생님께서 교실에 계시지 않으실 겁니다. |
| *자다 | 주무셨습니까? | 주무시지 않으셨습니다. | 주무실 겁니까? | 주무시지 않으실 겁니다. |
| *죽다 | 돌아가셨습니까? | 돌아가시지 않으셨습니다. | | |

연습 ❷ 산책하셨습니다. 그리고 밥을 드셨습니다.
내일 할아버지께서는 일을 하실 겁니다. 할머니께서는 책을 읽으실 겁니다. 그리고 할아버지께서는 자전거를 타실 겁니다.

## 14과

### 55쪽 –아/어/해 주세요

연습 ❶ 1) 에어컨 좀 켜 주세요. 2) 계산 좀 해 주세요.
3) 인형 좀 사 주세요. 4) 책 좀 읽어 주세요.
5) 햄버거 좀 포장해 주세요.

연습 ❷ 1) 우산 좀 빌려 주세요. 2) 건국대학교에 가 주세요.
3) 나중에 전화해 주세요. 4) 강아지의 사진 좀 보여 주세요.
5) 수영 좀 가르쳐 주세요.

### 57쪽 –(으)ㄹ게요[1]

연습 ❶ 1) 말해 줄게요 2) 꺼 줄게요
3) 빌려 줄게요. 4) 늦지 않을게요/안 늦을게요.
5) 가르쳐 줄게요.

연습 ❷ 1) 남자: 놀아 줄게요/놀게요 여자: 읽을게요
2) 여자: 빨래할게요 남자: 청소할게요
3) 여자: 만들어 줄게요./만들게요. 남자: 도와줄게요
4) 여자: 연락할게요 남자: 기다릴게요

### 59쪽 –아/어/해야 되다

연습 ❶ 1) 가야 돼요/해요 2) 먹어야 돼요/해요
3) 꺼야 돼요/해요 4) 잘해야 돼요/해요
5) 있어야 돼요/해요

연습 ❷ 1) 선생님께/친구에게 물어봐야 합니다./공부해야 합니다/찾아야 합니다.…
2) 약을 먹어야 합니다/쉬어야 합니다./병원에 가야 합니다.…
3) 열심히 공부해야 합니다/한국 드라마를 많이 봐야 합니다./한국 친구를 사귀어야 합니다.…
4) 일찍 일어나야 합니다./일찍 출발해야 합니다./
5) 비행기표를 사야 합니다./선물을 준비해야 합니다.…
6) 청소해야 합니다/호텔을 예약해야 합니다./한국 여행을 준비해야 합니다.…
7) 추워야 합니다./눈이 와야 합니다.…

### 61쪽 못

연습 ❶ 1) 안 2) 못 3) 못 4) 안 5) 못

연습 ❷ 1) 못 만들어요 2) 못 신어요
3) 못 쳐요 4) 청소를 못 했어요
5) 못 만났어요

연습 ❸ 1) 못 먹어요 2) 못 만났어요
3) 못 가요 4) 연락을 못 했어요
5) 못 타요

## 15과

### 63쪽 –아/어/해도 되다

연습 ❶ 1) 닫아도 돼요? 2) 앉아도 돼요?
3) 구경해도 돼요? 4) 출발해도 돼요?
5) 읽어도 돼요? 6) 먹어도 돼요?

연습 ❷ 1) 자전거를 타도 됩니다. 2) 강아지와 산책해도 됩니다.
3) 음식을 먹어도 됩니다. 4) 술을 마셔도 됩니다.
5) 캠핑을 해도 됩니다. 6) 배드민턴을 쳐도 됩니다.

### 65쪽 –(으)면 안 되다

연습 ❶ 1) 보드를 타면 안 됩니다. 2) 수영을 하면 안 됩니다.
3) 술을 마시면 안 됩니다. 4) 쓰레기를 버리면 안 됩니다.
5) 담배를 피우면 안 됩니다. 6) 강아지와 산책하면 안 됩니다.

연습 ❷ 1) (영어를) 사용하면 안 돼요. 2) (그림을) 만지면 안 돼요.
3) (공책을) 보면 안 돼요. 4) (문을) 열면 안 돼요.

연습 ❸ 1) 이야기하면 안 돼요? 2) 앉으면 안 돼요?
3) 먹으면/먹으러 가면 안 돼요? 4) 찍어 주면 안 돼요?

# 모범 답안

## 67쪽 –(으)십시오

연습 ❶ 1) 들어오십시오. 2) 기다리십시오. 3) 앉으십시오. 4) 드시지 마십시오. 5) 샤워하지 마십시오.

연습 ❷ 1) 보여 주십시오. 2) 약을 드십시오. 3) 기다리십시오/기다려 주십시오. 4) 팔지 마십시오.

## 69쪽 ㄹ탈락

연습 ❶

| | -아/어요 | -(으)ㄹ 때 | -(으)ㄴ | -(으)면 | -(으)니까 | -는 것 | -(스)ㅂ니다 | -(으)세요 |
|---|---|---|---|---|---|---|---|---|
| 멀다 | 멀어요 | 멀 때 | 먼 | 멀면 | 머니까 | | 멉니다 | 머세요 |
| 힘들다 | 힘들어요 | 힘들 때 | 힘든 | 힘들면 | 힘드니까 | | 힘듭니다 | 힘드세요 |
| 살다 | 살아요 | 살 때 | | 살면 | 사니까 | 사는 것 | 삽니다 | 사세요 |
| 놀다 | 놀아요 | 놀 때 | | 놀면 | 노니까 | 노는 것 | 놉니다 | 노세요 |
| 울다 | 울어요 | 울 때 | | 울면 | 우니까 | 우는 것 | 웁니다 | 우세요 |
| 팔다 | 팔아요 | 팔 때 | | 팔면 | 파니까 | 파는 것 | 팝니다 | 파세요 |
| 밀다 | 밀어요 | 밀 때 | | 밀면 | 미니까 | 미는 것 | 밉니다 | 미세요 |
| 만들다 | 만들어요 | 만들 때 | | 만들면 | 만드니까 | 만드는 것 | 만듭니다 | 만드세요 |
| (마음에) 들다 | 들어요 | 들 때 | | 들면 | 드니까 | 드는 것 | 듭니다 | 드세요 |
| (전화를) 걸다 | 걸어요 | 걸 때 | | 걸면 | 거니까 | 거는 것 | 겁니다 | 거세요 |

연습 ❷ 1) 가: 팝니까? 나: 팔지만, 팔지 않습니다.
2) 가: 삽니다, 사세요? 나: 살아요
3) 나: 머니까
4) 가: 열어도 나: 열면
5) 가: 마음에 드세요? 나: 마음에 들어요.

## 8과

### 26쪽 듣기1 T4

주 인: 어서 오세요. 뭘 드릴까요?
아만다: 안녕하세요. 배가 얼마예요?
주 인: 한 개에 사천오백 원이에요. 배가 달고 맛있어요.
아만다: 조금 비싸요. 그럼, 사과랑 오렌지는 얼마예요?
주 인: 사과는 한 개에 이천 원이고, 오렌지는 한 개에 구백 원이에요.
다 시지 않고 맛있어요.
아만다: 그럼 오렌지랑 사과 주세요.
주 인: 몇 개 드릴까요?
아만다: 오렌지 다섯 개랑 사과 두 개 주세요.
주 인: 네, 여기 있어요.

### 27쪽 듣기2 T5

바타르: 케이트 씨, 이 티셔츠 어때요?
케이트: 귀엽고 예뻐요. 샀어요?
바타르: 네, 어제 샀어요.
케이트: 저도 이 티셔츠를 사고 싶어요. 어디에서 샀어요?
바타르: 학교 앞 백화점에서 샀어요.
케이트: 그래요? 한 개에 얼마예요?
바타르: 한 개에 만오천 원이에요.
그런데 어제는 세일을 해서 세 개에 삼만 원이었어요.
케이트: 와! 정말 싸요.
바타르: 맞아요. 그래서 많이 샀어요.
케이트: 몇 개 샀어요?
바타르: 제 거 세 개랑 여자 친구 거 세 개를 샀어요.

## 9과

### 48쪽 듣기1 T12

(전화 오는 소리)
밍 : 여보세요?
선생님: 밍 씨, 저 선생님이에요.
오늘 왜 학교에 안 왔어요?
밍 : 선생님, 오늘 아침부터 머리가 너무 아팠어요.
선생님: 괜찮아요? 약은 먹었어요?
밍 : 네, 먹었지만 지금도 아파요.
선생님: 너무 아프면 병원에 가세요.
밍 : 네, 병원을 예약했어요. 걱정하지 마세요..
선생님: 내일은 학교에 꼭 오세요.
밍 : 네, 알겠습니다.
선생님: 그럼, 내일 학교에서 만나요.

### 49쪽 듣기2 T13

간호사: 우리 병원에 처음 오셨어요?
루카스: 네, 처음 왔어요.
간호사: 어디가 불편해서 오셨어요?
루카스: 배가 너무 아파서 왔어요.
간호사: 여기에 이름이랑 외국인등록증 번호랑 전화번호를 쓰세요.
루카스: 네, 여기 있어요.
간호사: 잠깐만 기다리세요.
(잠시 후) 루카스 씨, 들어오세요.

(문 여닫는 소리)
의사(여): 안녕하세요? 여기에 앉으세요.
언제부터 배가 아팠어요?
루카스: 어제부터 아팠어요.
의사(여): 어제 뭘 먹었어요?
루카스: 매운 치킨을 먹고 맥주를 마셨어요.
의사(여): 그럼 다음 주까지 약을 드세요. 따뜻한 물을 많이 드시고
매운 음식을 먹지 마세요. 계속 아프면 다시 병원에 오세요.
루카스: 네, 알겠습니다.

## 10과

### 70쪽 듣기1 T20

장자함: 하루나 씨, 경복궁에 가 봤어요?
하루나: 네, 가 봤어요. 자함 씨는요?
장자함: 저는 아직 안 가 봤어요. 이번 주에 친구랑 경복궁을 보러 가고 싶어요.
어떻게 가요?
하루나: 지하철을 타고 갈 수 있어요.
장자함: 하루나 씨는 경복궁에서 뭘 해 봤어요?
하루나: 저는 한복을 입고 사진을 찍어 봤어요.
장자함: 한복을 어디에서 빌렸어요?
하루나: 경복궁 근처에 한복 가게가 많아요. 거기에서 빌릴 수 있어요.
장자함: 그리고 또 뭘 했어요?
하루나: 경복궁 옆에 있는 박물관에도 가 봤어요.
한국의 전통을 알 수 있어서 좋았어요.

### 71쪽 듣기2 T21

박 주 원: 크리스틴 씨, 지난 방학에 뭐 했어요?
크리스틴: 남편이 저를 만나러 한국에 왔어요.
그래서 같이 서울 구경을 했어요.
박 주 원: 남편이랑 어디에 갔어요?
크리스틴: 남산이랑 한강 공원에 가 봤어요.
그리고 광장시장에도 가 봤어요.
박 주 원: 크리스틴 씨는 어디가 제일 마음에 들었어요?
크리스틴: 한강 공원도 좋았지만 저는 남산에 있는 서울타워가 제일 마음에
들었어요. 높은 곳에 있어서 서울의 경치를 모두 볼 수 있으니까요.
박 주 원: 남산에 있는 케이블카도 탔어요?
크리스틴: 아니요. 타고 싶었지만 사람이 많아서 걸어서 갔어요.
박 주 원: 서울타워 근처에 돈가스가 맛있는 식당이 있어요.
거기에서 돈가스를 먹어 봤어요?
크리스틴: 네, 먹어 봤어요. 돈가스가 크고 맛있었어요.
박 주 원: 그럼, 크리스틴 씨의 남편은 어디를 제일 좋아했어요?
크리스틴: 광장시장이요.
박 주 원: 광장시장에서 뭐 했어요?
크리스틴: 시장도 구경하고 맛있는 음식도 먹었어요.

## 11과

**92쪽** 듣기1 T28

조세핀: 주원 씨, 잘 지냈어요?
박주원: 네, 잘 지냈어요.
조세핀: 요즘도 알리 씨랑 한강 공원에 운동하러 자주 가요?
박주원: 네, 농구를 하거나 보드를 타러 한강 공원에 자주 가요.
조세핀: 보드요? 주원 씨는 보드도 탈 수 있어요?
박주원: 네, 운동을 좋아해서 보드도 배웠어요.
조세핀 씨는 보드를 타 봤어요?
조세핀: 아니요, 안 타 봤어요. 타 보고 싶지만 조금 무서워요.
박주원: 처음에는 무섭지만 연습을 많이 하면 잘 탈 수 있어요.
진짜 재미있으니까 한번 타 보세요.
조세핀: 그래요? 저도 보드를 타 보고 싶어요.
언제 보드를 타러 갈 거예요?
박주원: 이번 주말에 알리 씨랑 보드를 타러 갈 거예요.
조세핀 씨도 배우고 싶으면 오세요.

**93쪽** 듣기2 T29

안녕하세요. 저는 루카스예요. 저는 브라질에서 왔어요. 제 취미는 축구예요. 고향에서는 매일 친구들하고 축구를 했어요. 저는 축구를 사랑하고 잘하니까 축구 선수가 되고 싶었어요. 그렇지만 다리를 다쳐서 축구 선수가 될 수 없었어요.

축구 선수는 아니지만 지금도 축구가 너무 좋아요. 한국에서도 하고 싶어서 같이 축구를 할 수 있는 친구들을 찾았어요. 주말마다 그 친구들하고 축구하러 운동장에 가요. 운동장에서 축구를 하면 정말 즐거워요. 날씨가 안 좋으면 집에서 축구 경기를 보거나 축구 게임을 해요.

고향에서는 축구를 보러 축구장에 자주 갔지만 한국에서는 아직 안 가 봤어요. 그래서 한번 가 보고 싶어요.

축구를 하면 기분이 좋고, 친구들도 사귈 수 있으니까 여러분도 축구를 한번 해 보세요.

## 12과

**114쪽** 듣기1 T36

다니엘: 수지 씨, 제주도에서 친구를 잘 만났지요?
수　지: 네, 친구랑 맛있는 삼겹살도 먹고 이야기도 많이 했어요.
다니엘: 그래요? 오늘 11시 비행기지요? 서울은 맑지만 영하 5도여서
추우니까 서울에 올 때 따뜻한 옷을 입으세요.
수　지: 그런데 11시 비행기를 탈 수 없어요.
다니엘: 왜요?
수　지: 제주도는 어제부터 눈이 많이 왔어요.
지금은 바람도 불어서 비행기가 출발할 수 없어요.
다니엘: 그럼 언제 올 수 있어요?
수　지: 오후에 바람이 안 불면 출발할 수 있어요.
다니엘: 그러면 비행기 탈 때 연락하세요.
수　지: 네, 알았어요.

**115쪽** 듣기2 T37

선생님: 오늘 서울은 영상 35도예요. 덥지요?
다니엘: 네, 너무 더워요. 바람도 불지 않아서 학교에 올 때 조금 힘들었어요.
선생님: 다니엘 씨, 스웨덴의 날씨는 어때요?
다니엘: 제 고향은 한국보다 덥지 않아요. 오늘은 영상 22도예요.
한국의 5월이랑 비슷해요.
선생님: 알리 씨, 사우디아라비아는요?
알　리: 제 고향은 서울보다 더 더워요. 오늘은 43도예요.
다니엘: 43도요?
알　리: 네, 제일 더울 때는 50도가 넘어요.
엠마 씨, 호주는 오늘 날씨가 어때요?
엠　마: 오늘은 흐리고 바람이 많이 불어요.
선생님: 조세핀 씨, 오늘 프랑스의 날씨는 어때요?
조세핀: 프랑스는 지금 영상 24도예요. 프랑스는 낮에는 조금 덥지만 밤에는
덥지 않아요.
알　리: 사우디아라비아도 밤에는 덥지 않아요.
그런데 서울은 밤에도 더워서 잠을 잘 수 없어요.

## 13과

**136쪽** 듣기1 T44

케이트: 바타르 씨의 가족은 모두 몽골에 계세요?
바타르: 할아버지와 부모님께서는 고향에 계시지만 여동생은 공부하러
캐나다에 갔어요.
케이트: 그래요? 할아버지와 부모님께서 같이 사세요?
바타르: 네, 고향에 있을 때 저도 할아버지와 부모님과 같이 살았어요.
케이트: 지금은 혼자 사니까 심심하시지요?
바타르: 심심할 때도 있지만 좋을 때도 있어요.
케이트 씨의 가족은 다 미국에 사세요?
케이트: 네, 저만 한국에 있고 할머니와 어머니께서는 미국에 사세요.
바타르: 케이트 씨는 혼자세요? 다른 형제는 없으세요?
케이트: 네, 형제는 없지만 남편과 아이들이 있으니까 괜찮아요.
바타르: 케이트 씨의 아이들도 한국어를 잘하지요?
케이트: 네, 저보다 더 잘해요.

**137쪽** 듣기2 T45

루카스: 세아 씨, 저는 이번 방학에 고향에 다녀올 거예요.
그래서 가족의 선물을 사고 싶어요. 뭘 사면 좋아요?
세　아: 루카스 씨가 한국에 유학을 하러 왔으니까 한국의 전통 물건을 선물해
보세요.
루카스: 어디에 가면 살 수 있어요?
세　아: 인사동에 가면 선물 가게가 많아요.
루카스: 할머니께서 한복을 좋아하세요. 거기에서 한복도 살 수 있어요?
세　아: 그럼요. 인사동에 한복 가게도 많으니까 거기에 가 보세요.
루카스: 한복이 비싸지요?
세　아: 비싼 것도 있고 싼 것도 있으니까 걱정하지 마세요.
루카스: 네, 어머니께서는 과자를 좋아하세요.
세　아: 그럼 전통 과자를 사서 어머니께 드리세요.
인사동에는 맛있는 전통 과자도 팔아요.
아버지께는 뭘 드릴 거예요?
루카스: 아직 잘 모르겠어요.
세　아: 그럼 홍삼은 어때요? 우리 부모님께서도 아주 좋아하세요.
루카스 씨가 잘 모르니까 제가 같이 가서 선물 사는 걸 도와줄게요.
루카스: 고마워요.

## 14과

158쪽 듣기1 T52

엠 마: 여러분, 다음 주에 이번 학기가 끝나요.
학기가 끝나면 자주 만날 수 없으니까 파티를 할까요?
바타르: 좋아요.
엠 마: 제가 파티를 준비할게요. 이번 주 일요일에 우리 집에 오세요.
바타르: 엠마 씨 혼자 준비하면 힘드니까 같이 준비해요.
엠 마: 그럼, 바타르 씨는 저랑 같이 마트에 가요.
케이크랑 음료수랑 과일을 사면 무거우니까
바타르 씨가 좀 들어 주세요.
바타르: 네, 알았어요.
알 리: 저도 도와주고 싶어요.
엠 마: 알리 씨, 고마워요. 알리 씨도 같이 가요.
하루나: 케이크는 제가 만들어서 가져갈게요. 사지 마세요.
엠 마: 정말요? 그럼 하루나 씨가 케이크를 준비해 주세요.
친구들이 많이 오면 더 재미있으니까 제가 반 친구들에게 연락할게요.

159쪽 듣기2 T53

다니엘: 여러분, 제가 다음 달에 결혼을 합니다.
시간이 있으면 제 결혼식에 와서 축하해 주세요.
선생님: 와! 다니엘 씨, 정말 축하해요. 결혼식이 언제예요? 꼭 갈게요.
다니엘: 감사합니다, 선생님. 결혼식은 다음 달 마지막 주 토요일이에요.
엠 마: 저도 가고 싶어요. 그런데 토요일에는 영어 수업이 있어요.
결혼식이 몇 시예요?
다니엘: 오후 5시에 해요. 엠마 씨 올 수 있어요?
엠 마: 5시에 하면 저도 갈 수 있어요. 가서 축하해 줄게요.
결혼식 준비는 다 끝났어요?
다니엘: 아니요. 제가 한국에서 결혼을 하니까 고향 친구들이 제 결혼식에
올 수 없어요. 그래서 여러분에게 부탁하고 싶은 것이 있어요.
아만다: 부탁이 뭐예요? 말해 보세요.
다니엘: 아만다 씨, 결혼식 때 피아노를 쳐 줄 수 있어요?
아만다: 네, 제가 피아노를 쳐 줄게요. 걱정하지 마세요.
다니엘: 아만다 씨, 고마워요. 하루나 씨는 사진을 잘 찍으니까
사진 좀 찍어 주세요.
하루나: 알았어요. 사진을 찍어 줄게요.
다니엘: 여러분, 모두 고마워요.

## 15과

180쪽 듣기1 T60

하루나: 밍 씨, 제가 오늘 책을 안 가져왔어요. 미안하지만 밍 씨의 책을
같이 봐도 돼요?
밍 : 네, 하루나 씨. 괜찮아요. 같이 봐요.
하루나: 옆에 앉아도 돼요?
밍 : 그럼요. 앉으세요.
선생님: 여러분, 안녕하세요!
오늘은 15과를 공부할 거예요. 모두 여기를 보세요.
(찰칵)
선생님: 밍 씨, 수업 시간에 사진을 찍으면 안 돼요.
밍 : 죄송합니다.
하루나: 선생님, 죄송하지만 지금 화장실에 다녀와도 돼요?
선생님: 네, 하루나 씨. 빨리 다녀오세요.

181쪽 듣기2 T61

(딩동댕)
안내 말씀 드립니다.
잠시 후 공연을 시작합니다.
지금부터 공연장에 들어가실 수 있습니다.
공연장 안에는 음식을 가지고 들어가실 수 없습니다.

(잠시 후)
(딩동댕)
안녕하십니까? 건국 공연장입니다.
공연 시작 전에 안내 말씀 드립니다.
공연을 보실 때 핸드폰을 사용하시면 안 됩니다. 핸드폰을 꺼 주셔야 합니다.
공연을 시작하면 자리에서 일어나시면 안 됩니다.
또 공연을 보실 때 옆 사람과 이야기하시면 안 됩니다.
공연장 안에서 음식을 드실 수 없습니다. 그렇지만 음료수는 드셔도 됩니다.
공연을 보실 때에는 사진을 찍거나 동영상을 찍으시면 안 됩니다. 공연이 끝나고 배우들과 사진을 찍으실 수 있습니다. 잠시 후에 공연을 시작합니다.
감사합니다.

## 8과

26쪽 듣기1 T4

Shopkeeper: Welcome.
Amanda: Hello. How much are the pears?
Shopkeeper: They are 4,500 won each.
The pears are sweet and delicious.
Amanda: They are a little expensive. Then how much are the apples and oranges?
Shopkeeper: Apples are 2,000 won each, and oranges are 900 won each.
They're not sour, and they all taste good.
Amanda: Then please give me some oranges and apples.
Shopkeeper: How many would you like?
Amanda: I would like five oranges and two apples.
Shopkeeper: Yes, here you are.

27쪽 듣기2 T5

Baatar: Kate, what do you think of this T-shirt?
Kate: It's cute and pretty. Did you buy it?
Baatar: Yes, I bought it yesterday.
Kate: I want to buy this T-shirt, too. Where did you buy it?
Baatar: I bought it at the department store in front of the school.
Kate: Really? How much was it?
Baatar: It was 15,000 won a piece.
But it was on sale yesterday, so I bought three for 30,000 won.
Kate: Wow, that's really cheap!
Baatar: Right. So I bought a lot of them.
Kate: How many did you buy?
Baatar: I bought three for myself and three for my girlfriend.

## 9과

48쪽 듣기1 T12

(Phone rings)
Ming: Hello?
Teacher: Ming, it's your teacher.
Why didn't you come to school today?
Ming: Teacher, I've had a terrible headache since this morning.
Teacher: Are you okay? Did you take any medicine?
Ming: Yes, I did. But I still feel sick.
Teacher: If you're very sick, go to the hospital.
Ming: Yes, I made an appointment. Don't worry.
Teacher: Please come to school tomorrow.
Ming: Okay.
Teacher: Then, see you at school tomorrow.

49쪽 듣기2 T13

Nurse: Is it your first visit to our hospital?
Lucas: Yes, it's my first visit.
Nurse: What are your symptoms?
Lucas: I have a terrible stomachache.
Nurse: Please write your name, residence card number, and phone number here.
Lucas: Yes, here you are.

Nurse: Please wait a moment.
(Shortly after) Lucas, please come in.
(Sound of a door opening and closing)
Doctor (female): Hello. Please have a seat.
How long have you had your stomachache?
Lucas: Since yesterday.
Doctor (female): What did you eat yesterday?
Lucas: I ate spicy chicken and drank beer.
Doctor (female): Then take medicine until next week. Drink a lot of warm water and don't eat spicy food. If you continue to feel sick, come back to the hospital.
Lucas: Yes. Okay.

## 10과

70쪽 듣기1 T20

Zhang Zihan: Haruna, have you been to Gyeongbokgung Palace?
Haruna: Yes, I have. How about you, Zihan?
Zhang Zihan: I have not been there yet. I want to go to Gyeongbokgung Palace this week with a friend. How do I get there?
Haruna: You can get there by subway.
Zhang Zihan: What did you do at Gyeongbokgung Palace, Haruna?
Haruna: I wore hanbok and took photos.
Zhang Zihan: Where did you rent the hanbok?
Haruna: There are many hanbok rental shops near Gyeongbokgung Palace. You can rent one there.
Zhang Zihan: What else did you do?
Haruna: I also visited the museum next to Gyeongbokgung Palace.
It was nice to learn about Korean traditions.

71쪽 듣기1 T21

Park Ju-won: Christine, what did you do during the vacation?
Christine: My husband came to Korea to see me.
So we toured Seoul together.
Park Ju-won: Where did you go with your husband?
Christine: We went to Namsan and Hangang Park.
We also went to Gwangjang Market.
Park Ju-won: Which place did you like the most?
Christine: I liked Hangang Park, but I liked Seoul Tower on Namsan the most. It's high up, so we could see all of Seoul's scenery.
Park Ju-won: Did you ride the cable car at Namsan?
Christine: No. We wanted to, but there were too many people.
So we walked up.
Park Ju-won: There's a restaurant near Seoul Tower that serves delicious pork cutlets. Have you tried the pork cutlets there?
Christine: Yes, I have. The pork cutlet was big and delicious.
Park Ju-won: Then which place did your husband like the most?
Christine: Gwangjang Market.
Park Ju-won: What did you do at Gwangjang Market?
Christine: We looked around and ate delicious food.

## 11과

### 92쪽 듣기1 T28

Josephine: Ju-won, how have you been?
Park Ju-won: I've been well.
Josephine: Do you still go to Hangang Park often to exercise with Ali?
Park Ju-won: Yes, I often go to Hangang Park to play basketball or ride a skateboard.
Josephine: A skateboard? Can you ride a skateboard, Ju-won?
Park Ju-won: Yes, I like sports, so I learned to skateboard.
Have you tried riding a skateboard?
Josephine: No. I haven't. I want to, but I'm a little scared.
Park Ju-won: At first, it might be scary, but you'll get good at it with practice. It's really fun, so give it a try.
Josephine: Really? I want to try riding a skateboard.
When will you go skateboarding?
Park Ju-won: I'm going to ride a skateboard with Ali this weekend.
If you want to learn, come along.

### 93쪽 듣기2 T29

Hello. My name is Lucas. I'm from Brazil. My hobby is playing soccer. Back in my hometown, I played soccer with my friends every day. I love soccer and I'm good at it, so I wanted to become a soccer player. But I injured my leg, so I could no longer become a soccer player.
Even though I'm not a soccer player, I still love soccer. I wanted to keep playing in Korea, so I found some friends to play with. I go to the soccer field every weekend to play soccer with them. I feel very happy when I play soccer at the soccer field. When the weather is bad, I watch soccer games or play soccer video games at home.
I used to go to soccer stadiums to watch games in my hometown, but I haven't been to one in Korea yet. So I want to go someday.
Playing soccer makes you feel happy and helps you make friends. I hope you try playing soccer too.

## 12과

### 114쪽 듣기1 T36

Daniel: Susie, did you meet your friend on Jeju Island?
Susie: Yes, I ate delicious samgyeopsal and had lots of conversation with my friend.
Daniel: Really? Your flight is at 11 o'clock today, right? Although it's sunny in Seoul, it's minus 5 degrees. It's cold, so dress warmly.
Susie: But I can't take the 11 o'clock flight.
Daniel: Why?
Susie: It has been snowing heavily on Jeju Island since yesterday. And now, the wind is blowing. The airplane can't depart.
Daniel: Then when can you come?
Susie: If the wind stops in the afternoon, the airplane can depart.
Daniel: Then contact me when you get on the airplane.
Susie: Okay.

### 115쪽 듣기2 T37

Teacher: Today, it's 35 degrees Celsius in Seoul. It's hot, isn't it?
Daniel: Yes, it's very hot. There's no wind, so coming to school was a little tough.
Teacher: Daniel, how is the weather in Sweden?
Daniel: My hometown isn't hotter than Korea. Today, it's 22 degrees Celsius. It's similar to Korea's May weather.
Teacher: Ali, how about Saudi Arabia?
Ali: My hometown is hotter than Seoul. It's 43 degrees Celsius today.
Daniel: 43 degrees Celsius?
Ali: Yes. It can reach over 50 degrees at its hottest.
How is the weather in Australia today, Emma?
Emma: It's cloudy and very windy today.
Teacher: How is the weather in France today, Josephine?
Josephine: It's 24 degrees Celsius in France now. In France, it's a little hot during the day, but it's not hot at night.
Ali: It's not hot at night in Saudi Arabia either.
But in Seoul, it's so hot even at night that I can't sleep.

## 13과

### 136쪽 듣기1 T44

Kate: Are all of your family members in Mongolia, Bataar?
Baatar: My grandfather and parents are in my hometown, but my younger sister went to study in Canada.
Kate: Really? Do your grandfather and parents live together?
Baatar: Yes. When I was in my hometown, I also lived with my grandfather and parents.
Kate: Now that you live alone, you must get lonely.
Baatar: Sometimes I get lonely, but there are upsides to it too. Do all of your family members live in the USA, Kate?
Kate: Yes. Only I am in Korea, and my grandmother and mother live in the USA.
Baatar: Are you an only child? Don't you have any siblings?
Kate: No. I don't have any siblings, but it's okay because I have my husband and children.
Baatar: Your children are good at Korean too, right?
Kate: Yes, they are better than me at Korean.

### 137쪽 듣기2 T45

Lucas: Se-ah, I'm going back to my hometown during this vacation. So I want to buy gifts for my family. What should I buy?
Se-ah: Since you came to Korea to study, how about giving them traditional Korean items as gifts?
Lucas: Where can I buy them?
Se-ah: There are many gift shops in Insa-dong.
Lucas: My grandmother likes hanbok. Can I buy hanbok there?
Se-ah: Of course. There are many hanbok shops in Insa-dong, so check it out.
Lucas: Isn't hanbok expensive?
Se-ah: There are expensive ones and cheap ones, so don't worry.
Lucas: Yes. My mother likes snacks.
Se-ah: Then buy traditional snacks for her.
You can find delicious traditional snacks in Insa-dong.
What will you give to your father?
Lucas: I'm not sure yet.
Se-ah: Then how about red ginseng? My parents love it.

Since you're new to this, I'll come along and help you buy gifts.
Lucas: Thank you.

## 14과

### 158쪽 듣기1 T52

Emma: Everyone, this semester ends next week. Since we won't be able to meet often after the semester ends, why don't we have a party?
Baatar: That sounds good.
Emma: I'll prepare the party. Come to my place this Sunday.
Baatar: It will be difficult to prepare for the party by yourself. Let's get things ready together.
Emma: Then come to the supermarket with me, Bataar.
The cake, drinks, and fruit will be heavy, so please help me carry them.
Baatar: Okay.
Ali: I want to help out too.
Emma: Thank you, Ali. Please come with us too.
Haruna: I'll make the cake and bring it. Don't buy one.
Emma: Really? Then please prepare the cake, Haruna.
The more the merrier, so I'll contact our classmates.

### 159쪽 듣기2 T53

Daniel: Everyone, I'm getting married next month.
If you have time, please come to my wedding and celebrate.
Teacher: Wow! Daniel, congratulations! When is the wedding?
I'll definitely come.
Daniel: Thank you, teacher. The wedding is on the last Saturday of next month.
Emma: I want to come too. But I have an English class on Saturdays.
What time is the wedding?
Daniel: It's at 5 p.m. Can you come, Emma?
Emma: If it's at 5 p.m., I can come. I'll come and celebrate with you.
Have you finished preparing for the wedding?
Daniel: No. Since I'm getting married in Korea, my friends from my hometown can't come to the wedding. So I have a favor to ask of you.
Amanda: What is it? Tell us.
Daniel: Amanda, can you play the piano at the wedding?
Amanda: Yes, I'll play the piano. Don't worry.
Daniel: Thank you, Amanda. Haruna, you're good at taking photos. Could you take some photos?
Haruna: Okay. I will take the photos.
Daniel: Thank you, everyone.

## 15과

### 180쪽 듣기1 T60

Haruna: Ming, I didn't bring my book today. I'm sorry, but could I share your book?
Ming: Yes, Haruna. It's fine. Let's share.
Haruna: Can I sit next to you?
Ming: Of course. Have a seat.
Teacher: Hello, everyone!
Today, we're going to study Unit 15.
Please look here, everyone.
(Camera shutter sound)
Teacher: Ming, you must not take photos during class.
Ming: I'm sorry.
Haruna: Teacher, I'm sorry, but can I go to the restroom now?
Teacher: Yes, Haruna. Make it quick.

### 181쪽 듣기2 T61

"(Bell dings)
Attention, please.
The performance will begin shortly.
You may now enter the theater.
You cannot bring food into the theater.
(Shortly after)
(Bell dings)
Good evening. Welcome to Konkuk Theater.
Before the performance begins, we would like to inform you that you are not allowed to use your phone during the performance. Please turn off your phone.
Do not leave your seats when the performance begins.
During the performance, do not talk to the person next to you.
Eating food inside the performance hall is prhibited. But you may drink beverages.
Taking photos or videos during the performance is prohibited. You may take photos with the actors after the performance. The performance will begin shortly.
Thank you."

## 8과

**26쪽** 듣기1 T4

店主：欢迎光临。
阿曼达：您好。梨子多少钱？
店主：4500韩元一个。梨子很甜，很好吃。
阿曼达：有点贵。那么，苹果和橙子多少钱？
店主：苹果2000韩元一个，橙子900韩元一个。都不酸，很好吃。
阿曼达：那么请给我橙子和苹果。
店主：您要几个？
阿曼达：请给我5个橙子和2个苹果。
店主：好的，给您。

**27쪽** 듣기2 T5

巴达尔：凯特小姐，这件T恤衫怎么样？
凯特：可爱又漂亮。买了吗？
巴达尔：是的，昨天买的。
凯特：我也想买这件T恤衫。在哪里买的？
巴达尔：在学校前面的百货店买的。
凯特：是吗？多少钱一件？
巴达尔：一万五千韩元一件。
但是昨天打折，三万韩元三件。
凯特：哇，真便宜啊！
巴达尔：对啊。所以多买了点。
凯特：买了几件？
巴达尔：买了我的三件和女朋友的三件。

## 9과

**48쪽** 듣기1 T12

(来电话的声音)
明：喂？
老师：明先生，我是老师。今天为什么没来学校？
明：老师，我从今天早上开始头很疼。
老师：没事吧？药吃了吗？
明：是的，吃了，但是现在还疼。
老师：太疼的话要去医院。
明：好的，我向医院预约了。不要担心。
老师：明天一定要来学校。
明：好的，知道了。
老师：那明天学校见。

护士：是第一次来我们医院吗？
卢卡斯：是的，第一次来。
护士：哪里不舒服？
卢卡斯：肚子太疼了。
护士：请在这里写姓名和外国人登录证多余空格及电话号码。
卢卡斯：好的，给您。

**49쪽** 듣기2 T13

护士：请稍等。
(过了一会儿）卢卡斯先生，请进。
(开关门的声音)
医生（女）：您好。请坐这里。
什么时候开始肚子疼的？
卢卡斯：从昨天开始。
医生（女）：昨天吃了什么？
卢卡斯：吃了辣味炸鸡，喝了啤酒。
医生（女）：那么请吃药到下周。多喝热水，不要吃辛辣食物。持续疼的话 再来医院。
卢卡斯：好的。我知道了。

## 10과

**70쪽** 듣기1 T20

张子涵：Haluna小姐，你去过景福宫吗？
Haluna：是的，去过。子涵先生呢？
张子涵：我还没去过。这周想和朋友去
游览景福宫。怎么去？
Haluna：可以坐地铁去。
张子涵：Haluna小姐在景福宫做了什么？
Haluna：我穿韩服拍了照片。
张子涵：韩服在哪里租的？
Haluna：景福宫附近有很多韩服店。可以在那里租。
张子涵：还做了什么？
Haluna：还去了景福宫旁边的博物馆。能了解韩国的传统，很好。

**71쪽** 듣기1 T21

朴柱元：克里斯汀小姐，上次放假做了什么？
克里斯汀：我丈夫来韩国见我了。
所以一起游览了首尔。
朴柱元：和你丈夫去了哪里？
克里斯汀：和丈夫一起去了南山和汉江公园。
还去了广场市场。
朴柱元：克里斯汀小姐最喜欢哪里？
克里斯汀：虽然汉江公园也很好，
但是我最喜欢南山的首尔塔。因为在高处
能把首尔的景色尽收眼底。
朴柱元：南山的缆车也坐了吗？
克里斯汀：没有。虽然想坐，但是人太多了，所以就走路了。
朴柱元：首尔塔附近有一家餐厅的炸猪排很好吃。
有没有在那里吃炸猪排？
克里斯汀：是的，吃了。炸猪排又大又好吃。
朴柱元：那么，克里斯汀小姐的丈夫最喜欢哪里？
克里斯汀：广场市场。
朴柱元：在广场市场做了什么？
克里斯汀：参观了市场，还吃了美食。

## 11과

**92쪽** 듣기1 T28

约瑟芬：柱元先生，过得好吗？
朴柱元：是的，过得很好。
约瑟芬：最近也经常和阿里先生去汉江公园运动吗？
朴柱元：是的，经常去汉江公园打篮球或者玩滑板。
约瑟芬：滑板？柱元先生也会玩滑板吗？
朴柱元：是的，我喜欢运动，所以也学了滑板。
约瑟芬小姐玩过滑板吗？
约瑟芬：没有。没玩过。想玩，但是有点害怕。
朴柱元：虽然一开始会害怕，但是多练习的话就能玩得很好。真的很有意思，你也试试吧。
约瑟芬：是吗？我也想试着玩滑板。你接下来什么时候去玩滑板？

朴柱元: 这周末要和阿里先生去玩滑板。
约瑟芬小姐也想学的话就来吧。

93쪽 듣기2 T29

大家好。我是卢卡斯。我来自巴西。我的兴趣爱好是足球。在故乡每天都和朋友多余空格足球。我热爱足球，并且踢得好，所以曾经想成为足球运动员。但是我的腿受伤了，所以无法成为足球运动员了。
虽然不是足球运动员，但是现在还是很喜欢足球。我在韩国也想踢球，所以找到了能一起踢足球的朋友们。每个周多余空格和那些朋友们去运动场踢足球。在运动场踢足多余空格的很愉快。如果天气不好，就在家看足球比赛或者玩足球游戏。
在故乡的时候，我经常去足球场看足球，但是在韩国还没去看过。所以想去看一次。
踢足球心情会好，也能交到朋友，所以各位也试着踢足球吧。

## 12과

114쪽 듣기1 T36

丹尼尔: 秀智小姐，在济州岛见朋友还顺利吧?
秀智: 是的，和朋友吃了好吃的五花肉，也聊了许多。
丹尼尔: 是吗? 今天11点的飞机吧? 首尔虽然天晴，但是是零下5度，
很冷，来首尔时要穿暖和的衣服。
秀智: 但是我坐不了11点的飞机了。
丹尼尔: 为什么?
秀智: 济州岛从昨天开始下了大雪。现在还刮风，所以飞机不能起飞。
丹尼尔: 那什么时候能来?
秀智: 下午如果不刮风的话就能出发。
丹尼尔: 那么上飞机的时候联系我。
秀智: 好的，知道了。

115쪽 듣기2 T37

老师: 今天首尔是零上35度。很热吧?
丹尼尔: 是的，太热了。也不刮风，来学校时有点辛苦。
老师: 丹尼尔先生，瑞典的天气怎么样?
丹尼尔: 我的故乡没有韩国热。今天多余空格上22度。和韩国的5月差不多。
老师: 阿里先生，沙特阿拉伯呢?
阿里: 我的故乡比首尔更热。今天是43度。
丹尼尔: 43度?
阿里: 是的。最热的时候会超过50度。
艾玛小姐，澳大利亚今天天气怎么样?
艾玛: 今天阴，刮大风。
老师: 约瑟芬小姐，今天法国的天气怎么样?
约瑟芬: 法国现在是零上24度。法国白天有点热，但是晚上不热。
阿里: 沙特阿拉伯晚上也不热。但是首尔晚上也热，所以睡不着。

## 13과

136쪽 듣기1 T44

凯特: 巴达尔先生的家人都在蒙古吗?
巴达尔: 爷爷和父母在故乡，但是妹妹去加拿大上学了。
凯特: 是吗? 爷爷和父母一起生活吗?
巴达尔: 是的。在故乡时，我也和爷爷还有父母一起生活。
凯特: 现在一个人生活无聊吧?
巴达尔: 虽然有时会无聊，但有时也挺好的。
凯特小姐的家人都生活在美国吗?
凯特: 是的。只有我在韩国，奶奶和妈妈生活在美国。
巴达尔: 凯特小姐是一个人吗? 没有兄弟姐妹吗?
凯特: 是的。没有兄弟姐妹，但是有丈夫和孩子们，所以没关系。
巴达尔: 凯特小姐的孩子们也韩语说得很好吧?
凯特: 是的，说得比我更好。

137쪽 듣기2 T45

卢卡斯: 世雅小姐，我这次放假要回故乡。
所以想买送给家人的礼物。买什么好呢?
世雅: 卢卡斯先生来韩国留学，所以送点韩国的传统物件吧。
卢卡斯: 去哪里能买到?
世雅: 仁寺洞有很多礼品商店。
卢卡斯: 我奶奶喜欢韩服。那里也多余空格到韩服吗?
世雅: 当然了。仁寺洞也有很多韩服商店，你去那里看看吧。
卢卡斯: 韩服很贵吧?
世雅: 有贵的也有便宜的，不要担心。
卢卡斯: 好的。我妈妈喜欢点心。
世雅: 那么买传统点心送给妈妈吧。仁寺洞也卖好吃的传统点心。
要给爸爸送什么呢?
卢卡斯: 还不知道。
世雅: 那红参怎么样? 我父母也非常喜欢。卢卡斯先生不太清楚，
所以我一起去帮你买礼物吧。
卢卡斯: 谢谢。

## 14과

158쪽 듣기1 T52

艾玛: 各位，下周本学期就结束了。学期结束后不能经常见面，
要不要开个派对?
巴达尔: 好的。
艾玛: 我来准备派对。这周日来我家吧。
巴达尔: 艾玛小姐一个人准备太辛苦了，一起准备吧。
艾玛: 那么巴达尔先生和我一起去超市吧。
买蛋糕、饮料和水果的话很重，
巴达尔先生帮忙拎吧。
巴达尔: 好的，知道了。
阿里: 我也想帮忙。
艾玛: 阿里先生，谢谢。阿里先生也一起去吧。
Haluna: 蛋糕我做好带去吧。不要买了。
艾玛: 真的吗? 那么就请Haluna小姐准备蛋糕。
多来点朋友更有意思，
我来联系班上的同学们。

159쪽 듣기2 T53

丹尼尔: 各位，我下个月结婚。
有时间的话，就来我的婚礼为我庆贺吧。
老师: 哇! 丹尼尔先生，真的恭喜你。婚礼是什么时候? 我一定去。
丹尼尔: 谢谢您，老师。婚礼是下个多余空格后一周的星期六。
艾玛: 我也想去。但是星期六多余空格语课。婚礼是几点?
丹尼尔: 下午5点进行。艾玛小姐能来吗?
艾玛: 5点进行的话我也能去。我会去为你庆贺的。
婚礼都准备好了吗?
丹尼尔: 没有，因为我在韩国结婚，
所以故乡的朋友们不能来我的婚礼。
所以我有多余空格拜托各位。
阿曼达: 拜托什么? 说说看。
丹尼尔: 阿曼达小姐，婚礼时能给我们弹钢琴吗?

阿曼达: 好的，我来给你们弹钢琴。 不要担心。
丹尼尔: 阿曼达小姐，谢谢你。 Haluna小姐擅长拍照，请帮我们拍照。
Haluna: 知道了。 我来给你们拍照。
丹尼尔: 谢谢大家。

## 15과

### 180쪽 듣기1 T60

Haluna: 明先生，我今天没带书。 不好意思，
能一起看你的书吗?
明: 好的，Haluna小姐。 没关系。 一起看吧。
Haluna: 可以坐你旁边吗?
明: 当然了。 请坐。
老师: 各位，大家好!
今天学习第15课。
请都看这里。
(咔嚓)
老师: 明先生，上课时间不可以拍照。
明: 对不起。
Haluna: 老师，不好意思，现在可以去卫生间吗?
老师: 是的，Haluna小姐。 请快去快回。

### 181쪽 듣기2 T61

(叮咚当)
现在播放指南。
一会儿之后公演即将开始。
现在起可以进入公演场。
不可携带食物进入公演场内。

(一会儿后)
(叮咚当)
您好。 这里是建国公演场。
公演开始前给您播放观演指南。
观演时不可使用手机。 必须
关闭手机。
公演开始后不可从座位上站起来。
还有观演时不可与旁边的人说话。
公演场内不能吃食物。 但可以
喝饮料。
观演时不可拍照或
拍摄视频。公演结束后可与演员们
拍照。 一会儿后公演即将开始。
谢谢。

## 8과

### 26쪽 듣기1 T4

店主: いらっしゃいませ。
アマンダ: こんにちは。梨はいくらですか？
店主: 一個４千5百ウォンです。 梨は甘くて美味しいです。
アマンダ: 少し高いですね。では、リンゴとオレンジはいくらですか？
店主: リンゴは1個２千ウォン、オレンジは一個９百ウォンです。
全部酸っぱくなくて美味しいです。
アマンダ: じゃあ、オレンジとリンゴをください。
店主: 何個あげますか？
アマンダ: オレンジ5個とリンゴ2個ください。
店主: はい、どうぞ。

### 27쪽 듣기2 T5

バタール: ケイトさん、このTシャツはどうですか？
ケイト: 可愛くてきれいです。買いましたか？
バタール: はい、昨日買いました。
ケイト: 私もこのTシャツを買いたいです。どこで買いましたか？
バタール: 学校の前のデパートで買いました。
ケイト: そうですか？１枚いくらですか？
バタール: １枚１万５千ウォンです。
でも、昨日はセールで3枚で3万ウォンでした。
ケイト: うわー、本当に安いですね！
バタール: そうです。だからたくさん買いました。
ケイト: 何枚買いましたか？
バタール: 私のを3枚と、彼女のを3枚買いました。

## 9과

### 48쪽 듣기1 T12

(着信音)
ミング: もしもし
先生: ミングさん、先生です。
今日はどうして学校に来なかったのですか？
ミング: 先生、今朝から頭がすごく痛かったんです。
先生: 大丈夫ですか？薬は飲みましたか？
ミング: はい、薬を飲んだけど、今も痛いです。
先生: あまりに痛かったら病院に行ってください。
ミング: はい、病院を予約しました。心配しないでください。
先生: 明日はぜひ学校に来てください。
ミング: はい、わかりました。
先生: では、明日学校で会いましょう。"
"看護師: 当院にいらっしゃるのは初めてですか?
ルーカス: はい、はじめてです。
看護師: 今日はどうされましたか?
ルーカス: お腹がとても痛くて来ました。
看護師: ここに名前と外国人登録証番号と電話番号を書いてください。ルーカス: はい、どうぞ。

### 49쪽 듣기2 T13

看護師: 待ってください。
(しばらくして）ルーカスさん、入ってください。

(ドアの開閉音)
医者（女）: こんにちは。ここに座ってください。
いつからお腹が痛かったんですか？
ルーカス: 昨日からです。
医者（女）: 昨日何を食べましたか？
ルーカス: 辛いチキンを食べてビールを飲みました。
医者（女）: では、来週まで薬を飲んでください。温かいをたくさん飲んで、辛いものを食べないようにしてください。もし痛みが続く場合は、再度来院してください。
ルーカス: はい、わかりました。

## 10과

### 70쪽 듣기1 T20

ジャンジャハム: ハルナさん、キョンボックン(景福宮)に行ったことがありますか？
ハルナ: はい、行ったことがあります。ジャハムさんは？
ジャンジャハム: 私はまだ行ったことがありません。今週は友達とキョンボックン(景福宮)に
行きたいです。どうやって行きますか？
ハルナ: 地下鉄で行けます。
ジャンジャハム: ハルナさんはキョンボックン(景福宮)で何をしたことがありますか？
ハルナ: 私は韓服を着て写真を撮りました。
ジャンジャハム: 韓服はどこで借りましたか？
ハルナ: キョンボックン(景福宮)の近くには韓服レンタルショップがたくさんあります。そこで借りることがありますよ。
ジャンジャハム: そして、他に何をしましたか？
ハルナ: キョンボックン(景福宮)の隣にある博物館にも行きました。韓国の伝統を知ることができたので良かったです。

### 71쪽 듣기1 T21

パクジュウォン: クリスティンさん、この前の休みに何をしましたか？
クリスティン: 夫が私に会いに韓国に来ました。
それで一緒にソウルを見物しました。
パクジュウォン: ご主人とどこに行きましたか？
クリスティン: ナムサン(南山)とハンガン(漢江)公園に行きました。
そして、クァンジャン(広蔵)市場にも行きました。
パクジュウォン: クリスティンさんはどこが一番好きでしたか？
クリスティン: ハンガン(漢江)公園も良かったですが、私はナムサン(南山)にあるソウルタワーが一番気に入りました。高いところにあるので、ソウルの景色を
すべて見ることができます。
パクジュウォン: ナムサン(南山)のケーブルカーも乗りましたか？
クリスティン: いいえ、乗りたかったのですが、人が多かったので歩いて行きました。
パクジュウォン: ソウルタワーの近くにトンカツが美味しい食堂があります。
そこでトンカツは食べましたか？
クリスティン: はい、食べました。トンカツが大きくて美味しかったです。
パクジュウォン: では、クリスティンさんのご主人はどこが一番好きでしたか？
クリスティン: クァンジャン(広蔵)市場ですね。
パクジュウォン: クァンジャン(広蔵)市場で何をしましたか？
クリスティン: 市場を見物して美味しいものも食べました。

## 11과

**92쪽** 듣기1 T28

ジョセフィン: ジュウォンさん、元気ですか？
パクジュウォン: はい、元気でした。
ジョセフィン: 最近もアリさんとハンガン(漢江)公園によく運動に行きますか？
パクジュウォン: はい、バスケットボールをしたり、ボードを乗りにハンガン(漢江)公園によく行きます。
ジョセフィン: スケートボードですか？ジュウォンさんはスケートボードも乗れますか？
パクジュウォン: はい、運動が好きでスケートボードも習いました。ジョセフィンさんはスケートボードに乗ったことがありますか？
ジョセフィン: いいえ、乗ったことがありません。乗ってみたいけど、ちょっと怖いです。
パクジュウォン: 最初は怖いですが、たくさん練習すればうまく乗れるようになりますよ。 本当に面白いので、一度乗ってみてください。
ジョセフィン: そうですか？私もスケートボードに乗ってみたいですね。いつボードに乗りに行きますか？
パクジュウォン: 今週末アリさんと一緒にスケートボードに乗りに行きます。習いたかったらジョセフィンさんも来てください。

**93쪽** 듣기2 T29

こんにちは。私はルーカスです。私はブラジルから来ました。私の趣味はサッカーです。故郷では毎日友達と サッカーをしました。私はサッカーが好きで上手なのでサッカー選手になりたかったんです。でも、足を怪我してサッカー選手になれませんでした。サッカー選手ではありませんが、今でもサッカーが大好きです。韓国でもやりたいと思って一緒にサッカーができる友達を見つけました。毎週末にはその友達と一緒にサッカーをしに運動場に行きます。運動場でサッカーをすると本当に楽しいです。天気が悪いときは、家でサッカーの試合を見たり、サッカーゲームをしたりします。
故郷ではサッカーを見にサッカー場によく行きましたが、韓国ではまだ行ったことがありません。だから、一度行ってみたいです。
サッカーをすると気持ちいいし、友達も作れるので、皆さんもぜひサッカーをやってみてください。

## 12과

**114쪽** 듣기1 T36

ダニエル: スジさん、済州島で友達に会えてよかったですよね？
スジ: はい、友達と美味しいサムギョプサルを食べて、たくさん話しましたよ。
ダニエル: そうですか？今日11時の飛行機ですよね？ソウルは晴れているけど、マイナス5度で寒いから、ソウルに来るときは暖かい服を着て来てください。
スジ: でも、11時の飛行機には乗れないんです。
ダニエル: なぜですか？
スジ: 済州島は昨日から雪がたくさん降りました。今は風も強くて、欠航になります。
ダニエル: じゃあ、いつ来られますか？
スジ: 午後に風が吹かなければ出発できます。
ダニエル: それでは、飛行機に乗るときに連絡してください。
スジ: はい、わかりました。

**115쪽** 듣기2 T37

先生: 今日のソウルの気温は35度です。暑いですよね？
ダニエル: はい、暑すぎます。風も吹かなくて、学校に来るときちょっと大変でした。
先生: ダニエルさん、スウェーデンの天気はどうですか？
ダニエル: 私の故郷は韓国より暑くないです。今日の気温は 22度です。韓国の5月の天気と似ています。
先生: アリさん、サウジアラビアはどうですか？
アリ: 私の故郷はソウルより暑いです。今日は43度です。
ダニエル: 43度ですか？
アリ: はい、一番暑い時には50度を超えます。
エマさん、今日のオーストラリアの天気はどうですか？
エマ: 今日は曇りで風が強いです。
先生: ジョセフィンさん、今日のフランスの天気はどうですか？
ジョセフィン: 今日のフランスの気温は24度です。
フランスは昼間は少し暑いですが、夜は暑くないです。
アリ: サウジアラビアも夜は暑くないです。
でも、ソウルは夜も暑くて、眠れません。

## 13과

**136쪽** 듣기1 T44

ケイト: バタールさんの家族はみんなモンゴルにいらっしゃるのですか？
バタール: 祖父と両親は故郷にいますが、妹はカナダに留学しています。
ケイト: そうですか？おじいちゃんとご両親は一緒に住んでいますか？
バタール: はい、故郷にいた時、私も祖父母や両親と一緒に暮らしていました。
ケイト: 今は一人暮らしだから、寂しいですよね？
バタール: 退屈な時もありますが、いい時もあります。
ケイトさんの家族はみんなアメリカに住んでいますか？
ケイト: はい、私だけが韓国にいて、祖母と母はアメリカに住んでいます。
バタール: ケイトさんは一人っ子ですか？兄弟はいますか？
ケイト: はい、兄弟はいませんが、夫と子供がいるので大丈夫です。
バタール: ケイトさんのお子さんも韓国語が上手ですよね？
ケイト: はい、私より上手です。

**137쪽** 듣기2 T45

ルーカス: セアさん、私は今回の休みには故郷に行く予定です。
それで、家族へのプレゼントを買いたいと思っています。何を買えばいいでしょうか？
セア: ルーカスさんが韓国に留学に来たので、韓国の伝統的な物をプレゼントしてみてください。
ルーカス: どこに行けば買えますか？
セア: インサドン(仁寺洞)に行くとお土産店がたくさんあります。
ルーカス: おばあさんは韓服が好きです。そこで韓服も 買えますか？
セア: そうですね。インサドン(仁寺洞)には韓服店もたくさんあるので、そこへ行ってみてください。
ルーカス: 韓服は高いですよね？
セア: 高価なものもあれば、安いものもあるので、心配しないでください。
ルーカス: はい、母はお菓子が好きです。
セア: では、伝統的なお菓子を買ってお母さんにプレゼントしましょう。
仁寺洞には美味しい伝統菓子も売っています。 お父さんには何をプレゼントしますか？
ルーカス: まだわかりません。
セア: それでは、紅参はいかがでしょうか？私の両親もとても好きです。
ルーカスさんはあまり知らないかもしれないので、一緒に行ってプレゼントを買うのを手伝ってあげます。
ルーカス: ありがとうございます。

# 듣기 지문

일본어 Japanese

## 14과

158쪽 듣기1 T52

エマ: みなさん、来週で今学期が終わります。学期が終わると、なかなか会うことができなくなるので、パーティーを開きましょうか？
バタール: いいですね。
エマ: 私がパーティーを準備します。今週の日曜日に私の家に 来てください。
バタール: エマさん、一人で準備すると大変だと思うので、一緒に準備しましょう。
エマ: それでは、バタールさんは私と一緒にスーパーに行きましょう。ケーキと飲み物と果物を買ったら重くなるので、バタールさんが持ってください。 バタール: はい、わかりました。
アリ: 私も手伝いたいです。
エマ: アリさん。ありがとうございます。アリさんも一緒に行きましょう。
ハルナ: ケーキは私が作って持っていきます。買わないでください。
エマ: 本当ですか？じゃあ、ハルナさんがケーキを用意してください。友達がたくさん来るともっと楽しくなるので、私はクラスメートに連絡します。

159쪽 듣기2 T53

ダニエル: 皆さん、私は来月結婚します。
時間があれば、私の結婚式に来てお祝いしてください。
先生: わあ！ダニエルさん、本当におめでとうございます。結婚式はいつですか？ 絶対行きますね。
ダニエル: ありがとうございます。先生。結婚式は来月の最後の土曜日です。
エマ: 私も行きたいです。でも土曜日は英語の 授業があるんです。結婚式は何時ですか？
ダニエル: 午後5時です。エマさん、来られますか？
エマ: 5時なら私も行けます。行ってお祝いしますね。
結婚式の準備はもう終わりましたか？
ダニエル: いいえ、私が韓国で結婚式を挙げるので、
故郷の友達は来られません。だから、
皆さんにお願いしたいことがあります。
アマンダ: お願いって何ですか？言ってください。
ダニエル: アマンダさん、結婚式の時にピアノを弾いてもらえますか？
アマンダ: はい、私がピアノを弾いてあげます。心配しないでください。
ダニエル: アマンダさん、ありがとうございます。ハルナさんは春菜さんは写真が上手いので 写真を撮ってください。
ハルナ: わかりました。写真を撮ってあげます。
ダニエル: 皆さん、本当にありがとうございます。

## 15과

180쪽 듣기1 T60

ハルナ: ミングさん、今日本を持って来ていません。すみませんが、
ミングさんの本を一緒に見てもいいですか？
ミング: はい、ハルナさん。大丈夫ですよ。一緒に見ましょう。
ハルナ: 横に座ってもいいですか？
ミング: もちろんです。座ってください。
先生: 皆さん、こんにちは！
今日は15課を勉強します。
みんな、ここを見てください。
(パシャリ)
先生ミングさん、授業中に写真を撮ってはいけませんよ。
ミング: すみません。
ハルナ: 先生、すみませんが、今トイレに行ってもいいですか？
先生: はい、ハルナさん。早く行ってきてください。

181쪽 듣기2 T61

(ぴんぽん)
ご案内を申し上げます。
まもなく公演が始まります。
今から公演場にご入場いただけます。
公演場内への食べ物の持ち込みは、禁止させていただいております。

(しばらくして)
(ぴんぽん)
こんにちは、コングク(建国)公演場です。
公演が始まる前にお客様にご案内を申し上げます。
公演中の携帯電話の使用は禁止です。携帯電話は電源を
切ってください。
公演が始まると席を立ってはいけません。
公演中には隣の人とお話ししないでください。
公演場で食べ物を食べることはできません。しかし、
飲み物は飲んでもかまいません。
公演中に写真を撮ったり、
動画を撮ったりしてはいけません。公演終了後に俳優たちと
写真を撮ることができます。まもなく公演が始まります。
ありがとうございます。

## 8과

### 26쪽 듣기1 T4

Dueño: Bienvenida.
Amanda: Hola. ¿Cuánto cuesta la pera?
Dueño: Una cuesta 4500 wones.
La pera está dulce y deliciosa.
Amanda: Es un poco caro. Entonces, ¿cuánto cuestan las manzanas y las naranjas?
Dueño: Las manzanas cuestan 2000 wones cada una y las naranjas cuestan 900 wones cada una.
No todas están ácidas, y están deliciosos.
Amanda: Entonces, por favor, dame naranjas y manzanas.
Dueño: ¿Cuántos quisieras?
Amanda: Por favor, dame cinco naranjas y dos manzanas.
Dueño: Sí, aquí lo tiene.

### 27쪽 듣기2 T5

Baatar: Kate, ¿qué te parece esta camiseta?
Kate: Es linda y bonita. ¿Te la compraste?
Baatar: Sí, ayer me lo compré.
Kate: Yo también quiero comprar esta camiseta. ¿Dónde la compraste?
Baatar: La compré en el centro comercial delante de la escuela
Kate: ¿En serio? ¿Cuánto cuesta una?
Baatar: Una cuesta 15 000 wones.
Pero ayer, como estaba en oferta, tres estaban a 30 000 wones.
Kate: ¡Oh, qué barato!
Baatar: Es verdad. Por eso compré muchas.
Kate: ¿Cuántas compraste?
Baatar: Compré tres para mí y tres para mi novia.

## 9과

### 48쪽 듣기1 T12

"(suena un teléfono)
Ming: ¿Dígame?
Profesora: Ming, soy la profesora.
¿Por qué no viniste hoy a la escuela?
Ming: Profesora, hoy me dolía la cabeza desde por la mañana.
Profesora: ¿Estás bien? ¿te has tomado una medicina?
Ming: Sí, la tomé, pero aún me duele.
Profesora: Si te duele mucho vete al hospital.
Ming: Sí, tengo una cita del hospital. No se preocupe...
Profesora: Mañana ven a la escuela sin falta.
Ming: Sí, entendido.
Profesora: Pues, te veo mañana en la escuela. "

### 49쪽 듣기2 T13

"Enfermera: ¿Es su primera vez a nuestro hospital?
Lucas: Sí, es mi primera vez.
Enfermera: ¿Dónde tiene la molestia?
Lucas: Vine porque me dolía mucho la barriga.
Enfermera: Escriba el nombre, el número de la tarjeta de registro de extranjero y el teléfono.
Lucas: Sí, aquí está. "

"Enfermera: Espere un momento.
(Un tiempo después) Señor Lucas, entre, por favor.
(Sonido de la puerta al abrirse y cerrarse)
Doctora: Buenos días/tardes. Siéntese aquí, por favor.
¿Cuándo le empezó a doler la barriga?
Lucas: Desde ayer.
Doctora: ¿Qué comió ayer?
Lucas: Comí pollo picante y cerveza.
Doctora: Tómese este medicamento hasta la próxima semana. Tome mucha agua tibia y evite comer comida picante. Si continúa sintiéndose mal vuelva al hospital.
Lucas: Vale. Entendido."

## 10과

### 70쪽 듣기1 T20

"Ja-ham, Jang: Haruna, ¿has ido a Gyeongbokgung?
Haruna: Sí, he ido. ¿Y tú, Ja-ham?
Ja-ham, Jang: Yo todavía no he ido. Quiero ir a ver Gyeongbokgung con una amiga esta semana. ¿Cómo irás?
Haruna: Puedo ir en metro.
Ja-ham, Jang: ¿Qué hiciste en Gyeongbokgung, Haruna?
Haruna: Yo me vestí con un hanbok y me saqué una fotografía.
Ja-ham, Jang: ¿Dónde te prestan el hanbok?
Haruna: Hay muchas tiendas de hanbok alrededor de Gyeongbokgung.
Puedes pedirlo prestado allí.
Ja-ham, Jang: ¿Y qué más hiciste?
Haruna: También fui a un museo al lado de Gyeongbokgung. Fue interesante conocer las tradiciones de Corea. "

### 71쪽 듣기1 T21

Ju-won Park: Christine, ¿qué hiciste en las últimas vacaciones?
Christine: Vino mi marido a Corea.
Por eso hicimos juntos un tour en Seúl.
Ju-won Park: ¿Adónde fuiste con tu marido?
Christine: Fui a Namsan y al parque Hangang.
Y también fui al mercado de Gwangjang.
Ju-won Park: Christine, ¿qué fue lo que más te gustó?
Christine: El parque de Hangang era bonito, pero lo que más me gustó fue la Torre de Seúl en Namsan. Como está en lo alto, puedes ver todo el paisaje de Seúl.
Ju-won Park: ¿También montaste en el teleférico en Namsan?
Christine: No. Queríamos montarlo, pero había mucha gente, así que fuimos caminando.
Ju-won Park: Hay un restaurante cerca de la Torre de Seúl que sirve una chuleta de cerdo deliciosa.
¿Has probado la chuleta de cerdo allí?
Christine: Sí, la probé. La chuleta de cerdo era grande y deliciosa.
Ju-won Park: Entonces, ¿qué lugar le gustó más a tu marido?

Christine: El mercado de Gwangjang.
Ju-won Park: ¿Qué hiciste en el mercado de Gwangjang?
Christine: Visité el mercado y comí cosas muy ricas.

## 11과

### 92쪽 듣기1 T28

Josephine: Ju-won, ¿qué tal?
Ju-won Park: Sí, he estado bien.
Josephine: ¿Vas a menudo al Hangang Park a hacer ejercicio con Ali estos días?
Ju-won Park: Sí, voy a menudo al Hangang Park a jugar baloncesto o patinar con el skateboard.
Josephine: ¿El skate? Ju-won, ¿también sabes andar en skateboard?
Ju-won Park: Sí, me gusta el deporte, así que aprendí a andar en skateboard.
Josephine, ¿has probado el skateboard?
Josephine: No. No lo he probado. Quiero probarlo, pero tengo un poco de miedo.
Ju-won Park: Da miedo al principio, pero si practicas mucho, mejorarás.
Es muy divertido, así que pruébalo.
Josephine: ¿De verdad? Yo también quiero intentar andar en skateboard.
¿Cuándo vas a andar en el skateboard?
Ju-won Park: Voy a andar en skateboard con Ali este fin de semana.
Josephine, ven si tú también quieres aprender.

### 93쪽 듣기2 T29

Hola. Soy Lucas. Soy de Brasil. Mi hobby es el fútbol. En mi ciudad natal jugaba al fútbol con mis amigos todos los días. Quería ser jugador de fútbol porque amo el fútbol y soy bueno en eso. Pero no pude ser jugador de fútbol porque me lesioné la pierna.
No soy jugador de fútbol, pero todavía amo el fútbol. Quería hacer lo mismo en Corea, así que busqué amigos con quienes pudiera jugar al fútbol. Todos los fines de semana voy al patio a jugar al fútbol con esos amigos. Jugar al fútbol en el patio es muy divertido. Si hace mal tiempo, veo un partido de fútbol o juego a un videojuego de fútbol en casa.
En mi ciudad natal, iba a menudo al estadio de fútbol, pero todavía no he ido en Corea. Por ello quisiera ir alguna vez.
Jugar al fútbol te hace sentir bien y puedes hacer amigos, así que ustedes también pruébenlo.

## 12과

### 114쪽 듣기1 T36

Daniel: Suzy, conociste a una buena amiga en la isla de Jeju, ¿verdad?
Suzy: Sí, comí una panceta rica con mi amigo y hablamos mucho.
Daniel: ¿Es así? El vuelo es hoy a las 11, ¿no? Aunque hace sol en Seúl, hace frío, menos 5 grados, así que abrígate con ropa caliente cuando vengas a Seúl.
Suzy: Pero no puedo coger el vuelo de las 11
Daniel: ¿Por qué?
Suzy: La isla de Jeju ha tenido mucha nieve desde ayer. Ahora mismo, como también sopla viento, el avión no puede despegar.
Daniel: Entonces, ¿cuándo puedes venir?
Suzy: Si no hace viento por la tarde, puedo partir.
Daniel: Entonces llámame cuando subas al avión.
Suzy: Sí, entendido.

### 115쪽 듣기2 T37

Profesora: Hoy tenemos 35 grados en Seúl. Hace calor, ¿verdad?
Daniel: Sí, hace mucho calor. Fue un poco difícil venir a la escuela porque no había viento.
Profesora: Daniel, ¿cómo es el clima en Suecia?
Daniel: En mi ciudad natal no hace tanto calor como Corea. Hoy hace 22 grados. Es parecido al mayo de Corea.
Profesora: Ali, ¿y en Arabia Saudita?
Ali: Mi ciudad natal hace más calor que Corea. Hoy hace 43 grados.
Daniel: ¿43 grados?
Ali: Sí. La temperatura más alta puede alcanzar los 50 grados.
Emma, ¿cómo está el tiempo hoy en Australia?
Emma: Hoy está nublado y hace mucho viento.
Profesora: Josephine, ¿cómo está el tiempo hoy en Francia?
Josephine: En Francia tenemos ahora mismo 24 grados. En Francia hace un poco de calor durante el día, pero no hace calor por la noche.
Ali: En Arabia Saudita tampoco hace calor por la noche.
Pero hace tanto calor en Seúl, incluso de noche, que no puedo dormir.

## 13과

### 136쪽 듣기1 T44

Kate: Baatar, ¿toda su familia está en Mongolia?
Baatar: Mi abuelo y mis padres están en mi ciudad natal, pero mi hermana menor se fue a estudiar a Canadá.
Kate: ¿es así? ¿Viven juntos tu abuelo y tus padres?
Baatar: Sí. Cuando estaba en mi ciudad natal, vivía con mi abuelo y mis padres.
Kate: Ahora que vives solo, ¿te aburres?
Baatar: Hay momentos en los que me aburro, pero también hay buenos momentos.
Kate, ¿toda su familia está en Estados Unidos?
Kate: Sí. Soy el único en Corea; mi abuela y mi madre viven en Estados Unidos.
Baatar: Kate, ¿eres hija única? ¿Tienes hermanos?
Kate: Sí. No tengo hermanos, pero está bien porque tengo marido e hijos.
Baatar: Los hijos de Kate también hablan bien coreano, ¿verdad?
Kate: Sí, hablan mejor que yo.

**137쪽** 듣기2 T45

Lucas: Se-ah, voy a ir a mi ciudad natal estas vacaciones.
Así que quiero comprar un regalo para mi familia. ¿Qué debo comprar?
Se-ah: Ya que Lucas vino a Corea a estudiar, ¿por qué no regalarle algunos artículos tradicionales coreanos?
Lucas: ¿Dónde puedo ir a comprarlo?
Se-ah: Si vas a Insadong, hay muchas tiendas de regalos.
Lucas: A mi abuela le gusta el hanbok. ¿Puedo comprar hanbok allí?
Se-ah: Claro que sí. Hay muchas tiendas de hanbok en Insa-dong, así que vete allí.
Lucas: El hanbok es caro, ¿verdad?
Se-ah: No te preocupes, los hay caros y baratos.
Lucas: Sí. A mi madre le gustan las galletas.
Se-ah: Entonces, compra algunos bocadillos tradicionales y dáselos a tu madre.
Insadong también vende deliciosos bocadillos tradicionales.
¿Qué le vas a regalar a tu padre?
Lucas: No estoy seguro todavía.
Se-ah: Entonces ¿qué tal el ginseng rojo? A mis padres también les gusta mucho.
Como Lucas no sabe mucho, iré con él y le ayudaré a comprar un regalo.
Lucas: Gracias.

## 14과

**158쪽** 듣기1 T52

Emma: Este semestre termina la próxima semana. Dado que no podremos reunirnos con frecuencia cuando termine el semestre, ¿deberíamos hacer una fiesta?
Baatar: Excelente.
Emma: Yo prepararé la fiesta. Por favor, ven a mi casa este domingo.
Baatar: Va a ser difícil para Emma prepararlo sola preparémoslo juntos.
Emma: Pues ven conmigo al supermercado, Baatar.
El pastel, las bebidas y la fruta pesará mucho, así que, Sr. Batar, llévelo.
Baatar: Sí, lo tengo.
Ali: Yo también quiero ayudar.
Emma: Ali. gracias. Ali, vayamos juntos también.
Haruna: Haré la tarta y me la llevaré a casa. No la compres.
Emma: ¿De verdad? Entonces, Haruna, por favor prepara la tarta.
Es más divertido si vienen muchos amigos, así que me pondré en contacto con mis compañeros de clase.

**159쪽** 듣기2 T53

Daniel: Me caso el próximo mes.
Si tienes tiempo, vengan a felicitarme por mi boda.
Profesora: ¡Oh! Daniel, felicidades. ¿Cuándo es la boda? Sin falta iré.
Daniel: Gracias, profesora. La boda será el último sábado del próximo mes.
Emma: Yo también quiero ir. Pero hay clases de inglés los sábados.
¿A qué hora es la boda?
Daniel: Es a las cinco de la tarde. Emma, ¿puedes venir?
Emma: Si es a las 5, yo también puedo ir. Iré a felicitarte.
¿Estás listo para la boda?
Daniel: No, como me voy a casar en Corea, los amigos de mi ciudad natal no pueden venir a mi boda. Entonces, hay algo que me gustaría pedirte.
Amanda: ¿El qué? Dime.
Daniel: Amanda, ¿puedes tocar el piano en nuestra boda?
Amanda: Sí, tocaré el piano para ti. No te preocupes.
Daniel: Amanda, gracias. Haruna, como eres buena fotógrafa, por favor toma algunas fotografías.
Haruna: Está bien. Sacaré las fotos.
Daniel: Gracias a todos.

## 15과

**180쪽** 듣기1 T60

Haruna: Ming, hoy no traje mi libro. Lo siento, pero ¿puedo leer el libro contigo?
Ming: Sí, Haruna. Está bien. Veámoslo juntos.
Haruna: ¿Puedo sentarme a tu lado?
Ming: Por supuesto. Por favor, siéntate.
Profesora: ¡Hola a todos!
Hoy estudiaremos la lección 15.
Todos, por favor miren aquí.
(hace clic)
Profesora: Ming, no se pueden sacar fotos durante la clase.
Ming: Lo lamento.
Haruna: Profesora, disculpa, pero ¿puedo ir al baño ahora?
Profesora: Sí, Haruna. Vuelve rápido.

**181쪽** 듣기2 T61

(Ding Dong Dang)
He aquí algunas noticias.
La actuación comenzará en un momento.
Ya pueden entrar a la sala de espectáculos.
No se puede llevar comida a la sala de conciertos.

(Al poco tiempo)
(Ding Dong Dang)
¿Buenas? Esta es la sala de espectáculos de Konkuk.
Te informaremos antes de que comience la actuación.
No está permitido utilizar el móvil durante la actuación. Debes apagar el móvil.
No deberás levantarte de tu asiento una vez iniciada la actuación.
Además, no debes hablar con la persona que tienes al lado mientras dure la actuación.
No está permitido comer dentro de la sala. Sin embargo, se puede beber.
Por favor, no tome fotografías ni vídeos durante la actuación. Después de terminar la actuación, podrá tomar fotos con los actores. En unos momentos empezará el espectáculo.
Gracias.

# 읽기2



## 8과

35쪽

Today, I wanted to buy a cap and sneakers. So I went to some shops near Konkuk University and looked around. The cap was 50,000 won and the sneakers were 200,000 won. The sneakers were a little expensive but really pretty.

"I would like the cap over there and these sneakers in size 290, please."

I tried the cap on. I liked the cap. I tried the sneakers on as well. But the sneakers were a little too big.

"The sneakers are a little too big. Do you have a smaller size?"

The staff gave me the sneakers in smaller sizes. The sneakers were not big, so they were nice. So I bought both the sneakers and the cap. It felt great.

## 9과

57쪽

The weather has been cold since last week. But since I didn't bring thick clothes from my hometown, I only had thin ones. Even though I layered the thin clothes, it was freezing.

I started getting a headache and a runny nose from yesterday afternoon. I had a high fever as well. So I couldn't go to school today. I sent a message to the teacher and went to the hospital in the morning.

The doctor told me, "You have a high fever, so get an injection. If you still feel sick tomorrow, come back to the hospital." I didn't want to get an injection, but I was so sick that I agreed. I also bought some medicine at the pharmacy. The pharmacist said, "Take the medicine after meals. Drink plenty of water and rest well at home."

I ate alone at home and took the medicine. Having no family or friends in Korea, I felt very sad.

## 10과

79쪽

Vacation starts next week. This vacation, my family is coming to Korea to see me, so I won't be visiting my hometown. My family has been to Seoul twice. So this time, we're traveling to a different place.

We will go to Jeonju by train. It takes about 1 hour and 40 minutes to get to Jeonju from Seoul. When we get to Jeonju, the first place we'll visit is the famous Hanok Village. In the Hanok Village, you can rent and wear hanbok. I have never tried wearing hanbok before. I will wear hanbok and explore the Hanok Village. We will take a walk and take many photos. When we get hungry, we will visit the market and eat delicious bibimbap. In the evening, we will stay in a hanok. I live in Korea, but I have never stayed in a hanok before. So when I visit Jeonju, I want to stay overnight in a hanok with my family.

The next day, we will visit the Jeonju Traditional Liquor Museum. Jeonju is famous for makgeolli. At the museum, you can try making makgeolli. My family and I will make makgeolli there. I can't wait to go on this trip!

## 11과

101쪽

My name is Josephine. I am from France. When I have free time, I listen to K-pop or dance.

The first time I heard K-pop was in my hometown. I really liked the songs. So I searched for more K-pop songs and listened to them. And I talked a lot about K-pop with my hometown friends. At first, my friends didn't like talking about K-pop, but now they also enjoy K-pop, and we talk about it together. Listening to K-pop makes me happy. So try listening to it, everyone.

I love dancing as well. Korean singers are good at both singing and dancing, which is why I like them. Back in my hometown, I used to watch videos and practice dancing by myself. But it was too difficult, and I couldn't follow the moves well. I came to Korea to learn dancing. Starting next semester, I will attend a dance academy and learn how to dance. Later, I want to form a dance team, practice with friends, and perform together.

## 12과

123쪽

Korea has four seasons: spring, summer, fall, and winter. Spring is from March to May. During spring, the weather is warm, and a variety of beautiful flowers bloom. When the weather is nice, people go on picnics or look at flowers in nearby parks. Summer is from June to August. In summer, the weather is hot and it rains frequently. When the weather is too hot, people go on vacation. They go to the mountains to spend time with their family or have a nice time by the sea. Fall is from September to November. During fall, the weather is clear and windy. Many people go to the mountains to see the beautiful fall foliage. Winter is from December to February. In winter, the weather is very cold and it snows a lot. When there is heavy snow, many people visit ski resorts.

But the weather has slightly changed from the past. Spring and fall are very short, while summer and winter are long. So there are hot days in May and cold days in November.

How is the weather in your country?

## 13과

145쪽

Last week, my parents visited Korea to see me. They will stay in Korea for about a week.

Because of the school vacation, I had plenty of free time. So I went to Jeonju with my parents. We wanted to take the train, but there were no tickets. So we took the bus instead. The seats were comfortable and spacious, so my parents liked the bus.

First, we visited the Hanok Village. My mother rented and wore hanbok, but my father didn't because of the hot weather. My parents explored the Hanok Village and took a lot of photos. Next, we went to a famous market to eat. My father ordered bibimbap, and my mother, who doesn't like spicy food, ordered tteokgalbi. The food was delicious, so they ate a lot. After eating, we went to a gift shop to look around. My father bought traditional Korean liquor, and my mother bought gifts for her friends. In the evening, we rested at our accommodation. My parents were tired, so they went to bed early.

The next day, we visited the Jeonju Traditional Liquor Museum to look around and try some traditional liquor. We also tried making makgeolli. It was a truly enjoyable trip.

## 14과

167쪽

Our class will have a party at Emma's place today. Since I had to meet up with Emma and Ali to go to the supermarket, I went to Emma's place early in the morning. Emma and I waited for Ali. But Ali didn't come at the appointment time. I called Ali, but he didn't answer. We didn't have much time, so we went to the supermarket first. I sent Ali a message saying, "Emma and I will go to the supermarket first to buy some things. Please contact us when you get this message."

Ali arrived at the supermarket when we had finished shopping. He said, "I'm sorry I couldn't reach you sooner. I left my phone at home this morning, so I had to go back and get it. And then I missed the bus. That's why I'm late." I wasn't in a good mood because Ali was very late, but I didn't say anything because we needed to prepare for the party. We carried the groceries together and went to Emma's place to prepare for the party.

## 15과

189쪽

School life guidelines

1. Do not be late to class. Being late 3 times will count as one absence. If you're absent 11 times or more, you cannot advance to Level 2.
2. When talking with friends in the classroom, use only Korean.
3. Do not use your phone during class.
4. Do not eat food in the classroom. You may drink beverages.
5. Do not litter in the classroom. Dispose of trash in the trash can.
6. Do not smoke inside the language institute building.
7. Do not spit in the restroom.
8. Do not run or make noise in the hallway.

## 8과

35쪽

我今天想买帽子和运动鞋，所以逛了建大附近的商店。帽子五万韩元，运动鞋二十万韩元。运动鞋虽然有点贵，但是真的很漂亮。
"请给我那里的帽子和这个运动鞋290码。"
我戴了帽子。我很喜欢那个帽子。还穿了运动鞋。但是运动鞋有点大。
"运动鞋有点大。有比这个小一点的吗？"
工作人员给了我小一码的运动鞋。那个运动鞋不大，很好。所以运动鞋和帽子我都买了。心情非常好。

## 9과

57쪽

从上周开始天气很冷。但是我没有从故乡带厚衣服来，所以只有薄衣服。虽然穿了许多薄衣服，但是太冷了。
昨天下午开始头疼、流鼻涕。还发高烧。所以今天没能去学校。我给老师发了消息，上午去了医院。
医生对我说："发高烧了，要打针。如果明天还不舒服的话，请再来医院。"我虽然不想打针，但是因为太不舒服了，所以打了针。还在药店买了药。药剂师说："请在饭后吃药。还要多喝水，在家充分休息。"
我在家独自吃了饭，然后吃了药。在韩国没有家人，也没有朋友，所以很伤心。

## 10과

79쪽

下周开始放假。这次放假家人们要来韩国看我，所以我不回故乡。我的家人来过首尔两次。所以这次想去其他地方旅行。
我们要坐火车去全州。从首尔到全州要花1小时40分钟左右。到达全州后，最先要去著名的韩屋村。在韩屋村可以租韩服来穿。我没穿过韩服。我要穿着韩服游览韩屋村。要散步，还要拍很多照片。肚子饿的话，要去市场吃美味的拌饭。然后晚上要睡在韩屋。我虽然生活在韩国，但是还没在韩屋睡过觉。所以去全州的话，
想和家人一起在韩屋睡觉。
第二天要去传统酒博物馆。全州的马格利酒很有名。在博物馆可以尝试制作马格利酒。我要和家人去制作马格利酒。想快点去旅行。

## 11과

101쪽

我是约瑟芬。来自法国。我有时间的话会听K-Pop或者跳舞。
我在故乡初次听到K-Pop。歌曲太好听了。所以还找了其他K-Pop来听。并且还和故乡的朋友们说了许多K-Pop的话题。一开始朋友们不喜欢K-Pop话题，但是现在朋友们也喜欢K-Pop，所以会一起聊天。听K-Pop心情会好。所以大家也听听看吧。
我还非常喜欢跳舞。韩国歌手们歌也唱得好，舞也跳得好，所以很喜欢。在故乡看着视频独自练习了舞蹈。但是太难了，不能跟着跳。我想学跳舞，所以来了韩国。所以从下学期开始要去舞蹈学院学习舞蹈。以后想组建舞蹈队，和朋友们一起练习，一起表演。

## 12과

123쪽

韩国有春、夏、秋、冬四季。春天是3月到5月。春天天气温暖，会开很多漂亮的花。天气好的话，人们会去附近的公园郊游或者去赏花。夏天是6月到8月。夏天天气热，并且经常下雨。天气太热的时候我会去休假。和家人一起去山里玩，或者去海边度过愉快的时光。秋天是9月到11月。秋天天气晴朗，并且会刮风。枫叶很漂亮，所以我经常去山上观赏枫叶。冬天是12月到2月。冬天天气很冷，还会下大雪。下大雪的话，许多人会去滑雪场玩。
但是最近和以前的天气稍有不同。春天和秋天很短，夏天和冬天很长。所以5月有时也很热，11月有时也很冷。
各位的国家天气怎么样？

## 13과

145쪽

上周父母来韩国看我。会在韩国待一周左右。
学校放假，我有很多时间，所以和父母一起去了全州。想坐火车，但是没有票，所以坐了巴士去。巴士上的椅子又大又舒服，父母很喜欢。
我们先去了韩屋村。妈妈租了韩服穿，但是爸爸因为天气热所以没有穿。父母游览了韩屋村，还拍了许多照片。然后我们一家人去了有名的市场吃饭。爸爸点了拌饭，妈妈不喜欢辣的食物，所以点了牛肉饼。食物很好吃，父母吃了很多。我们吃完饭去逛了礼品商店。爸爸买了韩国的传统酒，妈妈买了送给朋友们的礼物。晚上在住处休息。父母累了，所以早早睡了。
第二天去游览了传统酒博物馆，并品尝了传统酒。还尝试制作了马格利酒。真是一次愉快的旅行。

## 14과

167쪽

我们班的同学们今天要在艾玛小姐的家举办派对。我要和艾玛小姐还有阿里先生见面去超市，所以早上早早地去了艾玛小姐的家。艾玛小姐和我等了阿里先生。但是阿里先生没有按照约定时间来。给阿里先生打了电话，但是他没有接。时间不多，所以我们先去了超市。我给阿里先生发消息说"我和艾玛小姐先去超市买东西了。确认消息后请跟我联系"。
阿里先生在我们东西都买完后到了超市。阿里先生说："对不起，没能早点联系。早上把手机落在家里，所以回了一趟家。然后错过了公交车，所以迟到了。"我因为阿里先生迟到很久，所以心情不好，但是因为要开派对，所以没有说。我们一起拎着东西去了艾玛小姐家，准备派对。

## 15과

189쪽

学校生活指南

1. 上课时间不能迟到。3次迟到等同于1次缺勤。
   缺勤11次以上则不能升到2级。
2. 在教室和同学说话时只能用韩语。
3. 上课时间不能使用手机。
4. 请不要在教室里吃东西。可以喝饮料。
5. 请不要往教室扔垃圾。请将垃圾扔到垃圾桶。
6. 请不要在语言教育院楼内抽烟。
7. 请不要在卫生间吐痰。
8. 请不要在走廊奔跑或打闹。

## 8과

35쪽

私は今日、帽子とスニーカーを買いたくて、コングク(建国)大学校の近くにあるお店で見物しました。帽子は5万ウォンで、スニーカーは20万ウォンでした。スニーカーは少し高かったけど、本当に可愛かったです。

「そこにある帽子と、このスニーカーのサイズ290をください。」

私は帽子をかぶりました。その帽子が気に入りました。スニーカーも履きました。でも、スニーカーは少し大きかったです。

「スニーカーがちょっと大きいです。これより小さいのはありますか？」

店員さんは私にもっと小さいサイズのスニーカーをくれました。そのスニーカーは大きくなくて良かったです。だから、私はスニーカーと帽子を全部買いました。とても気持ちよかったです。

## 9과

57쪽

先週から天気が寒くなりました。でも、 私は故郷から厚い服を持ってこなかったので、薄い服しか持っていませんでした。薄い服をたくさん着ましたが、とても寒かったです。

昨日の午後から頭が痛くて、鼻水が出ました。そして、熱もとても高かったです。だから、今日は学校に行けませんでした。私は先生にメッセージを送り、午前中に病院に行きました。

医者は私に「熱が高いから、注射を打ってください。そして、明日も具合が悪ければ、また病院に来てください」と言いました。私は注射を打ちたくなかったんですが、あまりにも痛かったので注射を打ちました。そして薬局で薬も買いました。 薬剤師は「ご飯を食べてから薬を飲んでください。そして水をたくさん飲んで家でゆっくり休んでください」と言いました。

私は家で一人でご飯を食べて薬を飲みました。 韓国には家族も友達もいないので、悲しかったです。

## 10과

79쪽

来週から休みです。今度の休みには家族が私に会いに韓国に来るので、故郷には帰りません。私の家族はソウルに2回来たことがあります。だから今回は他のところに旅行に行きたいです。

私たちは汽車に乗って全州に行きます。ソウルから全州まで1時間40分くらいかかります。全州に到着したら、最初に有名な韓屋村に行きます。韓屋村では韓服を借りて着ることができます。私は韓服を着たことがありません。韓服を着て韓屋村を見物します。散歩をしたり、写真をたくさん撮ったりするつもりです。腹が減ったら市場に行って美味しいビビンバを食べます。そして、夜には韓屋で泊まります。私は韓国に住んでいますが、まだ韓屋で泊まったことがありません。だから、
全州に行ったら家族と一緒に韓屋で泊まりたいです。

翌日には伝統酒博物館に行きます。全州はマッコリが有名です。博物館ではマッコリを作ることができます。家族と一緒にマッコリを作りに行きます。早く旅行に行きたいです。

## 11과

101쪽

私はジョセフィンです。フランスから来ました。私は暇な時間にはK-POPを聴いたり、踊ったりしています。

私は故郷で初めてK-POPを聴きました。歌がとても良かったんです。それで、他のK-POPもたくさん探して聴きました。そして、故郷の友達にK-POPの話をたくさんしました。 最初は友達はK-POPの話が嫌いでしたが、今は友達もK-POPが好きなので、一緒に話し合います。K-POPを聴くと気分が良くなります。だから、皆さんもぜひ聴いてみてください。

私はダンスもとても好きです。韓国の歌手は歌も上手いし、ダンスも上手いので好きです。 故郷ではビデオを見て一人でダンスの練習をしました。しかし、難しくてうまく踊ることができませんでした。 私はダンスを習いたいと思って韓国に来ました。 だから、来学期からダンス教室に行ってダンスを習います。 後でダンスチームを作って友達と一緒に練習したり、公演もしたいと思います。

## 12과

123쪽

韓国には春、夏、秋、冬の四季があります。春は3月から5月までです。春は天気が温かくて、きれいな花がたくさん咲きます。天気が良ければ、人々は近くの公園にピクニックに行ったり、花見に行ったりします。夏は6月から8月までです。夏は天気が暑くて、雨がよく降ります。天気がとても暑いときは、休みを取ります。家族と一緒に山に行って遊んだり、海に行って楽しい時間を過ごします。秋は9月から11月までです。秋には天気が晴れて、風が吹きます。紅葉がきれいなので、山に紅葉狩り行く人が多いです。冬は12月から2月までです。冬は天気がとても寒く、雪もたくさん降ります。雪がたくさん降ると、多くの人々がスキー場に遊びに行きます。

でも、最近は昔とは天気が少し違います。春と秋はとても短く、夏と冬が長いです。だから、5月でも暑い日があったり、11月でも寒い日があったりします。

皆さんの国の天気はどうですか？

## 13과

145쪽

先週、両親が私に会いに韓国に来ました。韓国には1週間ほど滞在する予定です。

私は学校が休みで時間がたくさんあったので、両親と一緒に全州に行きました。汽車に乗りたかったのですが、空席がなかったのでバスで行きました。バスの椅子は快適で大きかったので、両親はとても喜びました。

まず最初に私たちは韓屋村に行きました。母は韓服を借りて着ましたが、父は天気が暑かったので着ませんでした。両親は韓屋村を見物して、写真もたくさん撮りました。その後、私の家族は有名な市場に行ってご飯を食べました。父はビビンバを注文し、母は辛い料理が苦手なのでトッカルビを注文しました。食べ物がとても美味しかったので、両親はたくさん食べました。私たちはご飯を食べた後、お土産店に行って見物しました。父は韓国の伝統酒を買い、母は友達へのお土産を買いました。夜は宿で休みました。両親は疲れていたので早く寝ました。

翌日、私たちは伝統酒の博物館に行て見物したり、伝統酒を飲んだりしました。そして、マッコリも作ってみました。本当に楽しい旅行でした。

## 14과

167쪽

私たちのクラスメートは今日、エマさんの家でパーティーを開く予定です。私はエマさんとアリさんに会ってスーパーに行かなければならなかったので、朝早くエマさんの家に行きました。エマさんと私はアリさんを待ちました。しかし、アリさんは約束の時間に来ませんでした。アリさんに電話をかけましたが、電話に出ませんでした。私たちは時間がないので、先にスーパーに行きました。私はアリさんに「私とエマさんは先にスーパーに行って物を買います。メッセージを確認したら連絡してください。」とメッセージを送りました。

アリさんは私たちが物をすべて買ったときにスーパーに着きました。アリさんは「早く連絡できなくてごめんなさい。朝、携帯電話を家に忘れてきて、家に帰ってきました。それからバスに乗り遅れてしまったのです。」と言いました。私はアリさんがとても遅れていたので気分が良くありませんでしたが、パーティーをしなければならないので何も言いませんでした。私たちは一緒に荷物を持ってエマさんの家に行き、パーティーの準備をしました。

## 15과

189쪽

学校生活案内

1. 授業時間に遅れてはいけません。3回の遅刻は1回の欠席とみなされます。
   11回以上欠席したら2級に進級できません。
2. 教室で友達と話すときは、韓国語だけを使ってください。
3. 授業中に携帯電話を使用してはいけません。
4. 教室で食べ物を食べてはいけません。
   飲み物は飲んでもかまいません。
5. 教室にゴミを捨ててはいけません。ゴミはゴミ箱に捨ててください。
6. 言語教育院の建物内ではタバコを吸ってはいけません。
7. トイレに唾を吐いてはいけません。
8. 廊下で走ったり、大声で騒いだりしてはいけません。

## 8과

35쪽

Quería comprar un gorro y zapatillas deportivas hoy, así que fui a una tienda cerca de la Universidad Konkuk para echar un vistazo. El gorro costaba cincuenta mil wones y las zapatillas veinte mil wones. Las zapatillas son caras, pero eran muy bonitas.

"Me podría dar ese gorro y zapatillas de la talla 290, por favor."

Me puse el gorro. Me gustó el gorro. Me probé las zapatillas deportivas. Pero las zapatillas eran un poco grandes.

"Las zapatillas me quedan un poco grandes. "¿Hay alguno más pequeño que éstos?"

El personal me dio unas zapatillas deportivas de una talla más pequeña. Lo bueno es que las zapatillas no eran demasiado grandes. Por eso me compré las zapatillas y un sombrero. Me sentí muy bien.

## 9과

57쪽

Ha hecho frío desde la semana pasada. Pero no traje ropa gruesa; sólo tenía ropa fina. Me ponía mucha ropa fina, pero hacía mucho frío.

Tengo dolor de cabeza y mocos desde ayer por la tarde. Y también tuve mucha fiebre. Por eso no pude ir a la escuela hoy. Le envié un mensaje a la profesora y fui al hospital por la mañana.

El médico me dijo: "Tienes fiebre alta, así que ponte una inyección. "Y si mañana vuelves a enfermarte, vuelve al hospital". No quería que me pusieran la inyección, pero me dolía tanto que me puse la inyección. Y compré unos medicamentos en la farmacia. El farmacéutico dijo: "Toma la medicina después de las comidas. Y bebe mucha agua y descansa bien en casa".

Comí solo en casa y tomé los medicamentos. Estaba triste porque no tenía familia ni amigos en Corea.

## 10과

79쪽

Las vacaciones comienzan la próxima semana. Durante estas vacaciones no iré a mi ciudad natal porque mi familia vendrá a Corea a verme. Mi familia ha estado en Seúl dos veces. Así que esta vez quiero viajar a un lugar diferente.

Nos vamos a Jeonju en tren. Se tarda aproximadamente 1 hora y 40 minutos desde Seúl hasta Jeonju. Cuando llegue a Jeonju, lo primero que haré será ir al famoso distrito Hanok. En el distrito Hanok pueden prestarte un hanbok y usarlo. Nunca antes había usado un hanbok. Usaré hanbok y recorreré la aldea Hanok. Saldré a caminar y tomaré muchas fotografías. Si tengo hambre, voy al mercado y como un delicioso bibimbap. Y por la noche dormiré en un hanok. Vivo en Corea, pero nunca he dormido en un hanok. Por eso, cuando vaya a Jeonju, quiero dormir en un hanok con mi familia.

Al día siguiente nos dirigiremos al Museo de Licores Tradicionales. Jeonju es famoso por su makgeolli. Puedes intentar hacer makgeolli en el museo. Voy a ir a hacer makgeolli con mi familia. Quiero irme de viaje pronto.

## 11과

101쪽

Soy Josephine. Soy de Francia. Cuando tengo tiempo, escucho K-pop o bailo.

Escuché K-pop por primera vez en mi ciudad natal. Realmente me gustó la canción. Así que busqué y escuché muchas otras canciones de K-pop. Y hablé mucho sobre K-pop con mis amigos de mi ciudad natal. Al principio, a mis amigos no les gustaba hablar de K-pop, pero ahora también les gusta el K-pop, así que hablamos de ello juntos. Me siento bien cuando escucho K-pop. Entonces, todos, por favor escuchen K-pop alguna vez.

También me encanta bailar. Me gustan los cantantes coreanos porque cantan y bailan bien. En mi ciudad natal, veía vídeos y practicaba baile yo sola. Pero era tan difícil que no podía seguir bien el baile. Vine a Corea porque quería aprender a bailar. Por eso a partir del próximo semestre, iré a una academia de baile y aprenderé a bailar. En el futuro quiero formar un equipo de baile y practicar y actuar con mis amigos.

## 12과

123쪽

Corea tiene cuatro estaciones: primavera, verano, otoño e invierno. La primavera es de marzo a mayo. En primavera, el tiempo es cálido y florecen muchas flores bonitas. Cuando hace buen tiempo, la gente va a los parques cercanos para hacer picnic o mirar las flores. El verano es de junio a agosto. En verano hace calor y llueve a menudo. Cuando el tiempo es muy caluroso se va de vacaciones. Voy a la montaña con mi familia o voy al mar y la paso bien. El otoño es de septiembre a noviembre. En otoño, el clima es despejado y ventoso. Las hojas de otoño son bonitas, por eso voy a menudo a las montañas para verlas. El invierno es de diciembre a febrero. En invierno hace mucho frío y hay mucha nieve. Cuando hay mucha nieve, mucha gente acude a las estaciones de esquí.

Pero hoy en día el clima es un poco diferente al de antes. La primavera y el otoño son muy cortos y el verano y el invierno son largos. Entonces, hay momentos en que hace calor en mayo y hay momentos en que hace frío en noviembre.

¿Cómo es el clima en tu país?

## 13과

145쪽

La semana pasada, mis padres vinieron a Corea a verme. Estarán en Corea durante aproximadamente una semana.

Como estoy de vacaciones en la escuela y tengo mucho tiempo, fui con mis padres a Jenju. Quería tomar el tren, pero no había billetes, así que tomé el autobús. A mis padres les gustaron los asientos del autobús porque eran cómodos y grandes.

Primero fuimos al distrito de Hanok. Mi madre pidió prestado un hanbok y lo usó, pero mi padre no lo usó porque hacía calor. Mis padres recorrieron la aldea Hanok y tomaron muchas fotografías. Después, mi familia fue al famoso mercado y comió. Mi padre pidió bibimbap y mi madre, a quien no le gusta la comida picante, pidió tteokgalbi. La comida estaba deliciosa y mis padres comían mucho. Comimos y fuimos a la tienda de regalos. Mi padre compró alcohol tradicional coreano y mi madre compró regalos para sus amigos. Por la noche descansé en mi alojamiento. Mis padres estaban cansados y se acostaron temprano.

Al día siguiente, fui al museo de licores tradicionales, miré a mi alrededor y probé un licor tradicional. Y también hicimos makgeolli. Fue un viaje realmente agradable.

## 14과

167쪽

Nuestros compañeros de clase van a celebrar una fiesta en casa de Emma hoy. Tenía que encontrarme con Emma y Ali e ir al supermercado, así que fui a la casa de Emma temprano en la mañana. Emma y yo esperamos a Ali. Pero, Ali no llegó a la hora acordada. Llamé a Ali, pero no respondió. Como no teníamos mucho tiempo, fuimos primero al supermercado. Le dije a Ali: “Emma y yo iremos primero al supermercado y compraremos algo. “Por favor, comuníquese con nosotras cuando vea el mensaje”.

Ali llegó al supermercado cuando ya habíamos terminado de comprar nuestras cosas. Ali dijo: “Lamento no haber podido contactar antes. Esta mañana dejé mi móvil en casa y tuve que ir a cogerlo. Y llegué tarde porque perdí el autobús”. Me sentí mal porque Ali llegó muy tarde, pero no se lo dije porque tenía que asistir a la fiesta. Recogimos nuestras cosas juntas y fuimos a la casa de Emma a prepararnos para la fiesta.

## 15과

189쪽

Guía para la vida escolar

1. No debes llegar tarde a clase. Llegar tarde tres veces equivale a ausentarse una vez.
   Si te ausentas más de 11 veces no podrás avanzar al Nivel 2.
2. Utilice únicamente coreano cuando hable con sus compañeros en el aula.
3. No deben utilizar teléfonos móviles durante la clase.
4. Por favor, no coma en el aula. Puedes beber.
5. Por favor, no deje basura en el aula. Por favor, tire la basura en el cubo de basura.
6. Por favor, no fume dentro del edificio del centro de educación de idiomas.
7. Por favor, no escupa dentro de los aseos.
8. Por favor, no corra o hable alto en el pasillo.

**집필** 이지윤 한국외국어대학교 국제지역대학원 한국학과 박사 수료
경희대학교 교육대학원 외국어로서의 한국어교육 석사
건국대학교 언어교육원 강사

이선민 경희대학교 교육대학원 역사교육 석사
건국대학교 언어교육원 강사

이리사 한경국립대학교 미디어문예창작학 석사
건국대학교 언어교육원 강사

윤수연 경희대학교 국어국문학 박사 수료
경희사이버대학교 글로벌한국학 석사
경희사이버대학교 강사
건국대학교 언어교육원 강사

**삽화** 디자인플레이스

**번역** 피티에스그룹 인터내셔널(주) 한국지사

**녹음** 쿨사운드

**디자인** 표지 김인혜
본문 네오프린텍(주)

## 건국 한국어 1-2 Workbook
### (건국 한국어 1-2 딸림 책)

**찍은날** 2025년 3월 20일
**펴낸날** 2025년 3월 28일

**편자** 건국대학교 언어교육원
집필자: 이지윤, 이선민, 이리사, 윤수연

**펴낸이** 원종필

**편집기획** 임경희

**펴낸곳** 건국대학교출판부
주소: 05029, 서울특별시 광진구 능동로 120
전화: 출판문화사업팀 (02) 450-3891~3
팩스: (02)457-7202
등록: 제4-3호(1971. 6. 21.)
홈페이지: http://press.konkuk.ac.kr

**찍은곳** 네오프린텍(주)



ISBN 978-89-7107-793-1 14710
ISBN 978-89-7107-785-6 (세트)